D0267509

NU JIJ NOG

KATIA LIEF

NU JIJ NOG

De Fontein

Oorspronkelijke uitgever: Avon Books, an imprint of *HarperCollins*Publishers
Oorspronkelijke titel: *You Are Next*
Uit het Engels vertaald door: Monique Eggermont
Omslagontwerp: Studio Jan de Boer, Amsterdam
Omslagfoto: Trevillion Images © Clayton Bastiani
Auteursfoto: Sigrid Estrada
Vormgeving binnenwerk: Mat-Zet bv, Soest
ISBN 978 90 261 8881 7
NUR 305

www.defonteintirion.nl

Voor Karenna

DEEL EEN

1

Het had iets heel bevredigends om met je blote handen in de aarde te wroeten. Mijn tuinhandschoenen waren doorweekt, dus ik legde ze op het gebarsten beton naast de houten ton waar ik oranje begonia's in plantte. Aan het eind van de zomer zouden de zes plantjes drie keer zo groot zijn en zouden er kleurige trossen glanzende bloemblaadjes over de ton heen tuimelen. Geduldig de bloei afwachten en genieten van hun schoonheid was één van de duizend aspecten van mijn therapie, maar eigenlijk stond alles wat ik tegenwoordig deed in het teken van herstel. Aldus 'eens-per-week'-Joyce, zoals ik mijn therapeute stiekem bij mezelf noemde, waarbij ik me er voor de honderdste keer over verkneukelde hoe ze me er bij mijn eerste afspraak op had gewezen dat het woord 'joy', vreugde, in haar naam besloten zat. Ik had voor het eerst sinds maanden geglimlacht, en dat was precies haar bedoeling geweest.

Ik was de hele ochtend bezig geweest in de achtertuin, en de laatste paar bakken met voorjaarsplantjes die ik gistermiddag bij de kwekerij had gehaald waren bestemd voor deze tonnen. Een van de planken van de ton was tijdens de winter gaan rotten en viel er half uit. Ik zou er mijn nieuwe huisbaas niet mee lastigvallen; volgend voorjaar zou ik van mijn eigen geld een nieuwe kopen. Ik drukte de aarde aan, zag onder al mijn korte, afgebeten nagels een randje vuil zitten en veegde mijn handen af aan mijn spijkerbroek. Het was warm. Ik had ineens dorst en ik zag in gedachten al een heerlijk glas zoete ijsthee met ijsblokjes voor me. Mijn koele, overschaduwde eenkamerwoning op de benedenverdieping lokte. Ik bukte me om mijn tuinhandschoenen te pakken.

Een gedeukte grijze personenwagen stopte voor het huis van bruinrode zandsteen.

Een zwarte man met een rode baseballcap op zijn hoofd zette een nummer van Willie Nelson uit en stak zijn hoofd uit het raam van de auto. Pas toen zag ik de politieradio op het dashboard en wist ik dat hij een agent was.

'Ik ben op zoek naar inspecteur Karin Schaeffer.'

'Ik werk niet meer bij de politie.'

Hij liet de motor aan en stapte langzaam uit. Hij glimlachte. Het enige waar ik aan wilde denken was dat ik zijn perfect witte tanden mooi vond.

'Billy Staples, hoofdinspecteur.'

Daar stond ik. Ik vond het niet aangenaam hem te ontmoeten en ik zou daar ook niet over liegen. Ik wilde hem hier niet zien, aangezien hij hier niet persoonlijk langs zou komen om papierwerk af te leveren, en bovendien, mijn ontslag op medische gronden was al ondertekend en ingediend. Ze kwamen alleen persoonlijk langs als ze slecht nieuws hadden.

'Ik ben eigenlijk bezig,' zei ik. Daar stond ik in mijn vuile spijkerbroek. Met in mijn hand een stel tuinhandschoenen en een modderige schep. Als een bejaarde vrouw die niets anders te doen had, alleen was ik drieëndertig.

'Luister, Karin, ik weet dat je niets van ons wilt horen. Dat heb ik begrepen. Maar er is iets wat je moet weten.'

'Hoe heb je me gevonden?' Telefoonboek, internet... Ik had mijn best gedaan om mezelf van elke lijst te laten schrappen.

'Nou, om te beginnen heb je de sociale dienst een adreswijziging gestuurd.'

Natuurlijk. Ik had die uitkering nodig om mijn huur te betalen, aangezien de verkoop van mijn huis geen winst had opgeleverd.

'Juist,' zei ik. 'Sorry, ik ben een beetje moe. Ik kan vandaag niet helder denken.'

'Dat begrijp ik.'

Dat had ik intussen te vaak gehoord: dat begrijp ik. Hij wist het dus. Iedereen wist het. De hele wereld was op de hoogte gebracht van de tragedie die Karin Schaeffer was overkomen, en ging vervolgens door naar het volgende trieste verhaal... Behalve ik natuurlijk, die ermee was achtergebleven.

'Je weet dat je een vijand hebt.' Het was slim van hem om dat niet op een vragende toon aan de orde te stellen. Natuurlijk wist ik dat ik een vijand had.

'Martin Price zit achter de tralies,' zei ik.

In de media werd hij de Dominokiller genoemd. Op de afdeling Recherche hadden we hem JPP gedoopt, de initialen van Just Plain Psycho, 'knettergek'. De rechter vond hem het grootste gevaar voor onschuldige mensen dat ze ooit was tegengekomen en veroordeelde hem tot levenslang, met name voor de moord op Jackson en Cece Schaeffer, mijn echtgenoot en driejarige dochtertje. Er waren daarvoor nog meer slachtoffers gevallen, maar voor de moord op mijn man en kind werd JPP voorgoed achter slot en grendel gezet.

'Hij is gisteravond ontsnapt. Ik kreeg een telefoontje van je oude team in Jersey – ze hebben me gevraagd naar je op zoek te gaan. Het schijnt dat er niemand opnam toen ze belden.'

'Nou,' zei ik, 'dan word je bedankt voor de boodschap. Geloof ik.' Ik wilde naar binnen. Ik wilde naar de koelte van mijn eigen kamer. Ik wilde die lekkere ijsthee. Maar inspecteur Staples was nog niet klaar.

'Het punt is dat hij een boodschap voor je heeft achtergelaten.'

'Een briefje?' Nee, nee. Niet weer een boodschap van Martin Price.

'Nou, zoiets.'

Ik zag het al voor me. Ik wist het al.

'Ze hebben drie dominostenen gevonden op zijn matras, met de cijfers drie, vijf en één.'

Mijn adres: Pacific Street 351. Brooklyn, New York. Iets heel anders dan het huis in New Jersey waar ik met Jackson en Cece in had gewoond. We hadden zo'n fijn huis, met groene dakspanen en een veranda voor het huis waar we altijd naar Cece keken als ze op het gras speelde. Ik zag haar nog naar me toe hollen over het met paardenbloemen bezaaide gazon, haar blote beentjes onder een geruit zomerjurkje, haar bruine krullen dansend rond haar engelachtige gezichtje, terwijl ze riep: 'Pak me dan, mama!'

'Hij heeft nóg een boodschap voor je achtergelaten,' zei Billy op zachtere toon, die me duidelijk maakte dat hij me dit liever had bespaard.

Ik deed mijn ogen dicht. Ik zag de laatste boodschap die hij bijna een jaar geleden voor me had achtergelaten, met lipstick op mijn badkamerspiegel geschreven: NU JIJ NOG. Alleen was het geen lipstick. Het was het bloed van mijn eigen dochter.

'Er stond: "Tot gauw".'

'In wiens bloed deze keer?'

'Dat van hemzelf. Hij moet zichzelf hebben gesneden, en waarschijnlijk heeft hij pleisters moeten stelen, dus op dit moment worden de videobeelden van elke plaatselijke drogist bekeken.'

Ik knikte. Het was de eerste logische stap. Maar JPP kennende had hij zijn wond al gedesinfecteerd en verbonden, en was hij al een stuk verderop. Hij was angstaanjagend goed in die dingen. JPP was erin gespecialiseerd een hele groep uit te schakelen, een heel gezin, een voor een.

Hij had al vijf leden van een grote familie vermoord: de Aldermans uit Maplewood in New Jersey – mijn oude wijk. Na de eerste drie moorden bleken de dominostenen die hij had achtergelaten een boodschap te bevatten. Het aantal stippen vormde een aanwijzing. Het moeilijke was die te ontcijferen voordat hij terugkwam voor de volgende moord. Mijn afdeling en de FBI waren er al een jaar mee bezig voordat ik op de zaak werd gezet.

Ik was nog maar net inspecteur toen ik hem eigenlijk bij toeval vond. Ik zou er nooit aan hebben gedacht in een van die tienduizenden brandstofcontainers langs de snelweg te zoeken. En ook niet hebben beseft dat die soms leeg waren. We hadden een tip gekregen en we zochten het gebied af toen ik een galmend geluid hoorde dat klonk alsof het uit de container kwam. Ik klom op de ladder aan de zijkant en daar lag hij, helemaal onderin, op zijn zij te slapen, met zijn vuisten gebald, net zoals Cece altijd als baby deed. Hoe hij in die oliedamp kon slapen was me een raadsel. Maar daar was hij, een supermens, of een onmens, of allebei tegelijk.

Omdat ik degene was die hem had gevonden, richtte hij zijn fantasie op mij, en mijn gezin werd zijn volgende doelwit – al wist ik dat toen niet. Voor ieder ander zou het een willekeurige keuze hebben geleken, maar voor JPP leek het op de een of andere gestoorde manier logisch.

Twee maanden na zijn arrestatie ontsnapte hij uit een busje toen hij werd overgebracht naar het gerechtshof om de aanklacht te horen die tegen hem werd ingediend, vijf afzonderlijke aanklachten van moord met voorbedachten rade. Tijdens de ontsnapping uit het busje doodde hij twee bewakers met een zelfgemaakt steekwapen. Hij hield zich schuil. Op de een of andere manier lukte het hem mijn gezin te vinden, en de rest is geschiedenis.

Steeds als ik me ons grasveld voorstelde zag ik onwillekeurig zes dominostenen zichtbaar op het gras liggen – de eerste drie cijfers van het burgerservicenummer van Jackson en Cece – terwijl die stenen in werkelijkheid pas werden gevonden toen het gras was gemaaid en mijn man en kind al dood waren. JPP had ons 'gewaarschuwd', het was zijn manier om ons een mogelijkheid te bieden om eraan te ontkomen. Naar zijn idee had hij juist gehandeld voordat hij overging tot het onvermijdelijke. Hij ging griezelig efficiënt te werk; als een bedrijfsfunctionaris volgde hij zijn eigen vooraf bepaalde procedures. Mijn ex-collega Mac deed zijn best me ervan te overtuigen dat het niet mijn schuld was dat we die stenen niet op tijd hadden gevonden. Ze lagen verscholen tussen het hoge gras. Jackson en ik hadden dat hele laatste weekend allerlei dingen te doen gehad en grasmaaien was erbij ingeschoten. We hadden onze ontsnappingsmogelijkheid, onze kans gemist. En toen, op een ochtend, dook JPP op nadat ik naar mijn werk was vertrokken en Jackson en Cece alleen thuis waren. Mac had heel erg zijn best gedaan om me ervan te overtuigen dat ik onmogelijk had kunnen weten dat die dominostenen daar lagen of dat JPP mijn gezin als volgende doelwit had uitgekozen. 'Dan had je net zo gestoord moeten denken als hij,' had Mac gezegd. Maar dat kon me allemaal niet troosten. Jackson was dood. Cece was dood. En het was mijn schuld.

Ik was naar Brooklyn gekomen omdat het er zo totaal anders was dan in alle plaatsen waar ik ooit had gewoond. Ik beschouwde het als een schuilplaats in het volle zicht – ik verschool me er eigenlijk voor mezelf, aangezien JPP opgesloten zat en me niet kon bereiken. Iedereen was het erover eens dat het veiliger was om me in de menigte te verliezen dan ergens in mijn eentje op het platteland verdriet te hebben. Hoe had hij me gevonden? Ik was hier pas vier maanden geleden komen wonen en ik had uren op internet en aan de telefoon gezeten om elk spoor van mijn nieuwe locatie uit te wissen. Maar met JPP was het nu eenmaal zo: als hij je wilde vinden, vond hij je.

'Kom,' zei inspecteur Billy Staples. 'Ik heb opdracht je mee te nemen.'

Ik hoorde het meteen op twee manieren: het was logisch dat ze me wilden beschermen, en toch wilde ik niet mee. Ik had dat allemaal al meegemaakt. De politie kon nog zo haar best doen om me in veiligheid te brengen, maar het deel van mij dat echt veiligheid zocht – mijn hart en ziel – waren mijn eigen probleem. Ik was er nu al maandenlang dag in dag uit mee bezig, ik deed niets anders dan zoeken naar een manier om weer 'plezier te herkennen', zoals Joyce dat altijd uitdrukte. Ze had bewust niet gezegd 'plezier te hebben' of 'gelukkig te zijn', omdat ik daar nog lang niet aan toe was. Ik probeerde mezelf overeind te houden en ik had ontdekt dat ik dat op mijn eigen houtje moest doen. Als ik nu een politiebureau binnen stapte, of ergens waar het qua geur en uiterlijk en geluid leek op mijn oude leven – het leven dat hiertoe had geleid –

zou ik dat waarschijnlijk niet aankunnen. Ik moest rustig thuisblijven, althans voorlopig.

'Heb ik geen keus?'

'Ik weet niet wat voor andere opties je op dit moment hebt, jij wel?'

'Ik blijf hier.'

'Nee, Karin, je moet mee. Je bent hier niet veilig.'

Maar 'veilig' was voor mij tegenwoordig een relatief begrip. 'Inspecteur Staples, ik geloof niet dat u het recht hebt me te dwingen.'

Hij stak zijn handen in zijn zakken en keek me aan. Hij droeg ook een spijkerbroek, maar die van hem was schoon. 'Oké, zoals je wilt,' zei hij. 'Maar wij houden de boel hier in de gaten, voor het geval dat. En ik wil dat je me belt zodra je van gedachten verandert.' Hij gaf me zijn kaartje, wit, gebosseleerd met in glanzend blauwe letters zijn gegevens bij de politie van New York.

'Bedankt.' Ik stak het kaartje in mijn zak. 'Ik wil even wat tijd om na te denken, daarna neem ik contact met u op.'

Hij zweeg even en vroeg toen: 'Moeten we ons zorgen over je maken?'

'Ach, moeten...' Ik glimlachte, maar hij niet. Hij had gelijk, dit was niet grappig. Ik wist waar hij op doelde: negen maanden daarvoor had ik geprobeerd een eind aan mijn leven te maken. 'Nee, jullie hoeven je geen zorgen te maken. Dat heb ik achter me gelaten.'

Een wolk trok weg; de zon scheen op zijn gezicht en onthulde een netwerk van rimpeltjes rond zijn ogen en een paar grijze haren op zijn slapen. Ik had hem rond de dertig geschat, maar ik zag nu dat hij tien jaar ouder moest zijn. Hij knikte, draaide zich om naar zijn auto en keek om.

'Ik herkende je trouwens bijna niet. Je ziet er heel anders uit dan op de foto.'

Dat klopte. Op de foto die ze hadden gemaakt voor het archief had ik kastanjerood haar tot op mijn schouders, en ik lachte breeduit. De fotograaf had die dag lopen dollen, of misschien deed hij dat altijd, zodat de opnamen van de personeelsleden er niet uitzagen als politiefoto's van criminelen.

'Die is vijf jaar geleden genomen,' zei ik.

Hij knikte begrijpend. 'Een heel leven geleden.'

'Bedankt, inspecteur. Ik heb uw nummer.'

Hij reed weg en ik liep door het ijzeren hek dat de meeste huizen hier beneden hadden en dat de afscheiding vormde tussen een kleine ruimte en een binnendeur. Tussen de twee deuren was een kleine kast onder de veranda die diende als berging voor spullen die ik niet in huis wilde hebben, zoals een zak strooizout om de oprit sneeuwvrij te houden die ik had aangeschaft in de winter toen ik er kwam wonen, en de vuile tuinartikelen die ik er nu opborg. De binnendeur bestond uit twee delen, met een glazen bovenkant, en had een eenvoudig slot dat ik zelden gebruikte. Nu draaide ik de sleutel wel om en bleef even in mijn halletje staan, me ervan bewust dat zelfs de beste sloten JPP niet tegen konden houden.

Ik had geprobeerd mijn nieuwe huis zo comfortabel mogelijk te maken, meer als het appartement waarin ik woonde voordat ik met Jackson een huis kocht en al onze bij elkaar geraapte spullen inruilde voor het volwassener, waardiger interieur van een getrouwd stel. Ik had al onze meubelen tegelijk met het huis verkocht, en was hier helemaal opnieuw begonnen. Ik had spullen bij het grofvuil vandaan gehaald en goedkope meubels gekocht via internet. Ik kocht wat ik mooi vond en wat ik wilde. Het was een van de dingen geweest die Joyce me had opgedragen. Niets móést. Op één ding na: ze vroeg me uitdrukkelijk een spiegel bij de voordeur te hangen zodat ik mezelf kon zien als ik het huis in en uit ging. Ze wilde dat ik het zou zien als ik er weer als een zombie uitzag. Ik had een enorme spiegel met een barokke nep-vergulde lijst aan de muur gehangen, boven een opbergkast voor schoenen. Er zat een mollig engeltje op alle vier de hoeken, die elk een pijl richtten op het spiegelbeeld, waarvan de bedoeling was dat je je mooi en bemind voelde wanneer je jezelf bekeek.

Maar vandaag voelde ik helemaal niets toen ik in de spiegel keek. Wat ik ervoer was een matheid waaraan ik na mijn zelfmoordpoging gewend was geraakt. Meer kon ik niet opbrengen, en het was beter dan wanhoop. Ik keek naar mezelf, naar het lange haar dat ik op aandringen van Joyce blond had geverfd. In de weken na de moord op mijn gezin was ik vroegtijdig grijs geworden, en Joyce zei toen ze me maanden later zag dat ze was geschrokken van mijn fletse uiterlijk. Ze zei dat het niet goed voor me was om 'rond te lopen als een geest'. Nu ik mijn haar had geverfd, voelde ik me door het gebrek aan een natuurlijke kleur neutraal, alsof ik iedereen kon zijn, en ergens beviel me dat wel. Ik wilde niets liever dan een ander zijn, ergens anders zijn, zonder mijn eigen herinneringen. Ik keek naar mezelf. Lang. Dun. Plat. Gespierde ledematen, als van een jongen. Mijn gelaatsuitdrukking was een blanco muur tussen herinnering en gevoel. Ik voelde geen angst, en ik had niets meer te verliezen.

Ik wist wat ik wilde: ik wilde dat hij me vond.

Dan zou dit voorbij zijn, voor altijd.

2

Eerder die ochtend had ik thee gemaakt in een grote pan, gezoet met honing en laten afkoelen op het fornuis. Ik schonk nu wat van die zoete thee in een hoog glas en nam een grote slok. Mijn handen waren nog steeds vuil, ik had niet de moeite genomen ze te wassen, aangezien ik van plan was direct weer de achtertuin in te gaan om de nieuwe aanplant water te geven. Er werd de komende week geen regen verwacht, en als ik ze niet goed verzorgde, zouden de nieuwe planten snel verwelken. Terwijl ik daaraan dacht besefte ik hoe irrelevant – voor mij, niet voor de bloemen – dat binnenkort misschien zou zijn. Maar zolang ik op deze aardbol rondliep zou ik voor ze zorgen, al moest ik me ertoe dwingen. Joyce had me dit heel duidelijk gemaakt, en ze had gelijk.

Ik dronk mijn glas leeg en schonk het opnieuw vol, daarna ging ik aan mijn keukentafel zitten denken. Veel van wat Joyce en ik de afgelopen maanden hadden besproken spookte door mijn hoofd. *Doe alsof. Hou vol. Blijf leven. De rest komt vanzelf.* Ze legde nooit uit wat ze met 'de rest' bedoelde, ze waagde het nooit om het 'geluk' te noemen, omdat ze wel wist dat ik geloofde dat dat voor mij niet meer in het verschiet lag. En omdat ze vermoedelijk wel wist dat ik nog steeds dood wilde. Dat was waar ik op dat moment mee worstelde: dat ik nog steeds bij Jackson en Cece aan gene zijde wilde zijn. Ik zag het zelfs ook zo voor me, een plek hier en een plek daar, een plek waar ik was, en een plek waar zij waren, waar ik bij hen kon zijn als ik maar over een of ander mystiek hek heen kon springen. Ik wilde hier niet meer zijn. Ik wilde hier weg.

Maar een halfjaar geleden had Joyce mijn familie en vrienden uitgenodigd voor een interventie – mijn ouders, mijn broer Jon, zijn vrouw Andrea, zelfs mijn vroegere collega Mac was erbij – en ik had plechtig beloofd dat ik één jaar lang niet meer zou proberen een eind aan mijn leven te maken. 'Het is maar één jaar,' had Joyce gezegd, en daarna: 'Maar het kan verlengd worden!' Iedereen had erom gegniffeld, en ik hield van hen en ik was blij dat ze speciaal voor mij bij elkaar waren gekomen. Ik nam me voor me aan mijn belofte te houden.

Het punt was: als ik hier nou gewoon bleef tot JPP me vond? De technische definitie van zelfmoord was 'dood door eigen hand', maar ik zou nu geen vinger uitsteken. Hij zou het doen. En ten slotte zou ik daar terechtkomen waar Jackson en Cece waren, op de enige plek waar ik echt wilde zijn.

Ik liep de keuken door en zette mijn lege glas in de gootsteen. Een raam keek uit op de achtertuin en ik zag dat de zon op het hoogste punt stond. De nieuwe plantjes stonden al te verwelken. Nou, zolang ik er nog was zou ik voor ze zorgen.

Buiten haalde ik de tuinslang die ik in een slordige hoop tegen het hek had gelegd uit de knoop. Toen ik alle drie de bloembedden en de zeven tonnen water had gegeven, keek ik rond naar de plek die nog steeds vreemd voor me voelde en toch, officieel, mijn thuis was.

Het bruine dichtingsproduct op de achterkant van het huis zag er vrij nieuw uit; bruinrode zandsteen zelf was duur en werd dus meestal alleen gebruikt voor de elegantere voorkant van het hele huizenblok. Sinds ik naar de stad was verhuisd was me duidelijk geworden dat een huizenblok letterlijk een vierkant blok vormde, meestal gelegen om een stuk grond dat bedoeld was voor tuinen. Het huis waarin ik nu woonde was drie verdiepingen hoog en had geen nooduitgang. In geval van brand of een ander noodgeval kon je via de daken het huis in of uit komen. Het was geen slecht ontwerp, als ik erover nadacht, zoals ik vandaag deed. Het was stadsplanning, en die bood zowel een gevoel van gemeenschappelijkheid als persoonlijke vrijheid.

Op ooghoogte deed de indeling van huizen en tuinen veel persoonlijker aan. De tuin waarin ik nu mijn nieuwe aanplant stond water te geven was een ruime rechthoek met een terras van klinkers voor de keukendeur; hij hoorde bij mijn appartement en was alleen voor mijn gebruik. Elk huis had zo'n tuin en de meeste tuinen werden afgescheiden door schuttingen. Ik had gehoord dat in sommige schuttingen een deur zat naar de tuin van de buren, maar aangezien mijn woning zich op de begane grond bevond en geen uitzicht bood van boven had ik dit niet met mijn eigen ogen gezien. Wat ik wel zelf had gezien was dat er in het souterrain, waar ik mijn was deed en mijn fiets neerzette, een verbindingsdeur leek te zitten tussen mijn huis en dat van de buren.

Het zag eruit als een provisorische, zelfgemaakte deur, die een vorige eigenaar daar voor een inmiddels vergeten doel had gemaakt. Misschien waren er ook wel verbindingsgangen in andere souterrains van het blok. Misschien moest ik dit aan inspecteur Billy Staples vertellen, wiens nummer ik in mijn zak had gestopt. Mijn mobieltje zat ook in mijn zak. Ik kon het nu meteen doen:

de slang neerleggen, mijn mobieltje pakken en Billy bellen. Hem precies vertellen hoe hij en zijn collega's me konden beschermen – vertellen over de met elkaar in verbinding staande souterrains en tuinen die niet in kaart gebrachte mogelijkheden boden om het blok in en uit te komen – naast de beveiliging waarmee ze me natuurlijk al van alle kanten zouden omringen. Ik wist dat er binnen de kortste keren agenten in burger op straat voor mijn huis heen en weer zouden lopen, en waarschijnlijk in alle straten rond dit blok. Er zou waarschijnlijk ergens een speciale eenheid gestationeerd worden, die elk moment in actie kon komen. En er zou een helikopter rondcirkelen. Martin Price was een gevaarlijke ontsnapte misdadiger, een seriemoordenaar met een gruwelijk cv, die mijn adres als doel had. De politie en de FBI zouden hem buiten opwachten en mij tegelijkertijd bewaken. Ik dacht hierover na. Ik kon hun meer informatie geven zodat ze me beter konden beschermen. Of ik kon gewoon doorgaan met het sproeien van de tuin.

Toen alle bloembedden doorweekt waren zette ik de kraan uit en legde de slang weer op een hoop tegen de schutting. Toen ging ik naar binnen door een binnendeur die vanaf mijn keuken uitkwam in de gemeenschappelijke hal, en ik controleerde het slot van de souterraindeur. Het was een holle deur, de goedkoopste die er te vinden was, en het slot was net zo slecht als dat van mijn voordeur. Ik draaide het cilindertje in het midden van de deurknop om, controleerde twee keer of hij nu van het slot was. Dat was hij. Mooi. Als JPP kwam, hoefde hij het eigendom van mijn huisbaas niet te ontwrichten. En komen zou hij.

Ik ging weer naar binnen, trok mijn vuile werkkleren uit en stapte mijn blauw betegelde douchecabine in. Naakt onder het stromende water herinnerde ik me hoe krankzinnig het was dat

JPP uiterst kalm en bedaard in de rechtszaal was verschenen, in een blauw pak met een gestreepte das, en wat een tegenstelling het vormde met de levendige beelden van de moordpartijen. De officier van justitie had erop aangedrongen dat ik thuis zou blijven op de dag dat het bewijsmateriaal werd getoond van onder andere foto's van de plaats delict. Ik overwoog niet te gaan, maar uiteindelijk had ik het gevoel dat ik aanwezig moest zijn bij elk moment waarop er met die noodlottige dag werd afgerekend. Ik glipte achter de zaal in op het moment dat een digitale foto van Ceces lichaam op het scherm verscheen. Ik had hem niet eerder gezien en hij schokte me meer dan ik me had kunnen voorstellen. De advocaten en agenten hadden me de details bespaard, maar ik had er natuurlijk wel iets van meegekregen op het nieuws. Ik kwam er snel achter dat ik alle media moest mijden. Maar ik kende wel het naakte feit dat haar roze gebloemde beddensprei zo doorweekt was van haar bloed dat hij een plas op de vloer had gevormd. Niets echter had me voorbereid op dat beeld – die wasachtige onbewogenheid van haar geliefde lichaam. Ik gilde het uit, alsof ik pas op dat moment op de hoogte werd gebracht van Jacksons en Ceces dood. Alle gezichten – van de rechter, de jury, de officier van justitie, de verdediger, de toeschouwers – draaiden zich vol verbijstering naar me om. Na een ogenblik stilte waarin ze me herkenden, verschenen de gelaatsuitdrukkingen: tranen, empathie, sympathie, medelijden, zelfs schaamte. Het enige gezicht waarop geen enkele emotie te bespeuren viel, was dat van Martin Price.

Hij keek me aan met een nietszeggende uitdrukking op zijn gezicht, dat je gemiddeld of onopvallend zou kunnen noemen. Hij had het gezicht van iemand die je niet zou opmerken als je hem op straat zag lopen. Hij was de buurman die iedereen zo aardig vond, de man waarover niemand zich ooit zorgen maakte, die op tijd zijn huur betaalde, die nooit lawaai maakte, nooit klaagde, niemand lastigviel... Een beetje een nerd, met zijn bijna blonde haar dat hij overdreven naar één kant kamde. Toen mijn schreeuw in de rechtszaal weergalmde, draaide Martin Price zich naar me om en keek met zijn lege, bijna blauwe ogen die niets leken te zien. Het was alsof hij een geluid hoorde en wilde zien waar het vandaan kwam, om daarna weer verder te gaan met waar hij mee bezig was geweest.

Na wat minuten leken, maar in feite slechts een paar ogenblikken moeten zijn geweest, sprong Mac op van de voorste rij en liep snel met me de zaal uit. Hij sloeg zijn arm om me heen en hield zijn hoofd laag, en beschermde me zo met zijn lichaam. Ik kan me nog de geur van de dennenzeep herinneren die hij gebruikte, dat hij die dag zo dichtbij was dat ik die voor het eerst rook, hoe vaak we ook samen hadden gewerkt.

Ik draaide de kraan dicht, stapte druipend op de tegels en wreef mijn huid droog met een handdoek. Door een klein badkamerraam dat uitkeek op de tuin hoorde ik een vogel steeds hetzelfde wijsje zingen, een moeder die haar kind binnenriep voor het middageten, en tussendoor het gedreun van een boor en de klapwiekende rotorbladen van een helikopter boven me. Stoom zweefde uit het raam de frisse buitenlucht in.

Uit de kast die in de hoek stond van mijn kleine, raamloze slaapkamer – een ruimte zonder deuren die je nauwelijks een kamer kon noemen, tussen de woonkamer en de keuken – pakte ik een schone spijkerbroek en een witte blouse met korte mouwen van mooie gaatjesstof. Ik had die blouse gedragen op de laatste avond die ik met Jackson en Cece had doorgebracht, daarna nooit meer.

Omdat de slaapkamer zo klein was stond mijn tweepersoonsbed in de hoek tegen de muur. Ernaast stond een nachtkastje dat iemand bij het oud vuil had gezet vanwege een gat in het zwart beschilderde hout, een probleem dat ik had opgelost met een kleurige Mexicaanse doek die ik bij een lokale stoffenzaak had gevonden. Op een rommelmarkt had ik een lamp in vliegtuigvorm op de kop getikt. Hij gaf niet veel licht om bij te lezen, maar ik maakte er het beste van. Die deed ik aan en ik ging met een boek op mijn bed liggen. Maar ik kon me totaal niet concentreren. Ik overwoog op te staan en naar het raam aan de voorkant te gaan om naar buiten te kijken, maar ik besloot het niet te doen. Ik wist eigenlijk wel wat daarbuiten gaande was. En ik wist wat er zou gebeuren. Mijn taak was nu binnen te blijven, me stil te houden en af te wachten.

Ik legde het boek op het nachtkastje, stond op en liep naar de woonkamer. Het was normaal gesproken de lichtste kamer van het huis, maar die ochtend had ik de gordijnen voor de twee ramen die uitkeken op de straat niet opengetrokken, dus deed ik het grote licht aan. Het was geen verkeerde kamer – hier had ik me het meest in uit kunnen leven met inrichten – en ik voelde me er op mijn gemak. De muren en het beschilderde en gebosseleerde zinken plafond waren wit, en boven een mollige roze loveseat (gratis via internet) had ik een Franse nostalgische poster gehangen van een man die 's nachts boven een stad in de lucht fietste. Ik had een schommelstoel, een glazen salontafel en een lange, lage boekenkast. Ik knielde neer om het roodleren fotoalbum van de onderste plank te pakken.

Op advies van Joyce had ik geen foto's neergezet van Jackson of Cece, dus als ik hen wilde zien was dit album mijn schatkist. Het stond vol foto's van ons gezinsleven vanaf het moment dat Cece geboren werd. Op het eerste blad stond een foto van mij in het ziekenhuisbed, waarin ik mijn pasgeboren baby'tje vasthield, gewikkeld in een dun flanellen dekentje en met een gestreept gebreid mutsje op, en Jackson die zich naar me toe boog voor een kus. Met zilverkleurige inkt had ik onder de foto WELKOM CECILIA ELIZABETH SCHAEFFER geschreven. Haar perzikhuidje zat nog ruim om haar kleine lijfje van vijf pond. We hadden haar vernoemd naar Jacksons moeder, die datzelfde jaar was overleden. Ik raakte met mijn vingertop Jacksons gezicht op de foto aan. Ik kon bijna de ruwe stoppelhuid op zijn wang voelen. Hij had zich twee dagen niet geschoren, we hadden ons de dag ervoor in alle vroegte naar het ziekenhuis gehaast. De geboorte had meer dan vierentwintig uur geduurd en we waren volkomen uitgeput, maar toch was het de gelukkigste dag van ons leven. We hadden leven laten ontstaan en gedragen en nu waren we in het bezit van ons allereerste kind. Terwijl Jackson me kuste viel zijn bruine haar over een deel van zijn gezicht. Hij had besloten zijn steile, warrige haar wat langer te laten groeien zodat hij er meer 'als een echte gitarist' uit zou zien – hij zat pas in een band waarmee hij in het weekend in plaatselijke clubs optrad. Jarenlang had hij als assistent op een groot advocatenkantoor in Trenton gewerkt, en nu studeerde hij rechten. Hij was al een verantwoordelijk man voordat hij mijn echtgenoot werd, en ik had me redelijkerwijs geen betere echtgenoot en vader kunnen wensen. Hij was gemakkelijk in de omgang, grappig, liefdevol en getalenteerd. Hij was mijn grote liefde voordat Cece in mijn leven kwam. Elke avond lag ik Cece bij haar in bed voor te lezen, daarna glipte ik weg en kwam Jackson binnen met zijn akoestische gitaar en speelde hij zachtjes tot ze in slaap viel.

Op de bladen erna waren de eerste mijlpalen te zien: het eerste badje, het eerste hapje, de eerste dag op het strand, de eerste keer naar de dierentuin, buiten in de wandelwagen, ritjes in de auto, slaapjes bij mama, paardrijden op papa's knie. Ze groeide als kool, zoals dat met kinderen gaat. Ze bloeide op. Ze rolde om, ging zitten, kroop, liep, praatte. En toen was ze een peuter die kon rennen! En daarna een kleuter die kleuren kon benoemen en bijna tot tien kon tellen. En toen...

Ik stopte bij een foto die we door Cece van mij en Jackson hadden laten maken toen we onze vijfde, en laatste, trouwdag vierden. Op de scheve, onscherpe foto stonden we buiten op de veranda, aan het eind van de herfst, tegen de reling, dicht tegen elkaar aan zodat we goed op de foto zouden passen. Lachend, natuurlijk. Zodra ze de foto had genomen, liet Cece de camera op de grond vallen om met een mier te gaan spelen die haar aandacht had getrokken. Jackson sprong op om te kijken of de camera kapot was (dat was hij niet). Aan het eind van die middag aten we buiten, we brachten Cece naar bed en vreeën bij kaarslicht. We hadden het erover gehad dat we nog een kind wilden.

Ik sloeg het album dicht, hield het dicht tegen me aan en ging op de bank liggen. Boven me hoorde ik de helikopter met zijn weidse wiekslagen, heen en weer, steeds opnieuw. Maar veilig voelde ik me niet. Eerlijk gezegd voelde ik heel weinig. Leeg, op de rand van tranen. Ik deed mijn ogen dicht.

Uiteindelijk besefte ik dat ik honger had. Ik stond op, maakte een broodje kalkoen en schonk nog een glas ijsthee in. Ik at alleen aan mijn ronde, tweedehands tafel met in het midden één enkele poot met klauwvoet. Om de tafel stonden drie verschillende stoelen, waarvan ik er een leeg wist te houden – vrij van stapels post, spullen die ik had gekocht maar niet opgeborgen – zodat ik altijd een zitplaats had. Mijn stoel stond naar het raam toe en terwijl ik at tuurde ik naar buiten. Het was stil en rustig in de tuin. Een vogel fladderde op een tak van een oude, vruchtdragende perzikboom die onlangs was uitgebot. De vogel hipte, ging zitten, en vloog weg.

Ik ruimde af en spoelde mijn bord, glas en bestek schoon. Mijn keuken was uitgerust met een vaatwasmachine, maar die gebruikte ik zelden. Terwijl ik mijn handen aan een doek afdroogde, ging de telefoon. Ik overwoog op te nemen, liet hem vijf keer overgaan en vervolgens sloeg het antwoordapparaat op de bar aan. Ik luisterde naar de klik, een soort elektronische ademtocht, en daarna de stem van Mac: 'Karin, ik weet dat je thuis bent. Neem op.' Stilte. 'Luister. Ik heb een telefoontje uit New York gekregen. Klopt het dat je weigert je huis te verlaten? Karin! Neem op!' Weer een stilte. 'Oké, zo is het genoeg, ik kom eraan.' Als hij in New Jersey was, en het was druk op de weg, zou het twee uur duren voor hij hier was.

Ik rende naar de telefoon en nam op. 'Mac, je hoeft niet hierheen te...' Ik zweeg toen ik de zoemtoon hoorde. Ik hield de hoorn in mijn hand en besefte dat ik blij was dat ik te laat was geweest. Ik voelde me gedeprimeerd en dat zou hij aan mijn stem hebben gehoord, en dan zou hij iemand dichter in de buurt hebben gebeld, zodat die eerder bij me was. Om me in veiligheid te brengen. Te beschermen tegen JPP. Tegen mezelf.

Naarmate de middag verstreek werd het steeds stiller in huis. Mijn huisbaas kwam bijna altijd laat op de avond thuis en ik was alleen in het gebouw. Althans, dat dacht ik. Terwijl ik aan de keukentafel patience zat te spelen hield ik mijn oren gespitst. Het gesis, gekraak en getik van een oud gebouw vormde bijna een muzikaal geheel. Het was verbazingwekkend wat je allemaal hoorde als je in stilte zat.

Ik besloot dat ik, wanneer hij kwam opdagen, domweg zou blijven zitten. Ik zou niet opstaan. Ik zou niets zeggen of doen. Ik zou gewoon doorgaan met mijn kaartspel totdat hij iets deed. Er waren ogenblikken dat ik hoopte dat Mac als eerste zou komen, dat hij me hier weg zou halen uit die diepe put van eenzaamheid die me had verzwolgen. En dan waren er weer momenten waarop ik hoopte dat hij niet als eerste kwam. De gedachte dat ik over een paar minuten bevrijd zou zijn van dit gespiegelde labyrint van herinneringen en verdriet voelde als een enorme opluchting, en daar verlangde ik hevig naar. Ik wilde vrij zijn. Alleen maar vrij.

Ik speelde het spelletje uit, greep alle kaarten en schudde ze. Toen legde ik zeven kaarten neer, met de afbeelding naar boven, om opnieuw te beginnen. Ik draaide de bovenste kaart van het stapeltje om en keek of ik die ergens kwijt kon… en op dat moment hoorde ik iets.

Een klik.

De souterraindeur die in de gemeenschappelijke hal uitkwam ging krakend open.

Een behoedzame voetstap, gevolgd door een volgende, nog een, en nog een. Daarna stilte. De deurknop van mijn appartement werd omgedraaid.

3

De deur ging langzaam krakend open, alsof hij genoot van zijn komst, alsof hij elk moment in zijn geheugen prentte dat hem dichter bij me bracht, zodat hij er later nog eens van kon genieten. Zulke dingen deden ze, JPP en mensen zoals hij. Seriemoordenaars waren een speciaal soort mensen die uitgebreid bestudeerd waren, maar weinig begrepen. Er was iets mis met hen, iets wat ons verstand te boven ging. Ze waren niet zoals wij. Ik deed mijn uiterste best om alles met klinische afstandelijkheid te bekijken, zoals ons op de politieacademie was voorgehouden. *Hou afstand van wat je op een plaats delict aantreft. Doe je werk. Verzamel informatie. Vat het niet persoonlijk op.* Wijze raad die onmogelijk leek totdat je in je uniform rondliep en geconfronteerd werd met de donkere zijde van de samenleving. Dan kon je niets anders doen dan jezelf ervoor afsluiten.

Ik dwong mezelf ervoor af te sluiten, ik verzette me tegen de prikkel in mijn lichaam waardoor ik bijna uit mijn stoel opstond. Ik keek naar de kaart die boven op het stapeltje lag: een hartenzeven. Het zou bewijsmateriaal worden. Voor mijn geestesoog zag ik beelden van de keuken waarin ik zat te wachten, te luisteren, even scherp als foto's die met een highspeed camera waren gemaakt. Lichaam over de tafel neergezegen, kaarten verspreid op de grond, bloedspatten op het plafond en de muren.

Hoe had hij in godsnaam binnen kunnen komen, zou de politie zich afvragen, *terwijl wij haar vanuit elke hoek in de gaten hielden?* En daarna zouden ze naar het souterrain gaan en de deur zien. De weblogs zouden vol staan met broodjeaapverhalen over geheime doorgangen. Onderzoekers zouden alles napluizen om belangrijk feitenmateriaal te vinden. Er zouden plattegronden worden getekend. En ze zouden ervoor zorgen dat zoiets nooit meer zou gebeuren.

Zijn stiekeme binnenkomst maakte me kotsmisselijk. In het moment lag zowel de dreiging van mijn eigen lot besloten als een diepgewortelde emotionele herinnering die direct verbonden was met het lot dat Jackson en Cece ten deel was gevallen. Hun lot zou nu het mijne worden, we zouden weer verenigd worden. Dat was het enige wat ik wilde.

Het rapport van de patholoog toonde aan dat JPP eerst Jackson had vermoord, waarbij hij hem van achteren had neergeslagen toen hij aan het aanrecht een boterham stond te smeren. Het wachten in de keuken bracht mijn hart weer bij Jackson. Was ik maar tegelijk met hen doodgegaan, liefst als eerste, dan was ik nooit gemarteld door de wetenschap van wat daarna kwam.

Ik hoorde aan de heimelijke voetstappen van JPP dat hij dacht dat ik hem niet hoorde. Hij kwam dichterbij. Ik speelde hartenzeven en draaide de volgende kaart van het stapeltje om: schoppenheer. Ik hoorde hem langzaam en diep ademen. Wat voor wapen had hij in zijn hand? Hij had touwen, messen en zagen gebruikt voor Jackson en Cece, en ook bij de familie Alderman. Hij wilde het openrijten van huid voelen en ervaren, de geur van vers bloed ruiken. Het moorden zelf, daar ging het hem om, niet de feitelijke dood. De dood was een praktische oplossing: daardoor was er een getuige minder, zodat hij op vrije voeten bleef en opnieuw kon moorden. Hoewel hij daarin niet zo goed was: hij werd vroeg of laat altijd gepakt. En daarna wist hij altijd te ontsnappen. Kennelijk genoot hij daar zo van, dat het het risico en de moeite waard was.

Hij sloop dichterbij. En nog dichterbij. Ten slotte was hij zo dichtbij dat ik hem kon ruiken. Zijn sterke lichaamsgeur deed me bijna kokhalzen. Ik hield mijn adem in en slikte. Ik legde schoppenheer weg. Hij moest zich extra hebben ingespannen dat hij zo'n sterke transpiratiegeur verspreidde. Ik slikte nogmaals. Hij bleef staan.

'Doe maar niet alsof je niet weet dat ik er ben,' fluisterde hij.

Ik bleef stil zitten. Ademde. Draaide de bovenste kaart van het stapeltje om: klavertwee.

Hij haalde een keer diep adem en blies toen langzaam uit. Hij wilde dat ik me naar hem omdraaide. Maar dat was ik niet van plan. Ik wilde dat hij me vermoordde zoals hij Jackson had vermoord, met één enkele klap van achteren. Dan zou het voorbij zijn.

Ik voelde dat hij nog maar een halve meter van me af stond. Ik voelde de warmte van zijn lichaam. Zijn geur werd sterker. Nog meer voetstappen. En toen, vanuit mijn ooghoek, zag ik hem: zijn rode gezicht, het korte blonde haar, geagiteerde, lege ogen en het flitsen van een groot mes met een gewelfd lemmet. Hij liet een canvas tas op de grond vallen. Er viel een stuk opgerold touw uit.

'Hallo.' Hij grijnsde.

Ik dwong mezelf me te concentreren op de kaarten op tafel. Ik legde de klavertwee weg. Ik draaide de volgende kaart van het stapeltje om: schoppenvrouw.

'Die kun je op de heer leggen,' zei hij.

Ik deed niets.

'Doe het.'

Ik verroerde me niet. Ademde niet. Knipperde niet met mijn ogen.

'Kijk me aan.'

Ik weigerde. Bleef stil zitten. Wachtte. Perfectioneerde de standbeeldhouding.

Hij kwam dichterbij en ging recht voor me staan. Zijn gezicht kwam zo dichtbij dat de punt van zijn neus de mijne raakte.

'Kijk me áán.'

Zijn geur was zo overweldigend dat ik ervan moest braken. Mijn maaginhoud kwam omhoog. Ik slikte het zure vocht weg. En toen, ondanks mezelf, keek ik recht in zijn ogen.

Ze zagen er vreemd menselijk uit. Dat had ik niet verwacht. Hij wilde iets afschuwelijks doen. Hij verlangde ernaar. Hij staarde in mijn ogen en duwde de punt van het mes tegen mijn borstbeen. Ik voelde dat de stof van mijn blouse scheurde. Ik voelde het scherpe mes door mijn opperhuid gaan. Er welde bloed op.

'Jij wilt dit net zo graag als ik,' zei hij. 'Dat weet ik.'

Ik probeerde mijn blik van hem los te maken, maar ik kon het niet. We waren te dicht bij elkaar. Ik wachtte tot hij zijn touw zou pakken zodat hij me aan de stoel kon vastbinden en aan de slag kon gaan. Maar dat deed hij niet. In plaats daarvan leek hij een tactisch besluit te nemen om me in bedwang te houden met zijn ogen, mijn weigering bang voor hem te zijn, zijn macht om me de baas te zijn, mijn bereidheid hem zijn gang te laten gaan.

Zijn gezicht kwam dichterbij, zijn neus raakte de mijne van opzij en onze monden kwamen tegen elkaar. Ik had hem gevoeld, gehoord en geroken, en nu proefde ik hem: zuur, zout, pepermunt. Zijn lippen voelden rubberachtig en strak. Een dode vis: dat was zijn lichaam. Een bleke, glibberige, stinkende vis.

Hij leunde naar achteren en terwijl hij zijn mes tegen me aan gedrukt hield, stak hij zijn vrije hand in zijn broekzak. Hij haalde er een dominosteen uit, en daarna nog drie. Vier dominostenen. Natuurlijk: na mij zou een ander aan de beurt zijn. Mijn hart ging als een razende tekeer. *Iemand van mijn familie.*

Dat was het spel dat hij speelde. In mijn verwarring had ik het niet doorzien. Hij speelde een spel, deed een aantal zetten tot hij de *grande finale* bereikte. Ik zou niet de laatste zijn.

'Wijd opendoen.' Als een tandarts. Onbewogen. Hij deed gewoon zijn werk.

Ik klemde mijn lippen op elkaar. Het maakte niets uit, aangezien ik al had besloten om me hieraan te onderwerpen. Ik had me al onderworpen. Ik had op hem gewacht, hem verwelkomd, het mes en daarna die zoen toegelaten. Maar iets in me weigerde hem toe te staan die stenen in mijn mond te soppen. Pure koppigheid. Afkeer. Een instinctieve grens. Zoiets.

Met de dominostenen in zijn vuist wrikte hij de knokkel van zijn wijsvinger tussen mijn lippen. Mijn tanden gingen van elkaar toen hij zijn vinger in mijn mond perste. Weer een automatische reflex: mijn tanden klemden zich vast om zijn gebogen vinger totdat ik bloed proefde en een verrassende voldoening ervoer.

Hij gromde en trok zijn vinger uit mijn mond. Zijn hand viel automatisch open en de stenen vielen op de tafel. Vier dominostenen tussen de kaarten. Een combinatie van twee spellen. Dat van hem en dat van mij.

Vijf. Drie. Vier. Twee. Een. Drie. Zes.

Ik kon niet ophouden combinaties te maken van die zeven cijfers. Vier, zes, vijf, twee, een, drie, drie. Drie, zes, een, vier, vijf, drie, twee. Alle mogelijke combinaties gingen door mijn hoofd. Wat betekenden ze? Ik kende de burgerservicenummers van mijn familieleden niet. De zeven cijfers waren te lang voor hun adres. Wat dan? Wat dán? Rijbewijs. Paspoort. Rekeningnummers. Persoonlijke nummers en codes en getallen die ik onmogelijk kon weten. Verjaardagen. Ik kende ze allemaal – ik was de dochter, zus en tante die nooit een verjaardag vergat. In gedachten ging ik de kalender af, probeerde de getallen te combineren zodat er iets uit op te maken viel.

Niets.

Maar het moest toch iets betekenen.

Wat betekenden die cijfers?

Wie zou JPP hierna vermoorden?

Mijn moeder?

Mijn vader?

Mijn oudere broer, Jon? Zijn vrouw Andrea? Hun dochter Susanna?

Wíé?

Ik duwde met mijn ene voet tegen de tafel zodat mijn stoel naar achteren schoot, van het mes weg. Slechts een paar centimeter ervandaan, maar ver genoeg om mijn knie tussen ons te wringen. Ik stootte er snel mee in zijn kruis. Ik zag dat de pijn door zijn lichaam ging en hem de adem benam.

Hij sloeg voorover. Zijn hand ging open. Het mes viel op de grond. Fluitje van een cent. Maar zo gemakkelijk kon het niet zijn – en dat was het ook niet.

Met zijn vlakke hand sloeg hij me met ongelooflijke kracht in mijn gezicht, zo hard dat mijn hoofd naar rechts tolde. Ik verloor bijna het bewustzijn. Bijna.

Hij stak zijn hand uit naar het mes op de grond.

Ik drukte mijn schoen zo hard op zijn pols dat hij zijn vingers wel móést spreiden.

Met zijn vrije hand greep hij mijn enkel als in een bankschroef.

Ik probeerde uit alle macht het mes te pakken.

Ooit, als politieagent, had ik een man neergeschoten toen hij een winkel uit rende nadat hij die had beroofd. Hij stierf niet omdat ik niet had geschoten om hem te doden, dat was niet nodig geweest.

Een mes was iets anders. En dit spel was ook anders.

Het was zwaar. Ongeveer vijfentwintig centimeter lang. Scherp.

Hij trok aan mijn enkel en probeerde zijn hand los te wrikken. Ik voelde dat mijn voet kracht verloor.

Het was nu of nooit. Ik of hij. En ik was van gedachten veranderd: ik zou niet het slachtoffer worden. Ik zou het niet worden, omdat ik niet kon laten gebeuren dat er na mij opnieuw iemand volgde.

Ik bracht het mes snel omlaag, met al mijn kracht, en richtte op zijn hart. Met de bedoeling hem te doden. Het in hem te steken. Hem open te rijten. Alle metaforen van een gewelddadige dood schoten door mijn hoofd, opgehitst door mijn verlangen hem kapot te maken. Nu. Hij. Niet ik.

Omdat ik van gedachten was veranderd.

De plaats delict veranderde van vorm. De spelers wisselden van positie.

Hij liet mijn enkel los en zijn hand sloeg zo keihard tegen de mijne dat het mes door de kamer vloog en op de vloer naast het aanrechtkastje terechtkwam. Hij duwde me weg en kroop naar het mes.

Het zweet moet van zijn gezicht gedropen zijn, want terwijl ik op hem af liep om hem tegen te houden, gleed ik uit over iets nats – en viel.

Op dat moment hoorde ik de deurbel. Iemand bonsde op mijn voordeur.

JPP gromde en kroop sneller naar het mes. Hij hield het in zijn hand. Hij keek me aan en zei: 'Je komt niet weg!'

'Karin!' Het was Mac. Voor mijn deur. 'Doe open!'

Weer de deurbel. Nog meer gebons.

Als ik niet wegrende, als ik hier bleef, zou hij me vermoorden. Hij zou het niet kunnen laten. En waarschijnlijk kon hij niet snel genoeg zijn als hij niet gepakt wilde worden. Mac stond voor mijn deur, de halve politiemacht van New York stond buiten en cirkelde boven ons hoofd. Ze zouden hem grijpen en weer in de bak gooien. Maar als hij weer ontsnapte en opnieuw achter iemand aan ging... Wie? Iemand van mijn familie. Iemand anders zou het volgende slachtoffer worden. JPP was bedreven in ontsnappen – ik kon het risico niet nemen.

Ik krabbelde overeind en rende naar de deur.

JPP was snel. Hij greep me bij de achterkant van mijn spijkerbroek, maar hij onderschatte me. Ik stootte mijn elleboog achterwaarts in zijn gezicht, draaide me naar hem toe en stompte hem keihard onder zijn kin. Hij tolde naar achteren en sloeg tegen de grond, waarbij hij zijn mes weer liet vallen. Deze keer verspilde ik de paar seconden die ik kreeg niet en greep het. Ik hoorde hem opstaan toen ik naar de binnendeur rende, die dichterbij was dan de voordeur.

Ik rende de gemeenschappelijke hal in, met JPP vlak achter me. In mijn appartement hoorde ik een dreun: Mac en de andere agenten hadden de deur geforceerd.

'Hierheen!' schreeuwde ik. Maar er was geen tijd om erover na te denken of ze me hadden gehoord.

Ik rende de trap op. Langs het portiek van mijn huisbaas. Waar bleven de agenten? Ik hoorde tumult in mijn woning, waarom gingen ze niet achter ons aan? Ik rende de volgende trap op naar de vierde en laatste verdieping, waar een ketelhok was met een ijzeren ladder naar het dak.

Het ketelhok was smal en had een hoog plafond dat via een luik in verbinding stond met het dak. Ik beklom trillend de ladder, zo snel als ik kon.

En toen hoorde ik JPP in de gang op de vierde verdieping komen. Ik hoorde hem eroverheen rennen voordat ik besefte dat hij het eind ervan had bereikt. Ik stelde me voor dat hij terugrende naar het hok, de deur opendeed en in het donker omhoogkeek. Ik voelde dat hij me zag. Ik rook dat hij dichterbij kwam, nog voordat ik hem op de ladder onder me hoorde. Hij klom naar boven. Hij was vlak achter me. Met zijn mes tussen zijn tanden, stelde ik me voor.

Het luik was zo ongelooflijk zwaar dat ik het niet open kreeg. Tot ik opeens voelde ik dat het meegaf, en ik duwde, duwde en duwde en… Nog één keer tartte ik de zwaartekracht en ineens vloog het open. Daar was de nachtelijke hemel, lucht, sterren… een vluchtweg.

Terwijl ik het dak op klauterde voelde ik JPP's hand bij mijn voet. Ik schopte hem weg en hees mezelf op, naar buiten. Ik sprong overeind en rende over het dak naar het volgende dak, en daarna naar het dak daarnaast, en zo ging het maar door totdat ik uiteindelijk ergens een vluchtroute zou vinden. Hoe dan ook. Er moest een mogelijkheid zijn. Dat hadden ze ons geleerd op de academie: in actie blijven, je ogen openhouden, elke kans die zich voordeed grijpen en van daar af verdergaan.

Ik hoorde de schoten van het politieteam al voordat ik overal om me heen mannen op de daken zag rondkruipen.

Twee politiemannen vuurden en toen schreeuwde een stem: 'Stop! Het is de vrouw!'

Twee schoten.

Een felle pijn in mijn buik. Daarna het gevoel dat ik gewichtloos werd.

Een witte vlakte.

Mijn gedachten hielden op.

Vrijheid.

Verlossing.

4

Jackson kwam met zijn gitaar naar me toe en speelde een liedje dat hij zelf had geschreven. De harmonieuze klanken golfden door mijn hoofd dat wattig, verward aanvoelde, niet in staat te begrijpen wat er precies gebeurde.

Toen drong er een scherpe, antiseptische geur in mijn neus waardoor Jackson en zijn prachtige lied verdwenen.

Daarna hoorde ik mijn moeder in een lang vervlogen verleden zeggen: 'Ze heeft een behoorlijk stel hersenen en daarbij is ze lang, slank en prachtig. Alles wat zij in haar leven wil, zal ze hoe dan ook weten te bereiken.' Tegen iemand aan de telefoon. Wie? Ik was tien jaar en net thuisgebracht na gym door de moeder van een vriendinnetje. Ik liep de keuken in en hoorde mijn moeder over mij praten. Ik hoorde aan de overdreven stellige toon dat ze in zo'n bui was waarin ze de toekomst van haar kinderen al helemaal voor zich zag. Ze zat aan de tafel en lachte nu, met de rode telefoon die met een snoer van drie meter aan de wand vastzat tegen haar oor gedrukt. Ik voelde me verraden. En ook gevleid. Ik wist niet wat ik aanmoest met het beeld dat mijn moeder van me gaf, of waarom ze meende dat ze me zo goed kende, terwijl ik amper mezelf kende. Ik was net drie keer achter elkaar van de evenwichtsbalk gevallen doordat mijn benen nu zo slungelig waren, en het enige waarvan ik die dag overtuigd was, was dat ik het niet kon. Dat ik niet kon wat ik wilde. Ik wilde bij het uitverkoren gymteam, en nu wist ik dat ik dat niet ging redden.

'Karin.'

Had ze het tegen mij? Ze keek naar de muur en wikkelde het telefoonsnoer rond haar vinger. Haar nagels waren roze en fraai gepolijst, ze had ze die dag laten manicuren. Ze wist niet eens dat ik thuis was of dat ik in de deuropening stond te luisteren.

'Kun je me horen?'

De chemische lucht drong via mijn neus langzaam door tot mijn hersenen. Mijn hoofd was een dikke spons, die langzaam de geur opnam.

Toen gingen mijn ogen open en de droom werd verdrongen.

'Karin?'

Waarom had mijn moeder het gezicht van Mac? En de stem van Mac?

Ik knipperde met mijn ogen.

Hij glimlachte. Hij keek naar me en glimlachte. De huid van zijn gladgeschoren gezicht zag er soepel en zacht uit. Zijn donkerbruine ogen lachten ook. Zijn haar was wat grijzer en korter dan de laatste keer dat ik hem had gezien. Wanneer was dat? Ik had geen idee. Weken of maanden. Er was veel tijd verstreken tussen onze bezoekjes in. We hadden elkaar niet meer dagelijks gezien sinds de avond dat ik een pot pillen had ingenomen, mijn laatste dag bij de politie, de laatste dag dat we samenwerkten. De laatste keer dat ik in een ziekenhuisbed lag.

Nu lag ik ook in een ziekenhuisbed. Met kriebelige witte lakens en veel te felle lampen boven mijn hoofd. Die geur.

'Mac?'

'Karin.'

Hij legde zijn rechterhand op de mijne op de deken naast me. Zijn linkerhand frommelde aan iets dat hij op schoot had liggen: een vierkante roze envelop met op de achterkant het Hallmark-logo. Zijn gouden trouwring leek te ruim voor zijn vinger... Mac was afgevallen... Waarmee hij zich niet hield aan een afspraak tussen ons: je moest minstens zeven kilo te zwaar zijn om aan afvallen te beginnen, en dat was hij niet. Ik zei altijd tegen hem dat het van onzekerheid getuigde dat hij dacht dat zijn vrouw Val het fijn zou vinden als hij afviel, dat hij altijd zijn best deed om bij haar in de smaak te vallen en daar nooit in slaagde.

'Ik zei toch dat je niet op dieet moest gaan.' Mijn stem klonk ijl en droog. De inspanning veroorzaakte een diepe, kloppende pijn in mijn buik.

'Ik zei toch dat je niet dood moest gaan.' Zijn glimlach verdween en zijn ogen werden vochtig. Hij knipperde om zich te vermannen.

'Nou, ik ben toch niet dood?'

'Klaarblijkelijk niet.'

Maar hij had wel helemaal gelijk: hij had tegen mij gezegd dat ik niet mocht doodgaan, ze hadden het allemaal tegen me gezegd, en ik had niet geluisterd. Maar daar kon ik nu niet op ingaan, ik kón het gewoon niet. Ik moest op een ander onderwerp overgaan. Iets veiligers.

'Hoe is het in Maplewood?' De stad in New Jersey waar we allebei hadden gewoond en gewerkt totdat ik me door de gebeurtenissen gedwongen zag weg te gaan en niet langer een leven en een baan had.

'Net als altijd.'

'Hoe is het met Val?'

Hij ontweek mijn blik en schudde zijn hoofd. 'Wil je dat echt weten?'

'Ik vroeg het niet voor niks.'

'Ze wil van me scheiden.'

'Waaróm?'

'Ze zegt dat ik niet van haar hou.'

'Niet genoeg?'

'Helemaal niet.'

Ik was niet zo lang getrouwd geweest als Mac en Val, maar ik wist dat het huwelijk een zware deuk had opgelopen.

'Ze zegt dat ik van een ander hou.'

'En is dat zo?'

Hij zweeg even en zei toen: 'Je kent Val...'

Maar zo goed kende ik Val niet. Ik had haar een paar keer ontmoet. Een keer bij hen gegeten. Ik vond haar een nerveus type, maar niet onaardig. Aantrekkelijk. Ze kon uitstekend koken. In feite mocht ik haar wel. Ik wist niet hoe ik moest reageren, dus sloot ik mijn ogen. De pijn in mijn buik was heftig en trok door naar mijn rug. En toen wist ik weer waarom ik daar lag, en als door de bliksem getroffen was ik weer bij de les.

'Hebben ze hem gepakt?'

Mac schudde zijn hoofd. 'Hij is ontsnapt.'

Ik herinnerde me het lawaai toen de agenten mijn woning in kwamen terwijl JPP me op de trap achternazat. Het gekletter van het mes tegen de metalen ladder. De golf van paniek.

'Hoe?'

'Ik weet het niet. Het was een chaos nadat jij was beschoten. Iedereen richtte zijn aandacht op jou.'

'Ik hoorde twee schoten. Waar ben ik nog meer geraakt?' Behalve in mijn buik had ik nergens pijn.

'Je bent maar één keer geraakt.'

'Máár?'

'Het zijn scherpschutters, Karin. Je moet geweten hebben dat ze daarboven zaten.'

'Dat wist ik ook.'

'En toch heb je hen verrast.' Zijn gezicht verried teleurstelling, alsof hij het zich persoonlijk aantrok dat ik de dood had uitgedaagd.

'Ik dacht niet na.'

'Het is een waanzinnige manier om zelfmoord te plegen.'

'Hij zat achter me aan.' Elk woord deed zeer. Ik zweeg en zette mijn tanden op elkaar tegen de pijn. Maar ik moest nog iets zeggen: 'Op dat moment probeerde ik alleen maar van hem af te komen.'

'Nadat je op hem had gewacht, Karin. Ga me nou niet vertellen dat je niet op hem wachtte.'

Ik kon niet liegen tegen Mac, daarvoor had ik te veel respect voor hem. Maar ik kon hem ook niet aankijken. Ik draaide mijn hoofd naar de andere muur. Een tweede bezoekersstoel stond in de hoek. Een blauw met groen geruite trui, van mijn moeder, zag ik, hing over de rug van de stoel. Op de lange vensterbank lag een pocketboek met een boekenlegger in het midden. Twee bossen bloemen in heldere glazen vazen, een met een geel lint om de hals, stonden op de ladekast, waarboven een televisie hing. Ik besefte dat ik op een privékamer lag, een luxe die ik me absoluut niet kon veroorloven. Iemand met meer geld dan ik, waarschijnlijk mijn ouders, betaalde dit. Tegen mijn wil begon ik te huilen.

'Het spijt me. Maar je kunt niet weten wat ik heb doorgemaakt, Mac. Niemand kan dat. Ik dacht gewoon...'

Zijn hand sloot zich om de mijne. 'Stil maar. Ik begrijp het.'

Ik draaide me weer naar hem toe. 'Nee, dat kun je niet.' Niemand kon begrijpen wat ik voelde of wat ik de afgelopen maanden had doorstaan – had proberen te doorstaan, zonder dat het me was gelukt.

Mac fronste zijn voorhoofd en keek bedroefd. Ik kende die blik: wijsheid, frustratie, berusting. We wisten allebei dat hij me op geen enkele manier kon opbeuren.

'Hoe is hij ontkomen?' vroeg ik.

'Waarschijnlijk op dezelfde manier als hij is binnengekomen, via het souterrain.'

'Heeft dat tweede schot hem niet geraakt?'

'Misschien. Ze zagen hem heel even boven het luik opduiken, maar het was buiten donker en ze zijn hem kwijtgeraakt. Ze dachten dat ze hem hadden geraakt, maar er was nergens bloed te zien. Althans, niet van hem.'

Dus mijn woning was toch een plaats delict geworden, niet van een moord maar van poging tot moord. Poging tot zelfmoord. Het scheelde weinig, een verkeken kans, in twee opzichten. Beelden flitsten door mijn hoofd. De canvas tas waar een stuk touw uit viel. De tafel, de kaarten, de dominostenen.

'Het probleem is,' zei Mac terwijl hij met de roze envelop tegen zijn knie tikte, 'dat niemand de tweede kogel heeft kunnen vinden, dus we weten het gewoon niet. We weten dat hij is ontkomen. De grote vraag is: in wat voor toestand?'

'Bedoel je dat hij misschien dood is?'

'Dood, gewond, geen schrammetje. Kies maar uit.'

Het was alsof ik voor drie deuren stond, zonder te weten achter welke de prijs of het ravijn zich bevond, en dat ik blind moest kiezen.

'Welke dag is het vandaag?'

'Woensdag. Je bent twee etmalen van de wereld geweest.'

'Hebben ze iets uit die dominostenen kunnen opmaken?'

Mac kneep zijn ogen tot spleetjes. 'Dominostenen?'

'Die lagen op tafel, samen met de kaarten. Vier stenen.'

'Er lagen helemaal geen dominostenen, Karin. Geloof me, we hebben gezocht.'

'Dan moet hij die weer meegenomen hebben.'

Ik begreep niet wat het betekende dat JPP zijn dominostenen, zijn geliefde aanwijzing, had meegenomen. Misschien was hij inderdaad door een kogel geraakt. Misschien was hij ernstig gewond. Misschien wist hij niet of hij zijn zieke spel zou kunnen voortzetten, en nam hij daarom de stenen mee, om tijd en ruimte te winnen om zijn volgende zet te bepalen, als die al kwam. Of misschien niets van dat alles. Intussen... waren er twee dagen verstreken. Twee dagen! Mijn hart bonsde toen ik dacht aan de mogelijkheid dat hij ergens bij mijn familie op de loer lag. Dat, of erger.

'Vijf, drie, vier, twee, een, drie, zes.'

'Weet je dat zeker, Karin?'

'Ja.' Ik zag nog die vier dominostenen liggen. Ze hadden zich in mijn geheugen vastgezet op het moment dat mijn adrenaline volop stroomde, toen ik ze zag liggen en besefte wat zijn dreigement betekende, waardoor ik van gedachten veranderde. 'Mac, als iemand in mijn familie al iets is overkomen, dan zeg je dat, toch?'

Hij keek me aan en knikte, maar van zijn gezicht was niets af te lezen. Ik kon niet zien of hij iets achterhield waarvan hij niet wilde dat ik het wist.

'Mac?'

'Ik weet niet wat ik in dat geval zou doen, Karin. Maar je ouders zijn hier de hele tijd geweest en ik heb de afgelopen paar dagen niets gehoord.'

Dat stelde me gerust. Mac zou niet glashard liegen.

Hij stond op, haalde zijn mobieltje uit zijn broekzak en klapte het open. 'Die dominostenen – zeg de cijfers nog eens.'

'Vijf, drie, vier, twee, een, drie, zes.'

Hij toetste de nummers in zijn telefoon en sloeg ze op. Daarna begon hij een nummer te bellen.

'U mag die telefoon hier niet gebruiken,' riep een verpleegster die langsliep door de deuropening.

'Probeer of de vaste lijn werkt,' zei ik.

Hij pakte de reguliere ziekenhuistelefoon op mijn nachtkastje en draaide een nummer. Ik vroeg me af aan wie hij eerst verslag moest uitbrengen. Aangezien JPP me in New York City had aangevallen, zou inspecteur Billy Staples nu op de zaak zitten. De politie van New Jersey was gestationeerd in Maplewood, Macs huidige en mijn vroegere rayon. De FBI werkte ook al een jaar aan de zaak voordat we JPP pakten. Dit zou overduidelijk neerkomen op samenwerken.

'Staples, met MacLeary.' De naam Seamus MacLeary was vroeger te moeilijk geweest voor zijn klasgenootjes, dus al vanaf de kleuterschool heette hij Mac. 'Ze is wakker. Price heeft dominostenen laten zien toen hij bij haar was, en die moet hij weer meegenomen hebben.' Hij somde de zeven cijfers op. Het verbaasde me dat hij die zo snel uit zijn hoofd kende, maar aan de andere kant: als je wanhopig genoeg bent werkt je geheugen extra goed. Een ogenblik dacht ik dat het hem door zijn vastberadenheid echt zou lukken om JPP tegen te houden, dat als er íémand was die het monster ervan zou kunnen weerhouden nog één onschuldige om te brengen het Mac zou zijn. Maar meteen wist ik weer hoe vaak we allemaal dat gevoel hadden gehad, over onszelf en elkaar: *Vandaag is de dag*, of *je gaat hem pakken, ik voel het*, of *ik voel dat ik vandaag geluk heb*. En hoeveel keer we het mis hadden gehad.

Mac hing op en belde Alan Tavarese, de inspecteur die mijn plaats in Maplewood had ingenomen, en besprak met hem ongeveer hetzelfde. Daarna keek hij op zijn horloge.

'Ik moet gaan.'

Hij liet een droevig lachje zien en boog zich naar me toe voor een kus op mijn wang. Ik ademde diep in, in de hoop dat ik een vleugje van zijn dennengeur op zou vangen. Ik wilde iets tegen hem zeggen, maar ik wist niet wat. Ik wilde dat hij bleef. En ik kon niet wachten tot hij vertrok, snel terug naar het onderzoeksteam, om te zorgen dat alles goed werd uitgevoerd. Hij keek even naar de roze envelop die hij op mijn nachtkastje had gelegd, op een boek dat ik nooit eerder had gezien, en liep naar de deur.

'Mac?'

'Ja?'

Hij draaide zich naar me om en keek me recht aan. Het trof me, een gevoel dat ik herkende uit de tijd dat we collega's waren: deze man was een ware vriend.

'Bel me zodra ze de burgerservicenummers van al mijn familieleden weten.'

'Doe ik.'

'En bedankt voor je geruststellende woorden.'

'Graag gedaan.' De lachrimpeltjes rond zijn mond werden dieper. 'Blijf nou maar gewoon leven. Meer vraag ik niet van je.'

Ik knikte.

En weg was hij.

Toen ik de envelop wilde pakken moest ik even stoppen van de pijn, die als een vlijmscherp mes door me heen ging. Nu wist ik hoe het voelde om neergeschoten te worden, en ik zou het nie-

mand anders toewensen. Nou ja, misschien één persoon. Ik zag nog het gezicht van JPP op enkele millimeters van het mijne. Ik deed mijn ogen dicht om de herinnering uit te bannen, maar die werd alleen maar sterker. In mijn verbeelding werd de scène aangepast: de loop van een pistool tegen zijn voorhoofd, mijn vinger aan de trekker, een knal die met hem afrekende. Een schone lei. Het zou een leegte achterlaten. Rust.

Een traan rolde opzij van mijn gezicht; ik had niet gemerkt dat ik huilde. Ik voelde me een enorme idioot. Verscheurd tussen spijt over mijn gemiste kans om me door hem te laten afmaken, en schaamte omdat ik zo laf was geweest. Maar toen herinnerde ik me weer waarom ik van gedachten was veranderd. Ik had eerder aan het dominospel moeten denken, maar beter laat dan nooit. Op een of andere manier moest ik mezelf eroverheen zetten en me richten op het enige wat er nu toe deed: ervoor zorgen dat mijn familie in veiligheid was... wie er nog van over waren.

Ik wist niet wat ze me tegen de pijn hadden gegeven, maar ik wilde er meer van. Op het nachtkastje lag een alarmbel die met een snoer aan de muur vastzat. Ik haalde diep adem en reikte ernaar. Drukte op de knop. Hoorde ergens in de gang ver weg *ting*. Nu ik mijn arm toch al had uitgestoken, greep ik snel de envelop en het boek, in de veronderstelling dat het een cadeautje was waar een briefje bij hoorde.

De envelop was slechts aan een puntje dichtgeplakt en ging gemakkelijk open. Een kaart van de Peanuts, met Snoopy in verband op zijn hondenhok in het zonnetje. Een vliegtuigje had met kronkelletters in de blauwe lucht geschreven: WORD SNEL... Ik deed de kaart open en las: BETER! Onder aan het uitroepteken hing een gezonde, blije Snoopy aan zijn ene poot, en met de andere zwaaide hij. De kaart stond vol handtekeningen. Het leek erop

dat alle personeelsleden van de afdeling Recherche in Maplewood er hun naam op hadden gezet. Toen zag ik de handtekening van Billy Staples, met een paar andere die ik niet herkende, waarschijnlijk van de FBI. De afdeling én het onderzoeksteam hadden getekend. Mac had ze er allemaal bij betrokken. Lief van hem.

Ik legde de kaart terug en pakte het boek. Het was een pocket, *Geheimen van het pad naar het innerlijke heiligdom van verborgen geluk*. Dit kon niet afkomstig zijn van een politieagent die ik kende. Ik sloeg het boek open en zag aan de inscriptie dat het van mijn therapeute, Joyce, kwam. In duidelijke, ronde letters had ze geschreven: *Je krijgt vergeving. Je krijgt liefde.* Tussen het omslag en het eerste blad zat een visitekaartje van een andere psychiater, dokter Gordon Weinberg, samen met een opgevouwen briefje.

Lieve Karin,

Het spijt me ontzettend dat ik nu niet bij je kan zijn. Zoals ik je vertelde heb ik beloofd om drie weken met Artsen zonder Grenzen naar China te gaan om de overlevenden van de aardbeving te helpen. Na lang nadenken vond ik dat ik me aan die belofte moest houden. Maar je bent in mijn gedachten. Ik ben 11 mei terug, en dan sta jij als eerste genoteerd in mijn agenda. Ik zie je op 12 mei om 9 uur. Ik verwacht je!

Knuffel, Joyce

P.S. Je kunt dokter Weinberg tijdens mijn afwezigheid dag en nacht bellen. Hij weet ervan.

Ik legde het boek terug. Ik vond het jammer dat ik haar bezoek had gemist en voelde me een in de steek gelaten kind. Maar tegelijkertijd begreep ik haar dilemma. Miljoenen mensen in China hadden haar nodig, en ze wist dat ik nu zeer nauwlettend in de gaten werd gehouden.

Een kleine, exotisch uitziende verpleegster in een wit broekpak kwam de kamer binnen. 'Gaat het, Karin?'

'Die pijn...'

'Dat dacht ik al.' Ze stond naast mijn bed en duwde luchtbelletjes uit een injectienaald waar een heldere vloeistof in zat. Toen wikkelde ze een rubber tourniquet om mijn bovenarm, wachtte tot de ader in mijn elleboog dik en blauw werd en liet de naald erin glijden.

'Wat is het?' vroeg ik, al dromerig en warm.

'Morfine, meisje.'

'Hoe heet je?' Aan de ene kant wilde ik weten hoe degene heette die me zo'n high gevoel bezorgde, aan de andere kant kon het me niet schelen.

Ze gaf antwoord, maar ik hoorde haar al niet meer. Ik was weer van de wereld. Er klonken geluiden in de gang, voetstappen in mijn kamer, de bloemige geur van het parfum van mijn moeder, een gesprek dat klonk als gorgelend zeewater, en daarna had ik het gevoel dat ik tussen schitterende koraalriffen dreef, gefascineerd door de schoonheid ervan, waarbij mijn geest bij afwezigheid van licht het mysterie van kleur doorgrondde.

5

Op een kille dinsdagmiddag, acht dagen nadat ik was neergeschoten, reden we naar het victoriaanse huis van mijn ouders aan Upper Mountain Avenue in Montclair. Het huis, dat al zo lang ik me kon heugen geel geschilderd was, bestond uit drie verdiepingen, een gecompliceerd symmetrisch ontwerp met rondom een veranda die me altijd deed denken aan de zoom van een lange rok, die gracieus overging in de schuin aflopende voortuin.

Mijn moeder zette de auto vlak langs de stoeprand en het eerste wat ik zag was de kornoelje die vol hing met witte bloesems.

Het volgende wat ik opmerkte was een blauw busje, zonder ramen, dat aan de overkant van de straat geparkeerd stond. Achter het stuur zat een jongeman die onze komst gadesloeg. Ten minste één andere undercover zou achter in de surveillancewagen zitten, met camera's. Ik keek even naar de voordeur van het huis en zag dat daar een camera hing, een glazen oog vlak boven de deurlijst. Ik hoopte dat de agenten ervaring hadden met zware criminelen, voor het geval JPP me weer kwam opzoeken.

Tenzij hij dood of gewond was en niet meer achter me aan kwam.

Tenzij hij springlevend was en het had voorzien op een ander lid van mijn familie. Iemand die niet zo bereid was om te sterven, spannender om te vermoorden.

Ik begon het lange pad naar het huis af te lopen. Mijn moeder liep achter me aan met mijn koffer op wieltjes, die met veel kabaal over de ongelijke keien hobbelde.

Wie van mijn familieleden zou hij uitkiezen, als hij nog steeds vrij rondliep? Mijn hersenen begonnen met het dwangmatige gepieker, wat me een stekende pijn in mijn wond opleverde. Ik bleef staan en haalde diep adem, terwijl mijn moeder me ondersteunde.

'Gaat het, schat?'

Mam liep naast me, lang en rimpelzacht, een en al bezorgdheid. Haar korte roestbruine haar was helemaal uit model, niets voor haar, en ze had donkere kringen onder haar ogen. Ze was niet uit het ziekenhuis weg geweest, alleen even op en neer naar mijn huis in Brooklyn om wat spullen te halen, en vanochtend voor een kort bezoek aan haar huis om alles voor mij in orde te maken.

Ik knikte. Haalde nog eens diep adem en liep langzaam verder.

Pap zat op de veranda voor het huis te wachten. Waarschijnlijk had zij hem daar neergezet in het zicht van de politieagenten – in een rieten stoel, vreemd stil. Zijn haar en huid hadden de grauwe teint van iemand die snel oud wordt. Ze waren nu allebei gepensioneerd en zagen de ouderdom naderen. Nadat ze tientallen jaren alle gebruikelijke verantwoordelijkheden hadden gedragen die een gezinsleven met zich meebracht, dacht mijn moeder soms aan een oppas voor mijn vader die als gevolg van dementie steeds vaker in de war was. Ze was er nog niet uit hoe ze dat moest aanpakken, en ik betwijfelde of het haar snel zou lukken. In het ziekenhuis had ze duidelijk gemaakt dat haar aandacht nu op mij gericht was.

Ze installeerde me in mijn oude kamer: een zacht tweepersoonsbed met een witte chenille sprei, crèmekleurig behang waarop bruine paarden allemaal dezelfde kant op sprongen. Als jong meisje had ik geprobeerd de paarden te tellen, maar ik was nooit verder gekomen dan vijftig of zestig. Na een poosje werd het één groot waas en wist je niet meer welke je wel of niet had gehad. Mam had een vaas met seringen uit de tuin op de toilettafel gezet. Ik installeerde me in bed. Toen ze mijn spullen had opgeruimd, ging ze op de rand van het bed zitten.

'Doet het pijn als ik hier zit?'

'Een beetje. Maar blijf vooral.'

'Ik hou van je, Karin. We komen hier samen doorheen. Dat beloof ik je.'

Ze greep een van mijn handen tussen de hare. Haar huid voelde vertrouwd, perfect en warm. Ze boog zich naar me toe en drukte haar wang tegen de mijne. Ze haalde diep adem en snoof mijn geur op. Ik herinnerde me dat ik dat soms ook bij Cece had gedaan als ze sliep: dan dronk ik haar in, uit liefde.

'Jon komt zo langs,' zei ze. 'Elke keer dat hij je in het ziekenhuis kwam opzoeken, lag je te slapen, en vandaag heeft hij een late vlucht.'

'Ik ben blij dat hij komt,' zei ik. 'Ik wil hem zien.' In werkelijkheid voelde ik me niet opgewassen tegen bezoek, maar Jon was mijn broer. We hadden het altijd goed met elkaar kunnen vinden. Ik wilde hem even graag zien als ik me schuldig tegenover hem voelde. Opnieuw. Na mijn eerste zelfmoordpoging was hij kapot geweest. Ik was bang dat hij deze keer teleurgesteld in me zou zijn, misschien zelfs boos.

Even later liep Jon de kamer in, met in zijn armen zijn tweejarige dochtertje Susanna, die op haar beurt een lappenpop vasthield. Achter hen kwam zijn vrouw Andrea, zeven maanden zwanger van hun tweede kind, een jongen. Andrea was klein en donker en even broos als Jon lang en bleek en stevig was. Ze waren vier jaar getrouwd, en vanaf hun eerste ontmoeting een klassiek geval van tegenpolen die elkaar aantrokken en door dik en dun met elkaar verbonden bleven. Ze hadden perioden van werkloosheid van Jon doorstaan, gevolgd door lange afwezigheid omdat hij voor zijn werk naar Hollywood moest – voor zijn carrière als grimeontwerper voor special effects moest hij constant heen en weer reizen van west naar oost. Ze hadden depressieve perioden van Andrea achter de rug, die heviger werden doordat het moederschap haar aan huis gekluisterd hield. Maar ondanks dat alles hadden ze het gered. Toen zijn carrière bloeide, leek een verhuizing met zijn gezin naar Los Angeles onvermijdelijk. Maar de beslissing was uitgesteld na de moorden, zodat ze bij me in de buurt konden blijven terwijl ik overeind krabbelde. Nu was hun vertrek niet langer onvermijdelijk, althans niet in mijn ogen.

Jon zette Susanna op mijn voeteneind, een paar centimeter van mijn voeten, waar ze in kleermakerszit in haar roze jurkje de pop in haar armen wiegde. Het zijdezachte blonde haar dat nog nooit was geknipt viel over haar rug. Haar onwetendheid met betrekking tot haar suïcidale tante was adembenemend echt. Ik aanbad haar omdat ze mij en mijn angst geen kans gaf. Susanna zou binnenkort drie worden – net zo oud als Cece was toen ze stierf. Elke keer dat ik Susanna sindsdien had gezien, was ik huilend in bed gekropen. Ze was een jaar jonger dan Cece, alleen was Cece altijd zo oud gebleven, dus als Susanna dit jaar op 4 juli drie werd, zouden ze precies even oud zijn. Ik had met angst uitgekeken naar

Susanna's verjaardag. Nu ik naar haar keek en haar geringe gewicht op het voeteneind voelde, moest ik er niet aan denken dat ik die dag bijna niet had meegemaakt.

Andrea boog zich naar me toe voor een kus. 'We blijven maar een minuutje.' Van dichtbij waren de donkere kringen onder haar ogen paars. Ze had ooit gezegd dat ze sinds Susanna was geboren nooit meer een hele nacht had doorgeslapen. Als je haar zo zag, zou je haar oververmoeidheid niet in twijfel trekken.

Jon keek me met zijn lichtblauwe ogen aan. Mensen zeiden ons hele leven al dat we dezelfde ogen hadden. Toen ik zijn zachte blik zag was ik opgelucht. Bedroefd. Hij was niet boos, maar ik kon zien dat ik hem pijn had gedaan.

'Jon, het spijt me zo.'

'Niet doen, oké? Ik wilde alleen met mijn eigen ogen zien dat alles goed met je is.' Hij kwam dichterbij en boog zich naar me toe. 'Gaat het goed met je?'

Wat moest ik daarop zeggen? Ik leefde. Ik wist niet of het goed met me ging.

Hij gaf me een kus. 'Pas goed op jezelf, Karin. Dat is het belangrijkste. Dat willen we allemaal, oké? En maak je geen zorgen over ons. Alsjeblieft.'

'Jij ook niet over mij.'

Iets van de emotie die plotseling de kamer beheerste trok Susanna's aandacht. Ze keek van het ene gezicht naar het andere, bekeek ons allemaal aandachtig, en kroop toen op handen en voeten over het bed tot ze in mijn armen belandde. Ze was ondraaglijk zacht. Precies de juiste grootte. Ik hield haar vast en begroef mijn gezicht in haar haar.

Een paar minuten later vertrokken Jon, Andrea en Susanna – teleurstelling en opluchting tegelijk.

Nadat mam zich ervan had verzekerd dat ik goed lag, ging ze in huis aan de slag om alles op orde te brengen terwijl ik in bed lag. Mijn laatste dosis morfine was bijna uitgewerkt en toen de pijn toenam ging ik tegen mijn kussen aan liggen en probeerde wat in te dutten, maar ik kwam niet verder dan een onrustig halfslaapje. Ik bleef beelden zien van levens die plotseling op gewelddadige wijze waren beëindigd. Ik kon mijn ogen niet meer sluiten zonder ze te zien. Allemaal. Hoofdzakelijk Jackson en Cece. En de familie Alderman. Hun delen en stukjes vormden een puzzel in mijn hoofd die ik nooit tot een geheel kon maken. Het had geen zin te proberen aan die beelden te ontkomen: ze waren er altijd; met hun scherpe kant sneden ze vlak langs mijn bewustzijn. De tijd versplinterde, herinneringen snelden naar voren, stopten plotseling of deinsden achteruit, als decors die omhoog werden getrokken via een mechaniek dat werd bediend door een gek. Terwijl ik, gevangen in die nachtmerrie, steeds maar door rende, raakte ik toch achterop. Opgeslokt door een gat in de tijd, vertraagd in drijfzand, waardoor ik machteloos was. Opgeslokt door herinneringen. Hun gezichten schoten door me heen, langs me heen: Cece, Jackson en alle vijf de Aldermans die ik alleen kende van foto's van de plaats delict. Ik kon de beelden niet van me afzetten die ik zorgvuldig had bekeken en me had ingeprent toen ik deel uitmaakte van het team dat probeerde JPP de eerste keer te pakken. Ze overspoelden me nu.

Er waren vijf moorden geweest, vier plaatsen delict, en de politiefotograaf had vanuit elke hoek van elke plek waar een lichaam was gevonden opnamen gemaakt, zonder ook maar een stukje over te slaan. Elk spatje bloed was door de camera vastgelegd, gemeten en gemerkt, en als de bloedspatten verder reikten dan de lens werden er verschillende opnamen gemaakt die later aan elkaar werden geplakt. Elke vingerafdruk, elke voetafdruk, elk haartje, elk vezeltje werd verzameld, gerangschikt, gemeten, genoteerd. Als er een glas op een tafeltje stond, werd het in een zak gestopt. Als er een gebruikt papieren zakdoekje op de grond lag, werd het in een zak gestopt. Als er een knoop op de vloer lag, werd die in een zak gestopt. Vreemd genoeg had de oogst van de technische recherche veel weg van de vreemdsoortige schatten die seriemoordenaars vaak zelf verzamelden om hun misdaden te catalogiseren en herbeleven. Ik had ooit een inspecteur horen schimpen: 'De psychopaten stellen hun verzameling samen als ze naar binnen gaan, wij als we naar buiten gaan.' Het was een kille, cynische constatering, maar het was waar. Na een poosje ging je net zo denken als de gluiperd die je in de boeien wilde slaan. Je vond het verschrikkelijk. Maar je was bang dat, als je dat niet deed, je hem nooit te pakken zou krijgen.

De zaak-Alderman was voor mij de eerste zaak waarin ik afdaalde naar de gruwelkelder van een gestoorde geest. Mijn ervaring met de zaak-Schaeffer, van Jackson en Cece, was de tweede keer. Het overleven van mijn eigen zaak, een week geleden, de derde. Elke keer weer leek die kelder donkerder, ook al leek dat steeds onmogelijker te worden. Ik verlangde bijna naar de relatieve onschuld van de zaak-Alderman. Nee: ik verlangde naar de tijd ervoor, voordat ik door de richting van mijn loopbaan terechtkwam op de eerste rij bij de afschuwelijkste voorstelling die de mensheid te bieden had.

Waarom was ik eigenlijk bij de politie gaan werken? De laatste tijd vroeg ik me dat vaak af. Om mijn vader een plezier te doen, was waarschijnlijk het voor de hand liggende antwoord. Hij was officier in het leger, een machtige vader die ik tijdens mijn jeugd had aanbeden. Toen hij op zijn achtendertigste het leger verliet werd hij agent en later inspecteur. Het was geen geheim geweest dat hij had gehoopt dat Jon in zijn voetsporen zou treden. Toen dat echter niet gebeurde, toen mijn broer zijn talent wilde benutten in Hollywood, deed ik mijn geliefde vader een groot plezier door zijn grootste wens te vervullen. Op de middelbare school sloot ik me daarom aan bij de junioren van de ROTC en uiteindelijk kwam ik bij het leger. Toen ik zover was dat ik aan studeren kon gaan denken, gebeurde de ramp op 11 september. Ik liet mijn plan varen en op 12 september schreef ik me in bij de politieacademie. Een jaar later was ik agent. Zes jaar later werd ik inspecteur. Na nog een jaar waren Jackson en Cece dood. Inmiddels wist mijn vader nog amper wat voor dag het was, laat staan hoe trouw ik zijn voorbeeld had gevolgd.

Waarom was ik dan bij de politie gegaan? Toentertijd leek het een goed idee. Dat gevoel hield ik een tijdlang. Ik aanbad het werk, de actie, de adrenaline die door je heen stroomde wanneer je in een fractie van een seconde een beslissing moest nemen. Soms had het werk me zelfs geïnspireerd. Ik wist nog hoe opwindend ik het vond toen ik de zaak-Alderman toegewezen kreeg. Hoe graag ik die wilde oplossen. Zonder dat ik wist dat me dat inderdaad zou lukken, en dat het me uiteindelijk zou ontnemen wat me het liefst was. Zonder erbij na te denken dat het misschien niet de moeite waard zou zijn of dat ik op een dag in bed zou liggen met de wens dat ik de tijd terug kon draaien, of in elk geval al die vreselijke beelden van overledenen uit mijn hoofd kon zetten.

Niet zomaar overledenen. Innig geliefden. Het vertrouwde web was vernield, maar voor de achtergeblevenen waren er nog de losse, afgesneden draden die met hun hart verbonden bleven.

Jackson.

Cece.

De familie Alderman.

Liggend in bed kwam in een flits de herinnering boven aan de eerste keer dat ik die foto's onder ogen had gekregen. Ik herinnerde me die eerste schok toen ik JPP's wérk gedocumenteerd zag. Ik herinnerde me de bittere smaak in mijn mond die ik steeds weg moest slikken. Ik herinnerde me dat ik besefte hoe stom het was geweest om te lunchen vlak voor mijn eerste vergadering met het onderzoeksteam.

Er waren ongeveer honderd foto's van elke plaats delict, en ik bekeek ze allemaal. Iets ergers had ik nog nooit gezien, maar ik dwong mezelf te kijken omdat het mijn werk was. Ik was onlangs gepromoveerd tot inspecteur en ik was net toegevoegd aan het onderzoeksteam. Er was niet veel tijd voor nodig om de gezamenlijke wanhoop die zich in een jaar tijd van de teamleden had meester gemaakt aan te wenden om het monster dat dit op zijn geweten had achter slot en grendel te krijgen. Te voorkomen dat hij nogmaals zou toeslaan.

Gary Alderman, de vader. Hij was de eerste dode. Hij was gevonden in de garage, met de deur dicht, in de auto met lopende motor die met een slang vastgekoppeld was aan de uitlaatpijp, zodat de giftige gassen naar binnen kwamen. 's Ochtends was hij ontdekt door zijn negenjarige dochter Rhonda, voor ze naar school ging. Zij was ook degene die de dominosteen opmerkte die ze nooit eerder had gezien, op haar vaders werkbank in de hoek van de garage.

Eén dominosteen, twee cijfers: één en twee. Twaalf. De leeftijd van haar zusje Zoë.

De werkbank lag altijd vol met allerlei spullen en Rhonda dacht niet dat de dominosteen iets betekende. In de chaos van die dag legde ze hem bij haar andere speelgoed, niet omdat ze hem zo graag wilde hebben, maar omdat hij van haar vader was geweest, en het meisje wilde heel graag iets wat aan hem herinnerde. Niemand begreep waarom Gary zich van het leven had beroofd. Hij had geen briefje achtergelaten.

Zoë, de oudste van de drie kinderen Alderman, was het tweede slachtoffer. Ze werd gevonden in een greppel, acht kilometer van haar huis, drie uur nadat ze van school thuis had moeten komen. Halfnaakt. Neergestoken en gewurgd met een nylon koord, zo strak dat haar ogen twee keer zo groot naar buiten puilden en haar gezicht donkerpaars was. Ze had huidcellen van een ander onder haar nagels; ze had zich flink verzet. Er werden twee dominostenen onder haar lichaam aangetroffen.

Twee dominostenen, twee cijfers: één en zeven. Het huisnummer van de school waar Rhonda op zat: Burnett Street 17.

De stenen werden als bewijs meegenomen, maar niet in verband gebracht met Gary's dood. Over de stenen, of over de andere gruwelijke details van de moord op Zoë, zei niemand iets tegen Rhonda, omdat ze nog zo jong was. Anders had ze er misschien aan gedacht te vertellen over de dominosteen die ze van haar vaders werkbank had gepakt voordat iemand anders hem had opgemerkt.

In een tijdsbestek van twee maanden had Gary zichzelf van het leven beroofd en was Zoë vermoord. Een gelukkig gezin was gereduceerd tot een hoop ellende. Niet volledig gereduceerd. Nog niet.

Rhonda was het derde slachtoffer. Ze werd op school in het meisjestoilet aangetroffen door de conciërge, die dacht dat alle leerlingen al uit het gebouw waren. Ze was vastgebonden aan een wc, naakt vanaf haar middel, met haar handen vastgebonden om haar hals, en haar rok als een zak over haar hoofd. Een aantal messteken. Drie dominostenen lagen in de toiletpot. Drie dominostenen, zes cijfers. Negen, acht, vijf, drie: de laatste vier cijfers van een creditcard die gebruikt werd door Alice Alderman, Gary's vrouw en de moeder van de kinderen. Twee en vier: deze cijfers stonden op het baseballshirt van Teddy van zes, die onlangs deze sport was gaan beoefenen bij een club.

Ten slotte zag de politie het verband. De dominostenen. De familieleden. Een voor een omgebracht. Gary's dood werd nu beschouwd als een mogelijke moord en betrokken bij het onderzoek naar de moord op zijn twee dochters. Een onderzoek waarbij men nu uitging van een seriemoordenaar.

Er werd een speciaal onderzoeksteam op gezet.

Alice en Teddy doken ergens onder. De politie bood dag en nacht bewaking: twee mannen zaten in een surveillancewagen voor het zomerhuis van de vriend van de baas van de zus van Alice.

Maar op de een of andere manier wist hij hen te vinden. De Dominokiller. JPP. Van wie men toen nog niet wist dat het een vriendelijke, zevenentwintigjarige eenzelvige man was: Martin Price. JPP sneed buiten de telefoonkabel door die de verbinding vormde met het surveillancesysteem. Hij brak in en pleegde snel de moorden in de paar minuten die het team buiten nodig had om erachter te komen dat hun telefoonverbinding moedwillig was vernield en dat er in het huis was ingebroken.

Alice stierf als eerste. Ze lag voorover op bed. Neergestoken. Gewurgd. Terwijl Teddy opgesloten was in de badkamer, ongetwijfeld huilend, met zijn knuffelhondje waarmee hij altijd in slaap viel in zijn armen geklemd.

Teddy was de volgende. Gewurgd. Snel.

Tegen de tijd dat de versterking arriveerde was het te laat – de moordenaar was vertrokken.

Op de reling van de veranda achter lag een enkele dominosteen. Eén cijfer, beplakt met een stukje zwart tape, zodat slechts de helft te zien was.

Nul.

De familie Alderman was er niet meer.

Het was de laatste keer dat een inspecteur in Maplewood op apparatuur met een kabelsnoer vertrouwde. Het was een fout die twee levens had gekost. Het was een pijnlijke les die we uiteindelijk hadden geleerd.

Niemand wist wie de volgende zou zijn. Maar met een seriemoordenaar die zo wreed en systematisch te werk ging als de Dominokiller wist iedereen dat er een volgende zou zijn. Het was alleen de vraag wie, wanneer en waar. Niet waarom. Hoe kon dat ook? Er was geen enkele logische verklaring voor wat er met dat gezin was gebeurd.

We gingen ervan uit dat we moesten zoeken naar een man, louter vanwege de fysieke kracht die nodig was geweest om de vader in bedwang te houden. We hadden een vermoeden van zijn leeftijd – eind twintig, omdat dat de leeftijd is waarop seriemoordenaars aan hun zogenaamde carrière beginnen. Omdat de misdaden zorgvuldig gepland waren, meenden we dat het om iemand ging die waarschijnlijk had gestudeerd of in elk geval een goed verstand had. Hij hield van spelletjes, maar hij haatte mensen en was waarschijnlijk op internet actief. De kans was groot dat hij in deze contreien woonde, omdat hij steeds met gemak weg wist te komen na zijn daden. En de moordenaar was ofwel extreem woedend en/of extreem eenzaam. Hij had een hele familie uitgemoord. Er moest een reden voor zijn, althans, in zijn verwrongen geest.

In de weken na de moord op Alice en Teddy bleven de media zich met de zaak bezighouden en hielpen ons daardoor met de jacht op de moordenaar. Honderden telefoontjes stroomden bij het team binnen waarin melding werd gemaakt van mensen die 'eruitzagen als een seriemoordenaar'. Het probleem was dat de meeste seriemoordenaars er niet uitzien als een monster. De meesten slagen erin hun aard te verbergen onder een uiterlijk dat het best omschreven kan worden als gemiddeld. Ze sluiten zich op in zichzelf en komen heel even naar buiten om daarna weer snel onder te duiken.

Het onderzoeksteam wist dat er altijd een hausse van meldingen kwam van wantrouwige mensen die na een wrede moord op de loer lagen. Evengoed namen we elk telefoontje serieus, want je wist maar nooit. Iedereen ging op onderzoek uit. Op een dag gingen Mac en ik eropuit na een telefoontje van een chauffeur op de tolweg van Jersey die 'een jongen' had gezien die 'zich ophield' op de industriële route richting Jersey City, bij de ingang van de Lincoln Tunnel. Toen we doorvroegen, bleek dat de beller met de 'jongen' misschien niet zozeer een jongen had bedoeld als wel 'een jongeman'. Dus keken we uit naar een man van onbepaalde leeftijd, maar waarschijnlijk aan de jonge kant. Meer wisten we niet, en eerlijk gezegd hadden we er niet veel fiducie in.

Het was een verzengend hete ochtend in juli, en er stond net genoeg wind om blij te zijn met elk briesje dat je klamme huid verkoelde. Ik droeg een spijkerbroek en een shirt met korte mouwen, en mijn haar zat opgestoken onder een baseballcap zodat mijn nek koel bleef. Mac en ik slenterden rond tussen de mammoetcontainers waar bedrijven benzine in opsloegen voordat ze die verhandelden. We waren het er wel over eens dat we aan het type klopjacht bezig waren dat regelmatig te veel tijd van het team opslorpte.

Een gestage stroom auto's schoot langs over de tolweg. De containers stonden zo dicht bij het verkeer dat het lawaai de meeste andere geluiden overstemde. De verschroeiende lucht was benauwd en vergeven van de uitlaatgassen – van de auto's en van de containers – en de stank was overweldigend. Ik stond net op het punt om naar Mac te roepen dat we het hier wel hadden gezien, toen een hol, galmend gekreun mijn aandacht trok. Elke keer dat ik dichter bij een bepaalde container kwam, werd het geluid sterker. Ik liep om de container heen, het was duidelijk aan één kant te horen. De container was waarschijnlijk leeg. En als hij leeg was, was het dan misschien mogelijk dat er iemand in zat?

'Ik kijk even hierin,' schreeuwde ik naar Mac, die me niet leek te horen door het rumoerige verkeer.

Aan de zijkant hing een smalle ladder, minstens zestig meter lang. Als je vanaf de grond omhoog keek, was het alsof hij recht de wolkeloze blauwe hemel in leidde. Hoe verder ik klom, hoe hoger en breder de container leek te worden. Hij was enorm. En de sporten van de ladder waren heet, ik brandde mijn handen eraan. Dus ik klom zo snel als ik kon, zodat het snel achter de rug zou zijn, om het vreemde voorgevoel te checken dat ik had over deze ene lege container te midden van een heel stel exemplaren dat vol benzine zat.

Boven aan de ladder klauterde ik op het platte dak van de container. Ik voelde de hitte door de rubberzolen van mijn schoenen heen. Een enorm rond luik op zes meter van de rand stond open. Ik wist niets van raffinaderijen maar ik vermoedde dat het geen gewone gang van zaken was om deze dingen open te laten staan in weer en wind. Ik boog me over het luik. En tuurde omlaag in het duister.

Hij was inderdaad leeg. De zon scheen recht in mijn gezicht, dus ik hield een hand boven mijn ogen. Toen ze aan het duister gewend waren, zag ik onder in de container iets wat er in eerste instantie uitzag als een schaduw.

'Karin?' riep Mac van beneden.

Ik liep naar de rand van de container en zag dat Mac me liep te zoeken.

'Ik ben hierboven!'

'Waarom in godsnaam?'

'Ik kom zo terug.'

Ik ging terug naar het luik. Kroop erheen. Schermde mijn ogen weer af. En zag dat de schaduw een slapende man was.

We wisten aanvankelijk niet wat voor vlees we in de kuip hadden. Wat we hoofdzakelijk wisten was dat het om een man ging die leek te zijn gestrand in een lege brandstofcontainer. We wisten niet wie hij was of wat hij daar deed, maar we wisten wel dat het onze plicht was hem eruit te halen. Gelukkig voor hem had de raffinaderij die ochtend besloten de container niet te vullen. Die gedachte ging door me heen toen ik hem de eerste keer zag. Hij heeft geluk. Later besefte ik dat het een godsgeschenk zou zijn geweest als JPP was verdronken in brandstof, gestikt in een vat met gif. Had ik maar geweten wat me te wachten stond nadat ik zijn leven had gered, dan zou ik niet tegen Mac of wie ook hebben gezegd dat hij daar onder in de container lag te slapen als een roos. Dan zou ik het luik hebben dichtgedaan, van buiten hebben afgesloten en hem daar laten liggen. In de hete, giftige damp zou hij na een paar uur gebraden zijn.

Maar nee.

Ik moest zijn leven redden.

Omdat we op zoek waren naar een seriemoordenaar, wilden we wat wangslijm van hem afnemen. Hij weigerde toestemming te geven. We moesten een vergunning aanvragen en twee dagen wachten, waarbij we hem vasthielden wegens het betreden van verboden terrein, voordat we de kans kregen Martin Price DNA af te nemen. Het lab verblijdde ons met het resultaat – een duidelijke match met de huidcellen die onder Zoë Aldermans nagels waren gevonden.

We hadden hem.

Evengoed ontkende Price dat hij de Dominokiller was. Dat soort arrogantie is typerend voor psychopaten. Het was verbazingwekkend hoeveel van hen denken dat alleen zij in staat zijn de perfecte misdaad te plegen en ermee weg te komen, zelfs met onweerlegbaar bewijs. We maakten ons vrolijk toen we zijn ontkenning hoorden op de beschuldiging die bij zijn arrestatie werd voorgelezen, een eer die mij te beurt viel, aangezien ik degene was die hem had gevonden.

Voor zover ik het me kan herinneren, was dat de laatste keer dat ik heb gelachen.

Hoewel het in werkelijkheid nog maanden duurde voordat JPP achter mijn man en kind aan ging. In de periode ertussen heb ik vaak gelachen – thuis met Jackson en Cece, op het werk met mijn collega's, en op willekeurige momenten in de loop van een gewone dag – voordat ik de realiteit die JPP voor me in petto had voor mijn kiezen kreeg.

In de korte periode dat hij in het huis van bewaring zijn proces afwachtte, hield JPP eindelijk op zich voor te doen als een ander: hij was Martin Price, een eenzelvige man die als kind in de steek was gelaten, opgegroeid in een weeshuis en aan zijn lot overgelaten, die een rustig leven leek te leiden totdat zijn DNA op dode mensen werd aangetroffen. Hij bekende de moorden niet direct, maar hij ging niet meer tegen de beschuldigingen in, waarschijnlijk op advies van zijn advocaat. Hij zei over het algemeen niet veel, wachtte gewoon in zijn cel tot zijn zaak voorkwam en bracht waarschijnlijk veel tijd door met het plannen van zijn ontsnapping. Toen hij uit het busje vluchtte dat hem van het huis van bewaring naar de rechtszaal bracht, maakte hij gebruik van een zelfgemaakt steekwapen. Voor zijn ontsnapping waren we er niet achter gekomen hoe of waarom hij het eigenlijk op de familie Alderman had gemunt. Ik gokte dat er een miniem verband bestond, dat een van de familieleden hem iets had aangedaan waarvan hij vond dat hij het niet verdiende. Wat zou een van die familieleden gedaan kunnen hebben waardoor deze zwaar gestoorde man zo was beledigd? In mijn geval was het omdat ik het lef had gehad om op een benzinecontainer te klimmen en hem te vinden. Ieder ander had dat holle geluid gehoord kunnen hebben en zou instinctief de ladder naar de hel hebben beklommen.

Maar het was niet een ander geweest.

Ik was het.

De volgende dag leek het mijn moeder een goed idee als ik wat frisse lucht kreeg. Ik voelde me al iets beter, dus ik pakte het boek dat ik van Joyce had gekregen, en mam loodste me mee naar de veranda, waar ik neerzeeg op een rotan chaise longue. Ik ging languit liggen en legde mijn hoofd op het gebloemde chintz kussen. Mijn moeder hield van mooie dingen. Het was een zonnige voorjaarsochtend en de kornoelje zag er met zijn witte bloesems spectaculair en melancholiek uit.

Aan de overkant stond nog steeds een surveillancewagen geparkeerd – een donkerblauwe wagen met een andere chauffeur had die van gisteren vervangen. Tegen de middag werd er weer gewisseld, toen een lichtblauw busje de plaats innam van het donkerblauwe. Ploegendienst, van twaalf uur 's middags tot twaalf uur 's nachts. Het wachten op JPP begon te wennen. Ik vroeg me af of hij inderdaad dood was. Of ons in die waan wilde laten. Misschien wachtte hij daar wel op: voldoende tijd laten verstrijken om ons te laten denken dat hij niet meer zou komen.

6

Drie weken later waren alle bloemen van de kornoelje op de grond gevallen. Gedroogde bloemblaadjes lagen als een tapijt op het gazon voor mijn ouderlijk huis. Mac hield mijn arm vast toen we over het pad de straat op liepen, al was dat niet nodig. Ik voelde me sterker dan ik me tot nu toe had gevoeld sinds de schietpartij. De pijn in mijn buik was veel minder, mijn spieren voelden niet langer alsof ze zouden scheuren als ik me te snel bewoog. Maar omdat het hem een beter gevoel leek te geven, liet ik me door hem ondersteunen. Dan had hij het idee dat hij iets voor me kon doen.

Terwijl ik mezelf op de voorstoel van zijn kleine autootje vouwde – een Mini Cooper met een zwart-wit geblokt dak en twee racestrepen over de voorkant – drentelde hij bij het open portier heen en weer om zich ervan te verzekeren dat ik goed zat. Hij was nog langer dan ik, maar op een of andere manier pasten we er toch allebei in.

Het was het eind van de middag, bijna spitsuur, dus kozen we provinciale weggetjes voor de rit van tien kilometer van Montclair naar Maplewood. Ik zou later dat weekend teruggaan naar New

York en ik had afgesproken dat ik voor mijn vertrek bij het bureau langs zou gaan om vragen van het onderzoeksteam te beantwoorden. Ik zag ertegenop, maar ik had het gevoel dat het mijn plicht was om alles te doen wat er in mijn vermogen lag, vooral omdat er geen schot zat in de zaak. De betekenis van de laatste dominostenen van JPP was niet opgehelderd en hij was nergens gesignaleerd.

We kwamen in het centrum en reden langzaam langs het filmtheater, een kleine kruidenierszaak, een café, een paar slijterijen en een stuk of vijf restaurants. Maplewood was een prettig, gezinsvriendelijk stadje, met jaarlijks een optocht en goede scholen op loopafstand van de meeste huizen. De tee voor het golfen was er uitgevonden. Evenals *ultimate frisbee.* Wat volgens mijn broer, toen hij en Andrea hier twee jaar geleden hun huis kochten en Manhattan ontvluchtten, reden genoeg was om ergens anders naartoe te gaan. Jackson en ik hadden zijn voorbeeld gevolgd en er zelf een huis gekocht. Toen ik na de moorden ons huis te koop zette was het in één dag verkocht. Het huis van de familie Alderman, ook in Maplewood, stond nog steeds leeg, in afwachting van de afwikkeling van hun nalatenschap.

Het nieuwe politiebureau, het Police and Courts Building, stond aan de rand van de stad aan Springfield Avenue. We zetten de auto op het parkeerterrein dat het bureau met een naburige kerk deelde.

'Mooi,' zei ik, terwijl we over de stoep liepen die naar de voordeur leidde van het roodstenen gebouw dat mijn werkplek geweest zou zijn als ik niet bij de politie was weggegaan. We liepen vijf treden op, onder een boog door, en daarna ging Mac me voor door een draaideur. Ik bleef als aan de grond genageld staan toen ik binnen de hightech kathedraal zag waar de gezamenlijke afdelingen van de plaatselijke politie zich nu bevonden. 'Staan we op een glazen vloer?' Ik keek omlaag door wat eruitzag als transparante blokken, waar ik de wazige vormen van sportapparaten doorheen zag schemeren.

'Yep. Daardoor valt er daglicht in de sportkelder. Alles is milieuvriendelijk gebouwd.'

Hij ging me voor naar een lift die ons pijlsnel twee etages hoger bracht. Het nieuwe gebouw had twee vergaderzalen en ons onderzoeksteam had één daarvan toegewezen gekregen, op fulltime basis. Een glazen wand scheidde de zaal van de gang, en sprakeloos keek ik toe.

Ik herinnerde me het team waarin ik had gewerkt: de lange uren, de intensieve besprekingen, de dringende noodzaak die we allemaal voelden toen we achter JPP aan zaten. Ik herinnerde me dat ik dacht dat ik eindelijk wist wat mensen bedoelden met bloed, zweet en tranen. In het vroegere onderzoeksteam voelde niemand zich goed en niemand zag er goed uit; we hadden honger, we waren uitgeput en we gingen constant door. De kamer was smerig. Wíj waren smerig. En vastberaden op een manier die nieuw en opwindend was voor een inspecteur die pas aan de slag ging, zoals ik in die tijd.

Wat ik nu zag was in alle opzichten anders. Ik had wel een nieuwe kamer verwacht, nieuw meubilair, nieuwe muren. En zoals verwacht hingen aan de nieuwe muren in al hun tragische wreedheid de oude foto's van plaatsen delict. Maar wat ik niet had verwacht was dat er, in plaats van de twintig onderzoekers van het vroegere team, maar drie mensen in de kamer aan het werk waren. Ze zaten er veel te bedaard bij. Te schoon. Te uitgerust. Ze staarden alle drie naar een beeldscherm en zaten als gekken op een toetsenbord te rammen. Even dacht ik dat de meesten buiten de deur aan het werk waren. Maar Mac had gezegd dat het team graag kennis met me wilde maken, en ik besefte dat wat ik door de glazen wand zag het hele team was.

'Die man daar,' – hij wees naar een man met donker haar en een olijfkleurige huid die net als de anderen achter een computer zat – 'dat is Alan.' Zijn niet meer zo heel nieuwe vaste collega. 'Ik geloof niet dat je hem al hebt ontmoet.'

Dat klopte.

Mac legde zijn hand op de deurkruk, klaar om me binnen te laten.

'Wacht even,' zei ik. 'Waar is iedereen?'

'Ze hebben ons aantal teruggebracht tot een kerngroep. De anderen hebben andere taken gekregen.'

'Andere taken?'

'We behandelen het nu meer als computerwerk, ervan uitgaand dat JPP zijn gezicht op dit moment waarschijnlijk niet zal laten zien in de echte wereld, dat áls hij opduikt, dat online zal zijn, waar we hem kunnen opsporen. Het is mogelijk dat hij dood is, Karin, als de scherpschutters hem tenminste hebben geraakt, en misschien is dat zo. De commissaris en de burgemeester zijn zich daar terdege van bewust – en het belangrijkste: ze hebben ons budget drastisch verlaagd voor het geval we achter een geest aan zitten.'

Ik kon mijn oren niet geloven. En helemaal niet dat Mac zoiets zei. 'Maar hij kan ook nog in léven zijn, en dan zouden jullie allemaal keihard aan het werk moeten. Hij is bezeten van het dominospel. Jullie moeten naar hem op zoek, overal waar mensen spelletjes spelen. Dat moet niet zo moeilijk zijn.'

'Ik weet het. Billy Staples in New York en ik zitten op dezelfde golflengte als jij. Maar zonder geld...' Hij liet de rest ongezegd maar ik wist wat hij bedoelde: kunnen we maar heel weinig bereiken.

Ik deed een stap van het glas vandaan, zodat ze me niet zouden zien. Ik ging niet naar binnen. 'Hoe hebben ze zo kunnen snoeien?'

'De nieuwe budgetten waren net toegezegd, en we zitten nog steeds in de gewenningsfase.' Een trilling in zijn stem wees erop dat hij probeerde kalm en rustig over te komen. 'Of eigenlijk zijn we aan het afkicken. Ik wist niet hoe ik je moest vertellen dat ze het mes erin hebben gezet.'

'Het slaat nergens op.'

Macs toon werd harder. 'Toch wel. De gemeente ging over het budget voor de bouw, dus moesten ze ergens op bezuinigen.'

'Sinds wanneer is het zoeken naar een seriemoordenaar iets waar op moet worden bezuinigd?'

Hij schudde zijn hoofd, maar zei niets omdat er geen antwoord op deze vraag te geven was. We hadden stomweg pech.

Ik draaide me om en liep terug naar de lift. Achter me hoorde ik Macs gedempte voetstappen op het tapijt. Ik was zo kwaad dat ik bang was dat ik tegenover hem zou uitbarsten, ook al wist ik dat hij er niets aan kon doen. Mac ging niet over het budget. Maar hij maakte nog wel deel uit van deze… afgrijselijk bureaucratische, hypocriete club. Dit gevoel, deze denktrant was iets waaraan ik nog nooit had toegegeven. Maar nu overviel het me.

Terwijl we op de lift wachtten flapte ik er op snauwerige toon uit: 'Het is hier een heus bedríjf geworden.'

'Ze komen wel tot inkeer.'

'Wat zijn dat voor kantoorklerken hier?'

Hij reageerde niet. De lift bracht ons snel beneden. Mac volgde me helemaal vanuit het veel te dure, milieuvriendelijke gebouw de frisse, echte, vrije, gezonde lucht in. De zon had plaatsgemaakt voor een wolkendek. Ik liep voor Mac uit naar de auto, maar hij haalde me in en wilde mijn arm pakken. Ik rukte me los.

'Karin, wacht nou even. Blijf staan.'

Ik bleef staan maar draaide me niet om. Hij kwam voor me staan en dwong me naar hem te luisteren.

'Je vergeet hoe het was. Dit zijn prima mensen die verschrikkelijk werk doen. En het budget was altijd al een probleem. We moesten altijd schipperen. De ene dag werd er bezuinigd op het team, de volgende dag was er nieuw personeel. Het is altijd een soort achtbaan geweest.'

'Dat herinner ik me niet.' Maar had hij gelijk? De dagelijkse gang van zaken op het bureau leek voor mij eeuwen geleden. Was ik door mijn eigen ellende in zo'n diep dal terechtgekomen dat ik de beslommeringen op het werk niet meer herkende?

'Er is niets veranderd,' zei Mac. 'Alleen het gebouw. Verder niet.'

'Ik weet het niet, Mac. Het zag er vreselijk uit daarbinnen.'

'Het is er altijd vreselijk, Karin, hoe je het ook bekijkt. We zijn op zoek naar een seriemoordenaar, en we kunnen hem niet vinden.'

'Kunnen we nu alsjeblieft gaan?'

We kwamen bij de auto en stapten in. Hij reed het parkeerterrein af, de weg op. Andrea had mijn ouders en mij te eten gevraagd, en Mac zou me daar afzetten. Ik had met het idee gespeeld te vragen of hij meeging, maar nu wist ik niet of ik dat nog wel wilde.

'Probeer één ding niet te vergeten.' Mac keek me tijdens het rijden even aan. 'De kop van Martin Price hangt op elk postkantoor in het land. Hij is te zien op internet, in kranten, op tv. *America's Most Wanted* heeft twee weken geleden een update van zijn profiel uitgezonden. Weet je hoeveel mensen daarnaar kijken?'

'Niet precies.'

'Miljoenen. Miljoenen mensen op deze wereld lopen met het gezicht van Price in hun geheugen gegrift. Miljoenen ogen kijken naar hem uit. Is het dan zo'n slecht idee om de zoektocht op dit moment via internet te laten verlopen? Denk je dat hij nog een winkel in durft, laat staan aan speltoernooien meedoet?'

'Hij is anders wel een gestoorde controlfreak die bezeten is van spellen.'

'Misschien. Maar denk je niet dat hij zich gedeisd zal houden en alleen via internet zal gamen?'

'Oké, Mac. Misschien heb je gelijk. Maar jullie kunnen toch evengoed naar hem op zoek gaan?'

We waren weer bij dezelfde vraag. Naast Mac in de auto, eenzamer dan ik me ooit had gehad gevoeld naast de man die ik waarschijnlijk, behalve mijn broer en therapeute en moeder, het meest vertrouwde, voelde ik langzaam de bekende golf van wanhoop over me heen spoelen. Het boek van Joyce over geluk herinnerde me er voortdurend aan dat *gevoelens geen feiten zijn* en *alle wegen naar de waarheid verscholen zijn* en dat *verborgen wegen altijd ontdekt worden doordat je er bij toeval op terechtkomt*. Oneliners om je af te leiden van je ellende, je te verlokken tot de gedachte dat overal om je heen verlichting te vinden was. Dat was niet zo. Er was geen verlichting. Niemand zou redding brengen. Ik wilde het gezicht van Joyce wel eens zien als ik haar over drie dagen díé ontdekking vertelde.

Ik probeerde mijn tranen te verbergen door uit mijn raampje te kijken, weg van Mac, terwijl hij naar het huis van mijn broer in Walton Avenue reed.

Keurige gazons voor mooie huizen waar gelukkige gezinnetjes woonden. Het een na het ander, rij na rij. Zo veel gelukkige gezinnetjes die in een waas langs me heen trokken, als een droom die niet voor mij was weggelegd. Het was een wereld waarvan ik me constant buitengesloten voelde. Ik wilde erin terug. Maar het was te laat. Nu ik fysiek opgelapt was en bijna hersteld, wilde ik me niet langer verzetten. Ik wilde de strijd opgeven. En me door hem laten vinden. Ik sloot mijn ogen en bad dat Mac ergens tegenaan reed. Toen bad ik dat het niet zou gebeuren.... Want nu waren we de hoek om en reden we in de straat van Jon en Andrea... en Susanna speelde buiten in de voortuin, in een geel zomerjurkje dat precies leek op het jurkje dat ik ooit voor Cece had gekocht. Ze liep rondjes achter een poppenwagentje, ze wachtte op me.

Een surveillancewagen stond, zoals steeds, aan de overkant. Hun huis was, net als dat van mijn ouders en tegenwoordig mijn woning in Brooklyn, uitgerust met een elektronisch netwerk om JPP te kunnen grijpen als hij te dichtbij kwam. Deze voorzorgsmaatregel gaf me een onaangenaam gevoel nu ik besefte hoe afhankelijk het onttakelde onderzoeksteam van cyberspace was. Draadloze camera's en communicatiesystemen vormden met elkaar een onzichtbaar systeem vol alarmsignalen. Het was niet genoeg.

Mijn ouders zaten buiten voor het huis op witte plastic tuinstoelen naar Susanna te kijken, toen Mac en ik de oprit op kwamen. Ze zag er aanbiddelijk uit in het gele jurkje, terwijl ze het wagentje zo hard als ze kon over het ongelijke grasveld duwde. Door een onverwachte hobbel viel haar pop uit de wagen. Ze pakte hem met haar ene hand op, gooide hem terug in de wagen en toen ze ons zag aankomen, draaide ze zich om. Er verscheen een brede glimlach op haar gezicht toen ze me zag. Mijn ouders wuifden naar ons. Mac en ik zwaaiden terug door het raampje aan de bestuurderskant, maar geen van ons maakte aanstalten om uit te stappen.

'Probeer het onderzoeksteam te vergeten,' zei hij. 'Laat dat maar allemaal aan mij over.'

De hemel betrok ineens. 'Er komt regen,' zei ik, en ik maakte mijn autogordel los.

Mijn moeder liep Susanna achterna op het grasveld en tilde haar met poppenwagentje en al op. 'Ga mee naar binnen!' hoorde ik haar naar mijn vader roepen, die nog op zijn plastic stoel zat toen het begon te regenen. Toen ze alle drie binnen waren hoorden we de eerste donderslag.

'Ik had je daar niet mee naartoe moeten nemen,' zei Mac. 'Ik had moeten weten dat je erdoor van streek zou raken.'

Ik keek hem aan. 'Ik ben niet van streek door jóú, Mac.' Wat ik bedoelde was: niet méér. Hij had zijn gordel nog steeds om en tuurde recht voor zich uit naar de zware regen die nu op de voorruit roffelde. Ik werd getroffen door de stilte, de eenzaamheid die hij uitstraalde. De ene kant van zijn kraag was omhoog gewipt en ik stak mijn hand uit om hem glad te strijken. Ik wilde dat hij zich naar me toe draaide.

'Er ligt een paraplu achterin,' zei hij terwijl hij me aankeek. In het duister van het noodweer leken zijn ogen donkerder dan anders. We bleven elkaar even aankijken. Deze man was zo goed voor me geweest, dat ging veel verder dan zijn plicht vroeg.

'Waar ga je nu naartoe?' vroeg ik.

'Naar huis.'

'Nee hoor.' Ik reikte naar achteren om de lange, zwarte paraplu te pakken. 'Je gaat met mij mee en je eet bij ons.'

'Bedankt, Karin, maar ik ben moe en –'

'Het was geen vráág.'

Fijne rimpeltjes rond Macs ogen maakten dat zijn hele gezicht lachte. Ik vroeg me af hoe hij dat deed: glimlachen zonder glimlach. Hoe kon Val, binnenkort zijn ex-vrouw, zo'n lieve man afwijzen? Maar je kon nooit echt weten wat er werkelijk speelde in het huwelijk van een ander.

'Vindt je familie dat wel goed?'

'Ze hebben je zo goed als uitgenodigd.' Iedereen in de familie mocht Mac graag. Ik wist dat ze hem welkom zouden heten.

'Zo goed als?'

'Kom nou maar.' Ik opende het portier en stak eerst de paraplu naar buiten. Ik stapte uit en liep met de paraplu naar Macs kant. Samen renden we gebukt door de stromende regen over het gazon naar de voordeur, die voor ons op een kier was gelaten.

Ik deed erg mijn best om mijn sombere stemming verborgen te houden omdat ik wist hoe erg mijn familie daardoor van streek raakte, maar het bezoekje aan het politiebureau had me flink van mijn stuk gebracht. Een desolaat gevoel bleef tijdens het eten steeds onder de oppervlakte liggen. Mijn moeder had Andrea geholpen met koken, en het was heerlijk: twee perfect gegrilde kippen, aardappels, wortel en ui uit de oven, salade, warm stokbrood, en als dessert perentaart met vanille-ijs. Je zou er trek van krijgen. Maar ik niet. Ik moest mezelf dwingen om wat er op mijn bord lag op te eten. Ik was bijna tien kilo afgevallen sinds de dood van Jackson en Cece. Ondanks mijn belofte aan Joyce om te proberen weer wat aan te komen, was het me niet gelukt. Mijn moeder had me de afgelopen weken aangemoedigd met haar uitstekende kookkunst. En ik had geprobeerd meer te eten dan ik wilde. Soms had ik zelfs trek gehad. Maar nu liet mijn eetlust me zoals gewoonlijk in de steek.

Toen Susanna hangerig werd bood ik aan haar naar bed te brengen, en samen ontsnapten we naar boven. Ik was al een tijd niet in haar kamer geweest en ik schrok even toen ik wat speelgoed en kleren van Cece tussen die van Susanna zag. Ik schrok, maar was niet verbaasd. Ik had immers stelselmatig spulletjes waar Cece te groot voor werd aan Susanna gegeven, dat was toen ze nog leefde de gewoonste zaak van de wereld geweest. Een plastic loopwagentje met brede rode wielen. Een oranje met roze gestreept kussen. Rode regenlaarsjes met gele eendjes erop. Het verbaasde me nog steeds hoe weinig ervoor nodig was om een stortvloed van gevoelens en herinneringen boven te brengen, terwijl ik daar met mijn nichtje in haar kamer stond en mijn dochter voor me zag in een ander huis, een andere kamer, een andere tijd.

Toen ik Susanna in haar pyjama hielp, hielp ik Cece in die van haar. Toen ik Susanna hielp haar gezicht te wassen en tanden te poetsen, werd Ceces gezicht gewassen, werden Ceces tanden gepoetst. Ik zette haar bij me op schoot en borstelde een paar minuutjes voorzichtig haar lange, zachte haar. Maar toen ze haar lievelingsboek pakte – zoals veel kinderen van die leeftijd las ze graag wekenlang hetzelfde boek, op dit moment *Het fluwelen konijn* – was Susanna weer Susanna. Ceces lievelingsboek toentertijd was *Welterusten maan* geweest.

We installeerden ons op haar bed en ik las voor; op elke bladzijde gaf ik haar de tijd om het plaatje te bekijken. Daarna lagen we samen een kwartiertje onder de deken, neus aan neus, totdat ze sliep. Andrea had gezegd dat ik niet te lang bij haar moest blijven. Ze probeerde Susanna te stimuleren op eigen houtje in slaap te vallen, zodat het naar bed gaan gemakkelijker zou verlopen als de nieuwe baby er was. Maar ik kon haar warme, zoet geurende adem op mijn gezicht niet weerstaan. Ik bleef nog een paar minuten liggen om naar haar te kijken, om haar beeld in me op te zuigen. Toen ik uiteindelijk naar beneden ging, zei Andrea er niets van, al moet ze hebben beseft dat ik langer bij Susanna was gebleven dan noodzakelijk was.

Iedereen was moe. We hielpen met opruimen en daarna bracht Mac me naar het huis van mijn ouders. Pap en mam gingen met hun eigen auto.

Het was vrijdagavond, het begin van mijn laatste weekend in Montclair. Naarmate de zondagmiddag dichterbij kwam, werden mijn gevoelens over mijn vertrek even gemengd als ze steeds waren geweest over de logeerpartij hier. Mijn lichaam was voldoende hersteld om op mezelf te wonen. Mijn gedachten waren het ene moment hier, het volgende daar. Verder was er van mijn ziel niet veel over.

7

Voor het eerst sinds de avond dat JPP me had overvallen, stapte ik mijn woning binnen. Tijdens mijn afwezigheid was er schoongemaakt en opgeruimd. Er was geen spoor meer te zien van wat er was gebeurd. Het enige verschil was dat ik nu vanuit elke hoek van de kamer werd aangestaard door een klein rond camera-oog. Een bemande surveillancewagen stond voor mijn deur.

Mac, die me per se zelf terug had willen brengen naar Brooklyn, zette mijn koffer aan het voeteneind van mijn bed, mijn toilettas op de rand van de wastafel in de badkamer en mijn laptop op de keukentafel.

'En, wat dacht je ervan om een hapje te gaan eten voordat ik terugrij?' vroeg hij. 'Neem me maar mee naar een van die geweldige restaurants hier in de buurt waar ik altijd over hoor.'

Hij bedoelde Smith Street, waar de restaurants als paddenstoelen uit de grond schoten, en waar ik sinds ik hier vijf maanden geleden was komen wonen nog nooit was geweest. Ik had geen sociaal leven geleid en dat wilde ik ook nog steeds niet. Maar ik had niets te eten in huis en mijn hoofd stond niet naar boodschappen doen, dus het leek me een goed idee om uit eten te gaan.

Op een zondagmiddag om halfzes was het niet moeilijk om ergens een tafeltje te krijgen. Het was een warme dag in mei en we kozen een tafeltje op een terras van een Franse bistro op de hoek van Dean Street. Mac bestelde een fles wijn die gebracht werd terwijl we de kaart bestudeerden. Zodra de wijn was ingeschonken, hief hij zijn glas bij wijze van toost: 'Op jou.'

We klonken. Ik nam een slokje en zette mijn glas neer, blij dat ik hier met Mac zat en tegelijkertijd volkomen bevreemd door het feit dat ik hier met hem zat. Ik moest me per situatie inprenten wie ik was. *Karin*, hield ik me voor, *restaurant*, *eten*. We beperkten onze conversatie tot eenvoudige, luchtige onderwerpen terwijl we forel met amandelen en gesauteerde sperzieboontjes aten. Op een bepaald moment stak een vrouw aan het tafeltje naast ons een sigaret op en een briesje stuurde de rook onze kant op. Mac wapperde met zijn hand om de rook te verjagen.

'Val is gestopt met roken,' zei hij even later.

'Eindelijk.' Ze had jaren gerookt, ondanks Macs smeekbeden om ermee op te houden.

'We hebben gisteravond samen gegeten,' zei hij. 'En gepraat.'

'En?'

'We denken erover om het nog eens te proberen.'

'Wat een geweldig nieuws!'

'We denken er nog over na. We willen niets overhaasten.'

Ze waren achttien jaar getrouwd. Geen kinderen. Ik was na de bruiloft zo snel zwanger geworden van Cece dat ik me geen huwelijk zonder kinderen kon voorstellen. Mac en Val hadden me altijd een goed stel geleken, maar er moest tussen hen veel meer gespeeld hebben dan je op het eerste gezicht kon zien.

We beëindigden de maaltijd, dronken ons glas leeg, sloegen een dessert af en deelden de rekening. Daarna liepen we in de zachte voorjaarslucht langzaam terug naar mijn huis.

Toen we daar aankwamen liep hij helemaal mee tot aan het portiek en wenste me welterusten. Maar hij maakte geen aanstalten om te vertrekken.

'Ik geloof niet dat ik het kan,' zei hij ten slotte.

'Mac…'

'Laat me op de bank slapen.'

'Waarom?'

'Eén nacht maar, om me ervan te overtuigen dat alles goed met je is.'

Was hij meegelopen naar huis om me evenzeer tegen mezelf in bescherming te nemen als tegen JPP? Natuurlijk. En misschien had hij wel gelijk: misschien had hij inderdaad reden om zich zorgen te maken. Wat ik ook dacht of zei of deed, ik kon de zware somberheid die me de afgelopen maanden in haar greep hield niet van me afschudden. De last drukte even zwaar als altijd. En ik wilde er nog steeds vanaf, op wat voor manier ook.

'Ik red me wel,' zei ik.

'Karin. Toe.'

Dus ik haalde een deken, een kussen en een stel lakens tevoorschijn.

Ik zette een pot decafé en we scrabbelden tot laat op de avond. Het was vreemd dat ik me volkomen normaal voelde in de keuken. Ik had totaal niet het gevoel dat JPP hier ooit was geweest. Mijn vage herinnering aan zijn aanval had iets van een droom.

'Misschien is hij inderdaad wel dood,' zei ik.

Mac keek op van zijn balkje met letters. 'Misschien. Maar ik zou er maar niet op rekenen.'

'Ja, dat zou te gemakkelijk zijn. Maar…' Maar wat dan? Hoe ver van de werkelijkheid kwam ik met *wishful thinking*?

Zonder acht te slaan op het feit dat het zijn beurt was, keek Mac me even aan. 'Het is natuurlijk een anticlimax om weer thuis te komen en daar –'

'Niets aan te treffen.' Totaal niets. Een schone woning, zonder een spoor van het feit dat mijn eigen kwelgeest me hier had bezocht.

'Wat verwachtte je dan hier te vinden?'

Ik dacht even na. 'Herinneringen.'

Hij keek me aan en wachtte.

'Iets duidelijks. Alsof je condens van glas af wrijft. Een manier om je exact, tot in detail, te herinneren wat er is gebeurd, zodat je daaruit kunt afleiden wat er eventueel daarna komt. Zodat ik kan ophouden me dingen af te vragen.'

'Tja, dat zou wel handig zijn.' Hij boog zich voorover naar zijn lettertjes, pakte een Y en legde die aan een reeds gelegd woord op het scrabblebord. 'Het is de natte droom van iedere inspecteur: Je komt thuis na een rotdag en alles wat je moet weten ligt daar voor je klaar.'

Wat had ik eigenlijk verwacht van mijn thuiskomst? Al had ik er niet echt over nagedacht, ik besefte dat ik diep in mijn hart ergens op had gehoopt.

Terwijl we in stilte verder speelden dacht ik erover na. Wat wilde ik dat er gebeurde? Wilde ik dat JPP weer kwam om me deze keer door hem uit mijn lijden te laten verlossen? Of wilde ik dat hij dood was? Natuurlijk zou dat het beste zijn: JPP dood, weg, van de aardbodem verdwenen. Maar hoe groot was die kans? En waarom zou het ook maar bij me opkomen dat dat niet was wat ik wilde?

Later, toen ik al een halve nacht in bed lag, wist ik het antwoord. Omdat ik nog steeds dood wilde. En ik vreesde dat het me aan moed ontbrak om nog eens een zelfmoordpoging te doen. Ik had het gevoel dat ik hem daarvoor nodig had. Een deel van me wilde dat hij daarvoor terug zou komen. Het andere deel, het deel dat wilde dat hij voorgoed van de aardbodem was verdwenen, wilde ook de tijd terugdraaien en hem doden voordat hij mijn man en kind ombracht… en dat was simpelweg onmogelijk.

Als hij inderdaad al dood was, was hij niet dood genoeg voor mij.

Voordat ik eindelijk in slaap viel dacht ik aan Joyce en onze afspraak de volgende ochtend vroeg. Ze zou een topdag met me hebben – die gedachte bracht een glimlachje op mijn gezicht, dat heel even de andere gedachten uit mijn hoofd bande, een opening bood voor ontspanning en er uiteindelijk voor zorgde dat ik wegzakte. Niet langer gekweld door mijn gedachten. In een korte, rusteloze slaap.

'En toen liep ik helemaal de heuvel op, in het donker. Het was het soort donker waar je doorheen kon kijken. Zilverachtig. Daarna veranderde de heuvel in een soort kermisattractie, waarin je op en neer gaat. Zoals een achtbaan, denk ik. En ik had het gevoel dat ik in die achtbaan omhoog ging, omlaag, in de rondte, te snel, opwindend, angstaanjagend, dat allemaal, maar het was toch niet echt een achtbaan. En toen zat ik in kleermakerszit boven aan een lange trap en beneden ging een voordeur open, dus ik denk dat ik me in een huis bevond. En toen kwam jij binnen. En ik wachtte boven aan de trap op je en je vloog zo snel naar me toe dat het was alsof de tijd verdichtte. Je rook lekker. Dat is het laatste wat ik me herinner, die geur, als parfum, alleen was het dat niet. Je was het gewoon zelf.'

Jacksons woorden spookten door mijn hoofd. Hij had me die droom verteld kort voordat we ons verloofden. Ik wist onmiddellijk wat de droom betekende. Het ging over ons samen. Ons geluk. Ons begin. Het begin van ons leven samen. Dat was het moment waarop ik besefte dat we bij elkaar zouden blijven. Zijn droom leek onbegrijpelijk en toch was hij volkomen duidelijk. En hij had hem mij toevertrouwd, wat ongeveer evenveel voor me betekende als elk aspect van de droom zelf.

Op de ochtend dat ik met Joyce had afgesproken, werd ik wakker nadat ik Jacksons droom opnieuw had gehad. Alweer. Even was ik vergeten dat hij dood was. Dat ene heerlijke moment waarop ik verwachtte hem naast me te zien liggen toen ik mijn ogen opendeed. En dan dat afschuwelijke besef dat ineens tot je doordringt. Je weet het. Weer.

En nu, op de sofa bij Joyce, vertelde ik haar deze droom al voor de derde of vierde keer in de maanden dat ik bij haar in therapie was. Ze had gezegd dat het goed was als ik de droom steeds aan haar vertelde; dat ik dat elke keer moest doen als ik hem had gehad. Dat het oké was om hem steeds aan haar te vertellen. Ze zei dat de droom na een poosje zijn kracht zou verliezen en uiteindelijk weg zou blijven. Maar hij had zijn kracht niet verloren. En ik kon niet ophouden met huilen.

Ze zat tegenover me in haar bruine leren fauteuil en leunde naar achteren, met haar handen gevouwen op schoot. Ze luisterde nogmaals naar mijn droom over de droom van een overleden man. Ze zag me huilen. Ze líét me huilen zonder enig blijk te geven van ongemakkelijkheid. Op de lage tafel tussen ons in stond een doos tissues waar ik volop gebruik van maakte.

'Iedereen doet zo zijn best om me op te vrolijken. En ik probeer dankbaar te zijn. Maar de waarheid is dat ik niets voel, en ik wil dat ze me alleen laten.'

'Alleen,' herhaalde Joyce, 'zodat je...?'

Ik haalde diep adem. Schudde mijn hoofd en keek de andere kant op. 'Alleen.'

'Hoe alleen?'

'Zonder anderen. Om te kunnen voelen wat ik wil, zonder schuldgevoelens.'

'En?'

Ze hield haar hoofd schuin en wachtte geïnteresseerd af. Tijdens haar verblijf in China was haar schouderlange bruine haar gegroeid, wat te zien was aan het grijze stukje in haar scheiding. Terwijl ze op antwoord wachtte nam ze een slok uit haar rode aardewerk beker, die ze daarna weer op een tafeltje rechts van haar zette. Op het tafeltje lag ook een exemplaar van het boek dat ze me had gegeven; er staken hier en daar gehalveerde groene postits uit. Boven op het boek lag de diamanten ring met saffier die ze tijdens de sessies altijd afdeed. Ik had er een keer naar gevraagd, en toen had ze glimlachend gezegd: 'Dat heb je dus gezien,' zonder er verder op in te gaan. Ze droeg geen trouwring maar ik wist dat er iemand bij haar woonde: ik had achter de dichte deur het huis vaak geluiden van binnenkomen en weggaan gehoord.

Ik reageerde niet. Ik kon het niet. Maar ach, ze wist het al.

'Wat ik me afvraag,' zei ze, 'uit wat voor impuls je thuis bent gebleven toen je wist dat hij waarschijnlijk zou komen.'

Ik merkte haar woordkeuze op: *impuls*, niet besluit; *waarschijnlijk*, niet zeker.

Ik haalde mijn schouders op. Legde mijn voeten op de salontafel, drukte mijn gebogen knieën tegen elkaar, sloeg mijn handen eromheen en bekeek even mijn huid, die er droog uitzag.

'Als ik alleen thuis ben, draag ik soms mijn trouwring nog,' zei ik, en ik staarde naar mijn kale vingers die gespreid op mijn gebogen knieën lagen.

'Natuurlijk,' zei ze. 'Dat zou ik ook doen als ik jou was. Maar, Karin...'

'Nee. Toe, Joyce. Leg het me niet uit, want ik weet al wat het betekent.'

'Oké. Wat betekent het?'

Het geluid van een claxon, lang en hard, van een gefrustreerde bestuurder buiten. Joyce woonde en werkte op de tweede verdieping en door het enige raam, dat op een kier stond om de frisse voorjaarslucht binnen te laten, kwam ook het lawaai binnen. De afgelopen maanden had ik op deze bank kinderen horen jengelen, stelletjes horen bekvechten, plannen gehoord voor het avondeten, praatjes over het weer.

'Het betekent dat ik het niet kan loslaten.'

'Denk je dat?' Joyce glimlachte meelevend. 'Dat je het moet lóslaten?'

Door de manier waarop ze mijn woorden herhaalde, zo nadrukkelijk, kreeg ik het idee dat ze kleingeestig waren.

'Misschien kun je in plaats daarvan leren om je gevoelens en het gebeurde naast elkaar te laten bestaan. Als je echt zo hard je best doet om ze los te laten, als iemand die een ballon laat gaan en nakijkt als hij opstijgt naar de hemel tot hij uit het zicht is verdwenen, dan gaat het je niet lukken. Toch?'

'Nee.'

'Ik denk niet dat iemand van je verwacht dat je je gevoelens of je herinneringen loslaat.'

'Dat zal ik nóóit doen. Dat bedoelde ik ook niet echt. Ik bedoelde dat die gevoelens niet ophouden.'

'De pijn,' corrigeerde ze.

'Die is er altijd en de helft van de tijd heb ik het gevoel dat ik erin verzuip. En ik wil dat het ophoudt.'

‘Het is moeilijk te dragen.’

‘Heel moeilijk.’

‘Dus toen je er die dag voor koos om thuis te blijven, maakte je eigenlijk nóg een keuze.’

Ik keek haar aan. Het was geen nieuws wat ik die dag van plan was geweest. Waarom moest ik het dan voor haar spellen?

‘Karin?’

‘Wil je echt dat ik het zeg?’

‘Waarom niet?’

‘Ik wil het eigenlijk niet zeggen.’

‘Heb je het tegen iemand anders gezegd?’

‘Iedereen weet het. Het was nogal duidelijk.’

‘Zeg het dan maar.’

‘Ik wilde mezelf ombrengen. Ik wilde doodgaan.’ Ik zweeg even en haalde diep adem. ‘Zo, dat is eruit.’

‘En toen heb je je tegen hem verzet omdat...?’

‘Ik besefte dat hij door zou gaan met moorden. Ik stond doodsangsten uit voor de rest van mijn familie. Daarom veranderde ik van gedachten.’

‘En nu?’

Ik keek weg en liet mijn blik door haar spreekkamer gaan. Witte muren. Een ingelijste museumposter van een oude voorstelling van Rauschenberg. Planken vol boeken. Snuisterijen die ze tijdens haar reizen had verzameld, met haar laatste aanwinst: een Chinees stropopje van vijf centimeter, dat een parasolletje vasthield. In de achterste hoek van de kamer lag een keurige stapel oude tijdschriften op de vloer, bijeengebonden met touw, klaar voor de papierbak. Ik onderdrukte de sterke neiging op mijn horloge te kijken in de hoop dat onze tijd erop zat.

‘Ik wil het er eigenlijk niet over hebben,’ zei ik.

'Want als je dat doet, ontneemt het je de energie die je misschien nodig hebt om iets te doen aan die ondraaglijke pijn?'

'Misschien.'

'Karin, ik denk dat we op een punt zijn beland waarop het verstandig is om na te denken over medicijnen.'

Ze was hier al eens over begonnen, drie maanden geleden, en toen had ik geweigerd. Medicijnen leken me een vlucht, wat nu ironisch leek, gezien mijn diepe verlangen om ertussenuit te knijpen.

'Wat voor medicijnen?' vroeg ik, voornamelijk omdat ik dit gesprek niet langer volhield. Ze wilde dat ik haar de details vertelde over mijn suïcidale gedachten: wat, waar, hoe, wanneer. Ze wilde dat ik me verantwoordelijk voelde voor mijn daden, of mogelijke daden. Ik wist niet precies wat ze wilde, maar die gedachten, die gevoelens waren van míj. Ze gingen al zo lang door me heen dat ik eraan gewend was geraakt. Ik wist niet zeker of ik ze kwijt wilde. Terwijl ik daar tegenover haar zat voelde ik me mat en leeg, precies de gemoedstoestand die zij niet wilde.

'Een antidepressivum. We proberen eerst prozac. Iedereen reageert er een beetje anders op, en er zijn nog andere opties, maar dit is een goed begin.'

'Ik weet het niet, hoor.'

'Heb je het ooit eerder gebruikt?'

'Nee.'

'Ken je iemand die het gebruikt?'

'Iedereen toch?'

Ze zuchtte. 'We moeten een manier vinden om die donkere wolk weg te krijgen. Ik denk niet dat alleen gesprekstherapie genoeg is voor je. We hebben het een tijdlang geprobeerd en ik geloof dat we het ergens anders moeten zoeken. Een depressie kan met succes door medicijnen behandeld worden.'

Kán. Geen garantie. Ze beloofde het zelfs niet. Het was de eerste keer dat ze op zo'n definitieve toon tegen me over medicatie sprak. Ze was mijn arts en ik wist diep vanbinnen dat ze het beste met me voorhad. Maar ik moest haar iets vragen.

'Sinds wanneer is verdriet een ziekte?'

'Dat is het niet, niet zoals een erfelijke depressie een ziekte is. Maar wanneer het verdriet niet afneemt, als het je vermogen ondermijnt om ook maar een sikkepitje plezier in je leven te hebben, als het je dagelijkse functioneren verstoort, dan gaan we ons zorgen maken.'

'Ik functioneer toch?'

Ze boog naar voren en keek me recht aan. 'Je bent suïcidaal, Karin.'

Daar wist ik niets op te zeggen.

'Beloof me één ding.'

'Oké.'

'Haal dat recept. Neem die pillen. Kom woensdag en vrijdag terug. We zien elkaar dan voorlopig drie keer per week, en daarna bekijken we opnieuw hoe het gaat. Eerlijk gezegd vind ik het jammer dat we dit niet maanden eerder hebben gedaan. Vertrouw me, alsjeblieft.'

En daarmee was de kous af. Onze tijd zat erop. Joyce was nu de kapitein van mijn schip en ik was de passagier. Ik verliet haar spreekkamer met een recept voor prozac in mijn tas en een belofte die ik moest houden. Ik moest het haar nageven: ze wist wat ze deed, althans zo gedroeg ze zich. Als je je hulpeloos voelde, hielp niets beter dan iemand die je precies voorschreef wat je moest doen.

Mac wachtte op me op de hoek van Cornelia en Bleecker Street, vlak bij een Italiaans café waar een handjevol mensen op het terras zaten te ontbijten met koffie en een krant. Het was net over tienen.

Toen hij me zag aankomen liep hij me tegemoet en toen hij binnen gehoorafstand was vroeg hij: 'Alles goed?'

Er was waarschijnlijk niets zo gênant als afspreken met een collega (ex-collega) voor de praktijk van je psychiater. Als ik beleefd ja zei, zou dat een leugen zijn. Als ik nee zei, was dat verontrustend. Daarom zei ik het eerste wat er in me opkwam.

'Helemaal genezen.' Ik grinnikte.

Hij grijnsde en de spanning was verdwenen.

'Heb je tijd voor een kop koffie?' vroeg ik aan hem.

'Ik zou wel willen, maar ik moet terug naar Jersey.'

Werk. Natuurlijk.

We namen de metro terug naar Brooklyn, waar zijn auto stond. Maar voordat hij wegreed drong hij erop aan met me mee te gaan naar de apotheek. Ik had het hem onderweg verteld. Fout. Ik had er nog even over willen nadenken voordat ik me aansloot bij het prozac-minnende volkje. Nu kon ik er niet meer over dubben.

Hij wachtte samen met mij twintig minuten voor de balie. Daarna wachtte hij tot ik de eerste pil had ingenomen, zonder water, en toen pas verliet hij de apotheek.

'Zo,' zei ik, en ik smakte met mijn lippen. Ik liet het potje rammelend in mijn tas vallen. Ik had het gedaan: het medicijn geslikt. Ik deed het: ik hield mijn belofte. Althans, dat probeerde ik.

'Braaf zo,' zei hij met een knipoog. Hij hield de deur van de apotheek voor me open en we liepen Smith Street weer op. Een medewerker van de zaak, een jongeman met een rood schort voor, stond buiten met een machine kauwgom van de stoep te schrapen. De opgedroogde platgelopen plakken lagen overal.

'Dat lijkt me vechten tegen de bierkaai,' zei Mac toen we de man passeerden. Die schudde zijn hoofd en zuchtte terwijl hij het apparaat op een andere plek op het trottoir neerzette.

Mac en ik liepen langzaam door Smith Street en sloegen af bij Pacific, waar ik twee straten verderop woonde, tussen Hoyt & Bond.

'Wil je dat ik morgenavond terugkom?' vroeg hij. 'Dat ik met je meega voor je afspraak op woensdag?'

'Nee, dank je. Ik denk dat ik het wel red.' Ik had niet het gevoel dat ik begeleiding nodig had, maar in mijn hart was ik hem dankbaar voor het aanbod.

'Laat het me maar weten als je van gedachten verandert.'

Zijn auto stond tegenover een school, een straat bij mij vandaan. Ik bleef staan, wat hem leek te verrassen.

'Ik loop helemaal mee naar je huis.'

'Niet nodig, Mac. Ik waardeer echt alles wat je voor me doet. Maar ik moet toch af en toe ook alleen op straat kunnen lopen?'

'Op dit moment niet.'

'Echt waar, ik voel nergens zijn aanwezigheid. Ik denk dat hij zelfs niet meer op deze aarde rondloopt. Ik meen het. Ik ben niet bang.'

Mac trok een wenkbrauw op. 'Oké. Maar wil je me dan in elk geval even bellen zodra je binnen bent?'

Dat beloofde ik. We stonden voor zijn auto en wisten niet goed hoe we afscheid moesten nemen. Uiteindelijk klopte ik hem op zijn schouder, zoals mannen onder elkaar doen. Een snel klopje, misschien zelfs een lichte por. Maar ik was geen man en er ontstond een ongemakkelijke sfeer, wat ons tot dusver nooit was overkomen. Hij reageerde door ook op mijn schouder te kloppen. Daarna deed hij het portier van zijn auto open en stapte in.

Ik keek toe terwijl hij uitparkeerde en Pacific Street in reed in de richting van de snelweg naar New Jersey. Alleen al de gedachte dat hij terugging naar de plek die ik ooit mijn thuis had genoemd, de plek waar ik nuttig en bezig en bemind was geweest, deed mijn hart krimpen. Ik was liever daar geweest, bij de mensen van wie ik hield. Bij mijn ouders. Bij Andrea en Susanna. En bij Jon, als hij terugkwam uit L.A. Maar alles in Maplewood en Montclair herinnerde me aan Jackson en Cece. Ik kon het niet aan. Ik móést hier blijven, op een afstand, althans geografisch, van de kwellende associaties die ik voortdurend zou hebben.

Een hele dag lag voor me. Een heel leven. Minuten, uren, dagen, weken, maanden, jaren om afleiding te zoeken van het martelende gevoel dat aan me vrat. Vanaf het punt waar ik me nu bevond voelde het als het begin van een klimtocht die ik niet dacht aan te kunnen. Ondanks het pilletje dat ik nog in mijn mond had, dat zich een weg zocht door mijn bloedbaan en in mijn ellendige toestand doordrong. De chemische bundel zonnestraaltjes waarvan Joyce hoopte dat hij mijn donkere wolk opzij zou schuiven.

Ik deed wat boodschappen en bracht daarna de dag door in mijn tuin met onkruid wieden en een poging alles wat nog niet was verwelkt nieuw leven in te blazen. Na een lichte avondmaaltijd kroop ik met een boek in bed. Ik viel vroeg in slaap. Sliep lang uit. Die ochtend voelde ik me zo slaperig dat ik tijdens het ontbijt nauwelijks mijn ogen kon openhouden. Toen ik mijn tweede prozac innam vroeg ik me af of er een slaapmiddel in zat.

En toen ineens was ik klaarwakker. Ik kon zelfs niet stilzitten.

Ik waste mijn ontbijtkom, glas en beker af. Nam snel een douche. Trok een spijkerbroek en T-shirt aan. En ik besloot om, in plaats van mijn tijd binnen te verbeuzelen, iets te gaan dóén. Maar voordat ik de kans kreeg om uit te zoeken wat een drieëndertigjarige suïcidale ex-politieagent uit New Jersey in haar eentje op een doordeweekse dag in New York moest uitvoeren, werd ik door middel van een bliepje geattendeerd op een Skype-bericht.

Ik had dat geluidje al bijna een jaar niet meer gehoord. Niemand zocht op die manier contact met me. Skype was meer iets voor Jackson geweest... Waarschijnlijk had Mac het per ongeluk aangezet toen hij gisteren de computer opstartte. Ik liep naar de keukentafel waar mijn laptop opengeklapt stond, met het ingebouwde webcam-oog dat altijd boven aan het scherm loerde, en ik klikte op de muis om het gesprek aan te nemen.

Mijn hart stond stil. Ik kreeg geen adem en verroerde geen vin. Ik dacht niet meer na.

Hij was te zien op mijn scherm, grofkorrelig, verwrongen. Lévend.

Martin Price.

JPP.

De Dominokiller.

'Hallo.'

Ik ging aan de tafel zitten, voor de laptop. Ik trilde onbeheersbaar terwijl ik in het kille oog van de webcam keek. Naar zijn gezicht. Of wat daarvoor doorging. Dat grijzige, spookachtige gezicht dat op mijn scherm zweefde.

8

'Waar zit je, Martin?'

'Dat zou je wel willen weten.'

'Wat wil je?'

'Wat wil jíj?'

Zijn dunne blonde haar was netjes gekamd, alles naar één kant, zoals altijd. Elk beweginkje dat hij maakte leek mechanisch, als in een slechte animatie. Maar hij was het echt. Levend. Ergens op de wereld. En hij praatte tegen me.

Ik reageerde niet. Het idee dat hij het gevoel had iets van me te weten maakte me onpasselijk. Hij had mijn verlangen naar de dood geproefd, en het had zijn machtsgevoel versterkt. Ik zag het aan de zelfvoldane uitdrukking op zijn gezicht terwijl hij op mijn reactie wachtte.

'Hoe heb je me gevonden?' Maar zodra ik het vroeg besefte ik dat het er niet toe deed. Hij vond je altijd. Hij vond iedereen. Hij deed wat hij wilde. Hij ging door. Sloeg weer toe.

'Wil je dat echt weten?'

Weer reageerde ik niet.

'Weet je, Karin, je moet alleen dingen vragen waarvan je zeker bent dat je ze wilt weten.' Een grijns verspreidde zich over zijn gezicht, als een mes dat traag iets doormidden snijdt. Ik ging met mijn vinger naar zijn beeltenis, om te zien of er iets gebeurde. Zijn grijns werd breder, zijn lippen weken uiteen. Ik zag voor het eerst dat hij spleetjes tussen zijn voortanden had, die nu zwarte gaten leken.

'Je bent het vergeten, hè?' zei hij. Maar het was niet zozeer een vraag als treiterij. Zijn hand verscheen voor zijn gezicht en richtte zijn webcam iets lager, op zijn toetsenbord. Hij legde er vier dominostenen naast. Dezelfde zeven getallen: drie, zes, vier, een, vijf, twee, drie.

'Nee, ik ben het niet vergeten.'

'Je was het vergeten.'

Hij gaf ons – het onderzoeksteam en mij – veel eer: alsof we hem, als ik die getallen niet was vergeten, nu zouden hebben gevonden, of dat het althans niet veel gescheeld zou hebben. Geloofde hij echt dat we hem zo goed doorhadden? Of wilde hij dat graag? Gaf het hem een gevoel van eenzaamheid als hij zijn gestoorde spel zonder gelijkwaardige tegenstander moest spelen? Had het hem gefrustreerd, toen hij de vorige keer merkte dat we na de moorden de stenen niet hadden gevonden die in het gras van mijn tuin in Maplewood verscholen lagen?

'We weten niet wat de cijfers betekenen.'

Hij richtte de camera weer op zijn gezicht. Hij leek ergens over na te denken. Zijn glimlach ging over in een grimas en hij zei: 'De laatste tijd nog een goed boek gelezen?'

En weg was hij. Een wazig vlak op de plek waar zojuist zijn gezicht te zien was geweest bleef achter. Ik staarde geschrokken naar mijn laptop.

De laatste tijd nog een goed boek gelezen?

Wat probeerde hij me duidelijk te maken? Wat bedoelde hij ermee?

Het suisde in mijn hoofd. Misschien kwam het door de prozac die door mijn bloed stroomde. Of doordat ik JPP weer in mijn eigen huis had gezien. Het was de derde keer dat hij in mijn leven verscheen: eerst om mijn man en kind te vermoorden, daarna om mij af te maken, en nu om ervoor te zorgen dat ik hem niet vergat. Want zijn honger was nog niet gestild. Hij zat ergens ongeduldig te wachten tot wij zijn code hadden ontcijferd. Maar hoe wist hij dat dat nog niet was gelukt? Hoe kon hij in vredesnaam weten dat we die zeven cijfers niet hadden kunnen duiden?

Ik duwde de laptop van me af, zette mijn ellebogen op tafel en steunde mijn gezicht in mijn handen. *De laatste tijd nog een goed boek gelezen?* Wat bedoelde hij daarmee?

Elke keer dat hij een nieuw slachtoffer uitkoos, maakte hij zijn bedoelingen op een iets andere manier duidelijk. De dominostenen vormden steeds een bepaald soort aanwijzing. Soms ging het om een adres. Of om een burgerservicenummer. Leeftijd. Maar die zeven cijfers waren al op talloze manieren bekeken, zonder resultaat. Toen kwam er een idee bij me op.

Misschien waren de stenen dit keer niet de aanwijzing.

Misschien vormden ze de route naar de aanwijzing.

Ik vroeg me af of iemand van het onderzoeksteam hieraan had gedacht. Ik belde Mac en vertelde hem alles. Ik hoorde verkeerslawaai, een lange claxon in de verte. Hij klonk ongedurig, zoals altijd als hij autoreed en praatte tegelijk.

'Wanneer?' vroeg Mac.

'Net.'

'Oké. Ik bel Alan, we roepen het team bij elkaar en gaan proberen te achterhalen waar Price vandaan belde. Blijf intussen waar je bent, Karin.' Abrupt verbrak hij de verbinding.

Blijf waar je bent. Het klonk een tikje bevoogdend. En het voelde niet goed. Hoe kon ik hier blijven zonder iets te doen? Terwijl dat waardeloze onderzoeksteam om de tafel zat in die dure nieuwe kamer en op zoek ging naar aanwijzingen op internet?

Tja, ik maakte geen deel uit van dat team. Ik was zelfs geen agent meer.

En dit was geen spélletje. Het was een zááк. Het raakte mij heel persoonlijk. Persoonlijker kon niet. Het ging over mijn man en kind.

Ik voelde me te rusteloos om hier te blijven zitten – een soort rusteloosheid die ik lang niet had gevoeld. Ik moest en zou erachter komen. Ik moest hier weg. Op onderzoek uit.

Ik ijsbeerde door mijn woning, van de ene kamer naar de andere en weer terug, de keuken in, de badkamer, de woonkamer, en weer terug. Ik dacht na. Waar moest ik beginnen?

De laatste tijd nog een goed boek gelezen?

Er waren miljoenen boeken, oude en nieuwe. En boeken maakten deel uit van het dagelijks leven van zo veel mensen.

Waar lazen mensen?

In boekwinkels.

Bibliotheken.

Scholen.

Cafés.

Slaapkamers.

Op het strand.

Op een bank in het park.

Concentreer je, hield ik me voor. Beperk de mogelijkheden tot een minimum.

Boekwinkels en bibliotheken: een logisch uitgangspunt.

Eerst ging ik naar de online catalogus van de nationale bibliotheek. Ik toetste de zeven dominocijfers in verschillende volgorde in. Ik tikte gedeelten van de rij cijfers in. Steeds weer anders.

Zonder resultaat.

Daarna probeerde ik de jaarlijkse verzameling van de *Books in Print*, waarin alle gepubliceerde boeken op jaar van uitgave vermeld stonden, met van elk onder meer het unieke ISBN. Ik vond de website. Trillend volgde ik alle stappen om me te registreren voordat ik toestemming kreeg om te gaan zoeken. Wederom probeerde ik verschillende combinaties van het getal van zeven cijfers. Daarna deed ik hetzelfde voor elk van de afgelopen vijf jaren.

Niets.

De volgende voor de hand liggende stap was eenzelfde zoektocht te doen in de online catalogi van bibliotheken. Omdat ik niet wist waar ik moest beginnen, ging ik eerst naar de centrale bibliotheek van New York, een van 's werelds grootste uitleensystemen. Ik toetste de zeven cijfers in verschillende volgorde in en kwam er algauw achter dat daardoor niet alleen telefoonnummers van bibliotheken tevoorschijn kwamen, maar dat het aanbod in het enorme systeem veel te groot was. Te veel boeken. Zo chaotisch zou JPP's aanwijzing niet zijn. Gestoord was hij, ja. Slordig, nee. Maar omdat heel veel telefoonnummers uit zeven cijfers bestonden, had ik toch het idee dat dat misschien iets opleverde.

Vervolgens probeerde ik de catalogus van de bibliotheek van Maplewood. Niets.

En daarna die van Brooklyn.

Binnen een duizendste van een seconde was het raak.

Ik had de aanwijzing gevonden.

Nu wist ik waar ik naartoe moest. Waar ik naar moest zoeken.

Ik aarzelde heel even. Moest ik dit niet melden aan het onderzoeksteam? Ja, natuurlijk. Maar ik kon niet wachten, ik moest erheen. Dus besloot ik tot een compromis: ik zou Mac bellen en erheen gaan.

Deze keer nam Mac niet op, dus ik liet een boodschap achter. Daarna haalde ik mijn fiets uit de berging en reed naar de centrale bibliotheek van Brooklyn op Grand Army Plaza, aan de rand van Park Slope. Het had zeker twee of drie keer zo lang geduurd als ik eerst een taxi had moeten bellen. Tegen de tijd dat ik het enorme gebouw voor me zag opdoemen, was ik flink aan het transpireren. De bibliotheek stond ingeklemd tussen twee brede wegen van de vijf die uitkwamen op het drukste verkeersplein dat ik ooit had gezien. Maar toen ik overstak, voelde ik geen gevaar, alleen een stellige vastberadenheid om die bibliotheek in te gaan, naar de tweede verdieping, waar de online catalogus me naartoe had gestuurd.

Ik plaatste mijn fiets in een rek naast de hoofdingang. Ik zette hem niet op slot, omdat ik geen slot of ketting had. En ik had geen helm gedragen, omdat ik die niet had. Jackson en ik hadden wel eens in onze rustige buitenwijk gefietst, en daar liep je niet veel risico. De slaperige straten daar waren precies het tegenovergestelde van deze, met verkeersopstoppingen en autoportieren die ineens openzwaaiden langs de kant. Fietspaden waren er niet en chauffeurs zagen je niet wanneer ze een bocht maakten. Maar het kon me niet schelen, ik kon mezelf er niet toe zetten een fietsenwinkel binnen te gaan. Steeds als ik aan een helm dacht, zag ik de oranje en roze bloemetjes voor me op het exemplaar dat ik vlak voor Ceces dood voor haar had gekocht, maar nooit uitgepakt.

Ik vloog de twee brede trappen naar de voordeur op. Ik trok een van de zware deuren open en rende naar binnen. Ik vond de roltrap aan de rechterkant en won tijd door die met twee treden tegelijk te nemen.

Mijn hart bonsde in mijn keel. Maar mijn hoofd was helder. Helderder dan het lange tijd was geweest.

Ik liep de grote zaal in en keek om me heen. Rechts van een informatiebalie zaten mensen aan tafeltjes rustig te lezen. Links bevonden zich lange rijen kasten vol boeken. Ik liep erlangs en bekeek de info waarop stond waar ik het betreffende boeknummer kon vinden. Het nummer dat ik zocht was negen gangpaden verderop. Ik liep het pad in en ging op zoek naar de eerste drie cijfers: drie, zes, vier. Als ik op het goede spoor was, had JPP zijn dominostenen precies in de volgorde gelegd waarin hij de nummers gelezen wilde hebben. Ik moest ze niet door elkaar gooien. Niet in stukjes lezen. Hij had zijn boodschap luid en duidelijk overgebracht. Hij had ook terug kunnen komen om me te vermoorden; daar zou hij wel een manier voor hebben gevonden. Maar dat wilde hij nu niet. Hij wilde dat ik zijn spel meespeelde.

Ik liep snel maar voorzichtig het pad door en las de nummers op de ruggen van de boeken. Het klamme zweet dat zich door het fietsen op mijn huid had gevormd was niet afgekoeld of opgedroogd. Een zweetdruppel liep in mijn ogen en vertroebelde even mijn blik. Ik veegde hem weg. Daar zag ik de zeven cijfers waarnaar we op zoek waren geweest: 364.1523.

Ik trok het boek van de plank en las de titel die ik ook al online had zien staan. Maar nu ik het met eigen ogen zag, met het boek in mijn hand, ging er een huivering door me heen. *Inside the Mind of BTK*, door John Douglas, de beroemde profiler die ooit voor de FBI had gewerkt als hoofd van de afdeling Gedragswetenschap, en coauteur Johnny Dodd. Het omslag was bloedrood en onder de grote blokletters stond een wazige foto van de ogen van

BTK. Dennis Rader. De huisvader, hopman en voorzitter van het kerkbestuur die dertig jaar lang met ongekende wreedheid zijn kleine stad in Kansas had geterroriseerd.

Was het boek zelf de boodschap? Wilde JPP ons duidelijk maken dat hij de verschrikkelijke modus operandi – Bind, Torture and Kill – van BTK wilde evenaren? Als dat zo was, was het een meerduidige aanwijzing.

Ik sloeg het boek open en daar, weggestopt onder het omslag, zat een wit papiertje dat in drieën gevouwen was. Ik wist onmiddellijk dat het een boodschap bevatte. Terwijl ik het openvouwde vroeg ik me af hoelang het daar had liggen wachten. Een stempel op de achterkant maakte me duidelijk dat het boek al meer dan twee maanden niet uitgeleend was.

Het was een fotokopie. Geen tekst, alleen een afbeelding.

Twee dominostenen, in tweedimensionaal zwart-wit.

Op de ene stonden twee cijfers: een vier en een zeven.

Op de andere stond een zes.

Drie cijfers. Er waren niet veel manieren om de drie cijfers te rangschikken. Vier, zeven, zes. Zeven, zes, vier. Zes, vier, zeven. Zes, zeven vier. Zeven, vier, zes.

Vier, zeven, zes.

4-7-6.

04-07-06.

4 juli 2006.

De verjaardag van Susanna.

Mijn hoofd tolde toen het afschuwelijke besef tot me doordrong. Ik greep me vast aan de plank en sloot mijn ogen. Ik probeerde te ademen. Het ging niet. En ik hoorde een gehijg aan de andere kant van de boekenkast, precies ter hoogte van de plek waar ik stond.

Ik ging rechtop staan, legde het boek terug, stopte de fotokopie in mijn tas en liep langzaam het gangpad af. Het zware ademen leek me te achtervolgen, stap voor stap. Ik voelde dat die persoon wist dat ik daar was. Dat ik had gevonden waar ik naar zocht. Mogelijk wilde hij mijn reactie zien. Mijn schrik. En er was maar één persoon die dat eventueel zou willen. Eén persoon die kickte op je angst. Je angst dat je de volgende zou zijn.

Ik kwam aan het eind van het pad. Ik hoorde dat hij het eind van het pad naast me bereikte. Toen bleef ik staan wachten tot hij de volgende stap deed.

Hij bleef ook staan.

Hij was het. Ik voelde het.

JPP was daar. Hij keek naar me, likkebaardend.

Mijn gedachten gingen in ijltempo door mijn hoofd. Deze keer zou ik hem niet alleen van me af slaan. Ik zou hem grijpen. Opnieuw. Hoe dan ook. Door zo hard mogelijk te gillen, door hem met al mijn kracht op de grond vast te nagelen. Intussen mocht hij me doodmaken. Het kon me niet schelen hoe.

Ik raapte al mijn moed bij elkaar en deed langzaam de laatste twee stappen naar het eind van het pad. Daar bleef ik staan. En keek met bonzend hart toen hij de hoek om kwam.

Maar het was JPP niet.

Het was Mac.

Zijn schrik, meteen gevolgd door opluchting, spiegelde mijn eigen reactie. Ik had het gevoel dat er iets in mijn borstkas ontplofte. Een hete gloed trok door mijn ledematen. Mijn overbelaste brein ordende de dingen waarvan ik had gedacht dat ze zouden plaatsvinden opnieuw.

'Karin.' Mac blies zijn adem uit.

'Wat doe jij hier?'

'Hetzelfde als jij.'

'Maar je...'

'Ik was op weg naar Billy Staples toen je me de eerste keer belde. Ik was al bijna in de stad.'

We keken elkaar even aan. Het verbaasde me helemaal niet dat Mac aan de telefoon niet had gezegd waar hij zich bevond; het was zijn gewoonte om als hij belde tijdens het rijden de informatie tot een minimum te beperken.

'Je stond in het verkeerde pad,' zei ik.

'Dat wist ik wel. Ik wilde zien wie er kwam opdagen voor dat boek. Iets zei me dat Price dit niet zou willen missen.'

'Ik had hetzelfde gevoel, daarom dacht ik...'

'Dat ik hém was?' Mac schudde zijn hoofd. 'Dat geluk was je niet beschoren.'

Ik zocht in mijn tas en haalde er de fotokopie uit. 'Dit zat in het boek, onder het omslag.'

Mac vouwde het papier open en keek naar de gekopieerde dominostenen.

'Susanna's verjaardag,' zei ik.

Toen hij dat hoorde schoten zijn ogen mijn kant op en zijn gezicht werd rood. Ik had dat al eerder bij hem gezien als hij werd overmand door woede. Het was net als toen ik hem zag vlak nadat Jackson en Cece waren vermoord. Stilzwijgende woede. En nu we daar met stomheid geslagen tegenover elkaar in een bibliotheek in Brooklyn stonden, riepen mijn angstige gedachten een herinnering op die ik allang was vergeten: Susanna toen ze één jaar was, bij Jon en Andrea op de bank naast haar nichtje Cece die precies een jaar ouder was, terwijl de familieleden als paparazzi om hen heen cirkelden met camera's en probeerden de kleine, verbijsterde meisjes een glimlach te ontlokken. Nu dacht ik eraan – ik had die foto niet meer gezien sinds Ceces dood. Hij had altijd in het fotoalbum gezeten dat ik zorgvuldig bijhield. Maar hij zat er niet meer in; op die plek zat een andere foto. Had JPP hem eruit gehaald toen hij in mijn huis was, om mijn gezin af te slachten? Had hij hem al die tijd als een aandenken bij zich gedragen?

Mijn knieën begaven het en ik zakte snikkend op de grond. Mac hurkte voor me neer en sloeg zijn armen om me heen. Hij drukte zijn droge wang tegen mijn natte. Ik rook de geur van dennenzeep weer en mijn hartslag begon af te nemen. Na een minuut hielp hij me overeind. Trillend gaf hij me de fotokopie, die ik weer in mijn tas stopte.

Mac stak zijn arm door de mijne en nam me mee naar beneden en naar buiten. Zijn groene Mini Cooper stond om de hoek op Eastern Parkway. Mijn fiets was verdwenen – niet echt een verrassing – dus stapte ik bij hem in de auto op weg naar inspecteur Billy Staples in het 84ste district in Brooklyn. Onderweg belde Mac zijn collega Alan in Maplewood en bracht hem op de hoogte. Terwijl hij belde, met één hand aan het stuur en in de andere zijn telefoon (waarmee hij om de wet te handhaven de wet overtrad) probeerde ik Andrea te bereiken.

Thuis nam ze niet op. Ook niet op haar mobieltje. Dus belde ik Jons mobiele telefoon, wetend dat hij nog in Californië was.

'Met Karin,' zei ik zodra hij opnam. 'Is alles goed met Susanna?'

'Susanna? Ja, hoor. Hoezo?'

Ik wist niet hoe ik het hem moest vertellen. Maar ik had geen keus.

'De politie zal snel contact met je opnemen. JPP heeft weer van zich laten horen. Andrea moet met Susanna weggaan.'

Zijn geschokte stilzwijgen maakte me verdrietiger dan ik kon verdragen. Een doffe uitputting maakte zich van me meester en mijn hand met de telefoon begon te beven.

'O nee,' mompelde hij.

'Jon, ik vind het zo erg. Zorg alsjeblieft dat ze in veiligheid wordt gebracht.'

'Waar?' Zijn stem, die normaal gesproken heel vast was, trilde. 'Waar is het veilig, Karin?'

'Ik weet het niet. Maar luister, Jon: zeg tegen Andrea dat ze het huis afsluit en een koffer pakt. Als de politie komt, hoort ze wel wat ze moet doen.' Ik wist hoe bang Andrea hierdoor zou worden. Maar de tijd drong.

Ik merkte aan Macs gereserveerde uitdrukking dat de manier waarop ik dit aanpakte hem niet beviel: mijn broer de stuipen op het lijf jagen door de telefoon voordat de politie de kans had gekregen om Andrea en Susanna in veiligheid te brengen. Maar ik wist uit ervaring dat veiligheid slechts een illusie was, en niets kon de harde feiten vervangen.

Hoewel we dicht bij Gold Street en het bureau kwamen, besloot Mac Billy Staples te bellen om hem alvast op de hoogte te brengen. Elke minuut telde.

'Vier, zeven, zes,' zei Mac tegen Staples. 'Dat is de verjaardag van het nichtje van Karin. Wacht even.'

Mac keek me aan. 'Hoe oud is ze? Twee? Drie?'

'Twee.'

'Ze is pas twee, als ze jarig is wordt ze drie,' vertelde Mac aan Staples.

Ik hoorde wat geschetter aan de andere kant van de telefoon. Billy die op de rekenles reageerde: 'En twee en twee is vier, nietwaar, maat?'

'Oké, de boodschap is overgekomen,' zei Mac. 'Luister, haar

volledige naam is Susanna Roth Castle. We rijden nu het district binnen. Ik zie je zo.' Hij hing op, liet met zijn ene hand zijn telefoon in zijn borstzakje glijden en stuurde met de andere naar een voor politie gereserveerde parkeerplaats. We stapten snel uit en renden de trap op naar de kille balie van het bureau. Een receptionist achter een bekrast kogelwerend scherm wees ons de liften, waar we ongeduldig wachtten tot een van de twee krakende exemplaren naar beneden kwam.

'We moeten ze ergens laten onderduiken,' zei ik tegen Mac.

'Of we laten ze thuis met een enorme hoeveelheid bewaking. We moeten het doorspreken met het team.'

'Onderduiken is beter.'

'Jij werkt niet aan deze zaak, Karin, dus alsjeblieft...'

'Ik bén de zaak, Mac.'

De lift kwam en bracht ons drie verdiepingen hoog naar de afdeling Recherche. We stelden ons aan weerszijden op van het bureau van Billy Staples, in een grote ruimte met een laag plafond, omringd door het geroezemoes van andere rechercheurs aan antieke telefoons met krulsnoeren die aan een basis gekoppeld zaten. Dit was tenminste een echt politiebureau; ik voelde me hier meer thuis dan in dat nieuwe, veel te dure monument voor goede bedoelingen in Maplewood.

Ik reikte Staples de fotokopie aan. Hij liep er onmiddellijk mee de kamer door en faxte het naar Maplewood. Terwijl hij wachtte tot het papier door het apparaat gleed, werd ik op mijn mobiel gebeld door Jon.

'Ik herinnerde me net waar Andrea vandaag is: ze had een afspraak om twaalf uur met haar gynaecoloog in Manhattan – dokter Ana Rodriquez, ze houdt praktijk in het New York Presbyterian Hospital. Ik heb net gebeld, maar daar zijn ze nog niet aangekomen.' Jon sprak zo haastig dat hij bijna niet te verstaan was. 'Ze moeten nu in de auto of in de trein zitten, ik weet niet hoe ze ernaartoe zijn gegaan.'

'Goed, lieverd. Hou je goed. Ik ben op dit moment met Mac bij rechercheur Staples in Brooklyn. Ze sturen onmiddellijk iemand naar het ziekenhuis.'

'Ik kom met de eerste vlucht naar huis,' zei Jon, met verstikte stem.

'Oké.' Ik blies een kus in het toestel en zei gedag.

Ik bracht Mac en Billy op de hoogte toen ze terugkwamen van de fax.

'Was een dokter in Jersey niet gemakkelijker geweest?' mompelde Billy terwijl hij een nummer draaide om een bericht uit te laten gaan naar alle politiebureaus in Manhattan.

'Ze wonen er nog niet zo lang,' legde ik uit. 'Ze is daar bevallen van Susanna, daar voelt ze zich thuis.'

Er werd opgenomen en Billy deed zijn verzoek, waarbij hij alle relevante informatie doorgaf. Toen stond hij op. Hij greep zijn baseballcap en duwde zijn stoel naar achteren tot hij tegen het bureau van zijn collega rolde en met een klap tot stilstand kwam.

'Jouw auto of de mijne?'

'Allebei,' zei Mac, 'voor het geval ik met grote spoed terug moet naar Jersey.'

Ik reed met Mac in hoog tempo over de FDR-snelweg, achter Billy's grijze personenwagen. Het was rond het middaguur niet zo druk op de weg en we kwamen Manhattan binnen langs de East River, die kronkelend schitterde in de middagzon tussen de stad en New Jersey aan de overkant. Het duurde veertien minuten tot de volgende uitrit van East 63rd Street, nog eens drie minuten om voorbij de stoplichten naar 68th Street te komen, en naar de lus die naar de ingang van het ziekenhuis leidde.

Voor ons stonden al zo'n acht politieauto's lukraak langs de stoeprand. Billy liet zijn auto achter op de eerste de beste plek die open was en Mac volgde zijn voorbeeld.

We renden onder een lang afdak van de stoep naar de draaideur.

We baanden ons achter elkaar een weg naar binnen en kwamen in een volstrekte chaos terecht.

Overal waren agenten.

Artsen. Verpleegkundigen. Administratief personeel.

Patiënten en bezoekers werden naar de zijkant gedirigeerd, waar een paar nieuwsgierigen bleven kijken of ze een glimp konden opvangen.

Iedereen verdrong zich rond iets wat met geen mogelijkheid te zien was.

Een vrouw schreeuwde. Een bekende stem.

Mac, Billy en ik baanden ons een weg door de menigte.

Drie verpleegkundigen zaten op hun knieën om Andrea te kalmeren, die volkomen verstard leek. Ze klemde zich vast aan Susanna, die als een pop in haar moeders armen lag. Andrea zag vuurrood. Pezen in haar hals waren opgezwollen en dik als kabels. Haar kreten galmden door de hoge gang en weerkaatsten tegen alle harde vlakken. De marmeren vloeren. De geschilderde muren. De lichtkoepel boven ons hoofd. Het galmde als in een opera, met een kracht die ik niet had verwacht in het tengere lichaam van mijn schoonzus.

Een arts boog zich voorover en gaf haar een injectie. Een kalmeringsmiddel, veronderstelde ik.

'U gaat bevallen,' vertelde hij haar op een geforceerd kalme toon, in een vergeefse poging haar gerust te stellen met het idee dat ze veilig was in hun handen. Haar zoontje werd pas over zeven weken verwacht.

'Laat me alstublieft door! Ik ben familie!' Ik wurmde me door de menigte heen tot ik dichtbij genoeg was om bij haar neer te hurken. Ik legde een hand tegen Andrea's wang en zei zachtjes: 'Ssst.' Mijn andere hand legde ik op Susanna's rug.

Het rijzen en dalen van een enkele ademtocht. Meer wilde ik niet.

'SusieQ,' fluisterde ik, 'ik ben het, tante Karin.'

En toen zogen haar longen lucht binnen. Ze blies uit. En in haar moeders ijzeren greep draaide ze zich naar me toe, met een griezelig kalme uitdrukking die me duidelijk maakte dat ze wist dat haar leven zojuist drastisch was veranderd.

DEEL TWEE

9

'Zo keek David naar me!' Susanna probeerde één oog dicht te knijpen, maar uiteindelijk deed ze het met beide ogen.

'Heeft hij naar je geknipoogd?' Ik onderdrukte een glimlach en stak mijn arm uit om een verdwaald stukje macaroni in het witte schaaltje terug te gooien.

Ze keek me met grote ogen aan en knikte.

'Ik zei: "Hallo, DavieQ!"' Ze lachte schaterend om de manier waarop ze haar pasgeboren broertje met een variant op haar eigen bijnaam had toegesproken.

'Wat zei hij toen?'

'Hij zei: "Blublublub, wawawa!"'

Jon draaide zich om van het aanrecht, waaraan hij stond af te wassen. We glimlachten naar elkaar. In de keukenkastjes achter hem werd de schitterende hemel weerspiegeld die overal vanuit de ramen te zien was in dit safehouse van de gemeente, waar het gezin naartoe gebracht was na twee weken ziekenhuis, toen David de afdeling Neonatologie mocht verlaten. Het was niet zozeer een huis als wel een dakappartement, veilig verborgen voor het stadse gekrioel drieëntwintig verdiepingen lager. We waren in Manhattan, maar we hadden net zo goed ergens ver van de stad kunnen zijn. Weg van de plekken waar JPP misschien op zoek ging naar Susanna... maar dicht genoeg bij het ziekenhuis, voor het geval David misschien ineens terug moest.

'Ik mis mammie,' zei Susanna terwijl ze een hapje macaroni met kaas in haar mond stopte.

Jon staarde naar zijn dochter, wist even niet wat hij moest zeggen. Toen deed hij de kraan uit, droogde zijn handen af, liep om de bar heen en hurkte naast haar aan tafel.

'Wil je dat mama je vanavond voorleest?'

Susanna knikte.

'Eet dan je bord leeg, dan kiezen we een boekje.'

Ze at snel door en zoals meestal koos ze *Het fluwelen konijn*. Het was zo vaak gelezen dat het omslag slap en rafelig was geworden, ongeveer zoals het geliefde konijn zelf. Jon zette haar op zijn heup en liep met haar door de woon- annex eetkamer de lange gang in. Susanna klemde het boek in haar beide handjes en keek recht voor zich naar de dichte deur van de nieuwe ouderslaapkamer. Ik hoorde de deur open- en weer dichtgaan.

Voordat ik de woonkamer door was gelopen – het was net een hotel, met bankjes van bruingeel leer, bijpassende lampen en kamerbrede, gedessineerde vloerbedekking – krijste Susanna en was vanuit de ouderslaapkamer Andrea's onbeheerste gesnik te horen. Jon had me op de hoogte gebracht – dat Andrea 'het niet aankon' – als verklaring waarom ze me niet wilde zien. Maar niets had me voorbereid op het gekwelde geluid dat mijn schoonzus maakte als reactie op een simpele vraag van haar eigen kind.

Even later waren Jon en Susanna terug in de woonkamer. Ze spartelde in zijn greep. Ze smeet het boekje op de grond en probeerde uit alle macht haar vader weg te duwen. De gepijnigde uitdrukking op haar gezicht raakte me diep en even later huilde ik ook. Ik sloeg mijn armen om hen heen en daar stonden we, terwijl Susanna tekeerging. Na een paar minuten liet ze zich over Jons schouder vallen, verborg haar gezicht in zijn hals en zuchtte.

'Welkom in mijn wereld,' fluisterde hij boven Susanna's lichtblonde, verwarde haar dat hij zachtjes streelde.

Na een paar minuten installeerden ze zich op de bank. Ze kroop tegen hem aan en zoog als een bezetene op haar duim terwijl hij haar voorlas. Ik kon niet aanzien hoe ze samen hun emotionele balans probeerden te hervinden. Ik was zelfs bang dat ik hen zou storen als ik iets verkeerds zei of een verkeerde beweging maakte. Dus ik pakte mijn tas en liep naar de voordeur om er stilletjes vandoor te gaan... tot ik me bedacht. Ik had het vermoeden dat Andrea vooral míj niet wilde zien – mij en de wolk van gevaar die ik over hen heen had laten komen. Maar nu kwam de gedachte bij me op dat ze, met haar achtergrond van depressie, misschien in bredere, abstractere zin leed. Dus ik ging niet de deur uit, maar liep de gang door naar de grote slaapkamer.

Ik klopte zachtjes op de deur en was niet verbaasd toen er geen reactie kwam. Ik draaide de knop om en langzaam deed ik de deur open. Schaduwen vielen de gang in. Ik stapte naar binnen en deed de deur achter me dicht.

Andrea lag in bed, op een stel kussens, met haar pasgeboren kind in haar armen. In het sombere duister was het alsof de verkreukelde witte lakens samensmolten met haar huid, en de kleur leek verdwenen uit haar ooit blauwe nachthemd, dat nu losgeknoopt was voor de enorme borst waar Davids gezichtje tegenaan lag. Elke keer dat ik hem zag, zag hij er wat beter uit. Niet meer zo rood. Niet meer zo mager. Niet meer zo nietig. Hij zoog aan haar borst en kronkelde in haar armen, waarbij hij de lieve geluidjes voortbracht die elke baby maakt tijdens het voeden. Lisette, de inwonende kraamverpleegster wier cv bol stond van de ervaring met vroeg geboren baby's, zat in een stoel in de hoek. De goedverzorgde Jamaicaanse vrouw was rond de veertig, droeg een wit verpleegstersuniform met broek, en wist zich goed onzichtbaar te maken. Ze deed net alsof ze een tijdschrift doorbladerde, ook al was het in de kamer te donker om te lezen.

Ik gaf Andrea een kus op haar klamme wang. Ze bewoog zich niet, ze sloeg alleen even haar ogen op, keek rakelings langs me heen en liet haar blik toen weer naar een punt ergens boven haar deken dwalen.

'Hoi,' zei ik.

'Sorry.'

'Dat is niet nodig.'

Ik kreeg niet echt het gevoel dat ze boos op me was of dat ze wilde dat ik wegging, maar ook niet dat ik bleef. Het leek er op dit moment meer op dat het begrip 'willen' niet op haar van toepassing was, alsof haar emoties te sterk en te constant waren om ze te laten verstoren. De depressie hield haar in zijn greep, je kon bijna zien dat hij haar opslokte.

Ik liep de kamer door, duwde het zware gordijn opzij en keek naar het heldere, golvende lint van de East River. Aan de oever stond het gebouw van de VN, de vlaggen van de lidstaten wapperden aan stokken die op gelijke afstand van elkaar af stonden. Het was hetzelfde uitzicht als vanuit de woonkamer, maar vanuit deze slaapkamer leek het bijna alsof het iets anders was.

'Als ik hier nu eens intrek?' Het impulsieve idee voelde als een geniale inval. 'Ik zou kunnen helpen met Susanna... en met koken, wassen, dat soort dingen.'

'Jij?' Ze hoefde zich niet nader te verklaren. In onze familie was ik, tot de dag dat ik Jackson en Cece verloor, het doelwit van grappen geweest vanwege mijn gebrek aan huishoudelijkheid. Gezien mijn liefde voor mijn familie en de diensten die ik de maatschappij had bewezen als politieagent, nam niemand het me kwalijk dat ik nooit opruimde voordat er iemand langskwam of louter voor mijn plezier koekjes bakte. Maar daarna, zodra ik weduwe was geworden, hielden de grappen op – een soort sterfgeval op zichzelf. Andrea's ondoordachte opmerking was een opluchting.

'Jon kan wel wat hulp gebruiken,' zei ik.

'Lisette?' Geschuifel; het tijdschrift werd dichtgeslagen. 'Wil je Karin en mij een momentje alleen laten, alsjeblieft?'

'Natuurlijk.' Lisette had voor iemand met een dergelijk klein postuur een zware stem, die geruststellend klonk. Ze stond op en verliet de kamer.

'Ik trek dit niet meer,' zei Andrea zachtjes zodra we alleen waren. 'Ik ben hier een gevangene, god weet voor hoelang, in afwachting tot *híj* ons vindt, terwijl David zo ontzettend hard vecht om in leven te blijven, en stel dat hem dat niet lukt? Of stel dat het hem wel lukt en Susanna niet, omdat...'

'Ssst.' Ik ging op het bed zitten en pakte haar vrije hand. Ik vroeg me af of de andere, waarin Davids kleine hoofdje rustte, net zo koud was.

'Ik trek dit niet meer,' zei ze weer. 'Ik ben een verschrikkelijke moeder. Ik...'

'Ssst.'

Het vergde al mijn kracht om Andrea er niet aan te herinneren dat ze twee levende kinderen had. Susanna werd inderdaad bedreigd, maar ze lééfde. Davids leven hing inderdaad aan een zijden draad, maar hij lééfde. Ze had twee kinderen die leefden. En ze had een man die van haar hield, en die lééfde. Maar dat zei ik allemaal niet. Dat zou harteloos zijn, en wreed. Ik masseerde zacht Andrea's hand om hem warm te maken. Wat ik duidelijk wilde maken was dat we allemáál een reden, en een manier, moesten vinden om in leven te blijven.

'Ik voel me de laatste tijd een heel stuk beter.' Ik zweeg even en besloot wat ik precies zou zeggen voordat ik het waagde. 'Maar toen ik laatst met Mac in de auto over de Brooklyn Bridge reed – op weg naar het ziekenhuis, naar jou – verbaasde ik mezelf door me voor te stellen dat ik ervanaf sprong.'

Ze staarde me aan, duidelijk geschokt door mijn bekentenis.

'Hoe kan ik je het laten begrijpen?' zei ik, zoekend naar woorden.

'Probeer het.'

'Misschien komt het door de pillen,' zei ik, en vervolgens stak ik van wal.

Ik had wat onderzoek op internet gedaan naar prozac en ik was erachter gekomen dat veertig milligram, mijn dagelijkse dosis, aan de hoge kant was, maar niet ongewoon; tachtig milligram was het maximum. Ik wist nu ook dat er tal van reacties mogelijk waren, en die van mij was wat ongebruikelijk, maar niet extreem. De laatste tijd was ik me op een vreemde manier stabieler en sterker gaan voelen, en soms voelde ik het vanbinnen kriebelen – een onbedwingbare rusteloosheid. Toen ik die dag bij Mac in de auto in de file midden op de brug stond, hoog boven de schitterende East River, en luisterde naar auto's die zinloos uit protest toeterden, was er een clichévraag bij me opgekomen: Als iemand zou zeggen dat je het moest doen, zou je dan van de Brooklyn Bridge springen? Het juiste antwoord was nee. Maar hoe sinister ook, ik had de kans. Het zou heel eenvoudig zijn. Mijn riem losmaken. Het portier opendoen. Naar de rechterkant rennen. Op de leuning klimmen. Ervanaf springen. Een fractie van een seconde zag ik mezelf door de lucht vliegen op die prachtige dag, in een vrije val, met mijn borst omhoog en mijn armen gespreid. Zwevend, gewichtloos. Daarna een plons. Het water zou ijskoud zijn. De dood zou snel komen. Het was een aanlokkelijk idee. En toen ging de auto voor ons weer rijden. Mac zette de wagen in de versnelling, we gleden naar voren en vervolgden onze weg. Ik sloot mijn ogen en vroeg me af waar die impuls om te springen vandaan was gekomen. Ik had niet meer aan zelfmoord gedacht sinds de prozac was aangeslagen. Wat me toen opviel was hoeveel krachtiger ik me voelde, in tegenstelling tot de weken en maanden daarvoor, toen ik het niet had kunnen opbrengen om voor de tweede keer een eind aan mijn leven te maken. Ook al voelde ik me niet meer suïcidaal, ik besefte dat ik beter in staat was dan ooit om er een eind aan te maken. Dat ik misschien nog niet veilig was. Niet voor JPP, natuurlijk. Maar ook niet voor mezelf. Toen we de snelweg op reden, besefte ik opeens heel goed hoe verloren ik was geraakt in het grijze gebied tussen ons... hoe slecht in staat om het echte gevaar te onderscheiden.

'Maar goed,' zei ik tegen Andrea, 'ik heb het dus niet gedaan. Later die dag dacht ik aan iets wat Joyce ooit tegen me had gezegd: "Balans kan op het scherp van de snede zijn."'

'Heb je dit allemaal aan háár verteld?'

'Nee, dat kon ik niet. Ik ben bang dat ze me dan die fijne pillen afneemt. Kun je dat geloven? En eerst wilde ik ze niet hebben.'

Andrea lachte flauwtjes. Toen ineens fluisterde ze met ingehouden tranen: 'Ik weet niet wat ik moet doen.'

'Laat mij je helpen. Toe. Je kunt je niet voorstellen hoe schuldig ik me voel dat ik jullie in een dergelijk gevaar breng.'

Ze keek me aan en ik voelde dat ze nu de stilzwijgende reden begreep die mij op het idee had gebracht bij hen in te trekken in hun veilige wereld; het mes sneed aan twee kanten.

Uiteindelijk zei ze: 'Oké,' voordat ze haar ogen sloot en daarmee te kennen gaf dat mijn bezoek afgelopen was.

Later, toen Susanna eindelijk sliep en Andrea, David en Lisette hun duistere dans voortzetten in de slaapkamer, zat ik met Jon op het terras. Het was even na acht uur. De zon ging achter onze rug onder, maakte een einde aan een stralende dag, en toonde een zachtblauwe hemel die gestaag donkerder kleurde. De lucht was zacht, een beetje fris. We dronken witte wijn... taboe in combinatie met antidepressiva. Ik deed het toch.

'Ik keek zojuist op internet, toen jij Susanna naar bed bracht.'

Hij knikte en staarde over de rivier aan de kant van New Jersey.

'Andrea is depressief.'

'O ja?' Hij trok sarcastisch een mondhoek op.

'Het zou een postnatale depressie kunnen zijn, ook al had ze die niet met Susanna. Bij sommige mensen volgt daarna een postnatale psychose.'

'Ik denk dat we dezelfde websites hebben gelezen.'

'Er bestaan speciale antidepressiva voor vrouwen die borstvoeding geven.'

'Zoloft, paxil en luvox.' Hij knikte gedecideerd. 'Ze wil er niets van weten. Ze wil geen chemicaliën in haar lichaam, punt. Vooral nu niet, nu ze borstvoeding geeft.'

'Misschien is het niet de juiste aanpak om meteen over medicatie te beginnen. Het heeft Joyce maanden gekost om mij zover te krijgen dat ik pillen nam, en ik was suïcidaal.'

Hij keek me aan. Vanwege dat 'was'. Om te zien of ik het echt meende. Ik bleef hem recht aankijken – mijn blauwe ogen staarden in die van hem om hem er stilzwijgend van te overtuigen dat ik zijn problemen niet nog groter wilde maken.

'Het komt wel goed met haar,' zei ik.

Hij fronste zijn voorhoofd waardoor er rimpels ontstonden die hij nog maar pas had. Hij nam een slok wijn en keek weer naar de hemel, die nu bijna helemaal donker was. 'Het is toch allemaal niet te geloven.' Hij boog naar voren en steunde zijn gezicht in zijn handen. Ik had Jon niet meer zien huilen sinds onze kinderjaren. In de brugklas had een meisje hem expres een papier vol houtskool gegeven. Hij had de hele dag rondgelopen met een gezicht vol zwarte vegen, en niemand had het tegen hem gezegd. Toen hij thuiskwam en zichzelf in de spiegel zag, besefte hij waarom de kinderen hem de hele dag hadden uitgelachen. Nu, als volwassene, begreep ik wat die tranen hadden betekend: het gevoel van eenzaam zijn toen hij wist dat hij helemaal alleen was. Maar in die tijd, toen hij dertien was en ik elf, en hij weigerde me in zijn kamer te laten terwijl hij op bed lag te huilen, had ik zijn gevoelens onterecht als een persoonlijke afwijzing opgevat.

'Als Andrea je nu buitensluit,' zei ik, 'moet je dat niet persoonlijk opvatten.'

'Dat zal niet meevallen.'

'Ik weet het. Maar het heeft niets met jou te maken. Het komt door de hormonen.'

'Het zijn niet alleen de hormonen, Karin.' Hij schudde zijn hoofd en weigerde me aan te kijken. En ik wist dat hij op de laatste dominostenen doelde.

Ik dronk mijn glas leeg. En schonk ons allebei nog eens in.

Het was twee weken geleden dat we iets van JPP hadden gehoord. Het onderzoeksteam was erin geslaagd zijn Skype-gesprek met mij te lokaliseren. Het kwam uit een schoolgebouw in het afgelegen Keniaanse dorpje Murungurune. Door lokale ambtenaren wel algauw vastgesteld dat er niemand in de omgeving was gesignaleerd die ook maar een beetje op Martin Price leek. Als onbekende blanke zou hij zijn opgevallen in die kleine Afrikaanse gemeenschap. Ook werd vastgesteld dat de school geen veiligheidsmaatregelen had getroffen voor hun nieuwe draadloze internetverbinding. Dat werd onmiddellijk geregeld, en in de tussentijd kregen ze een stel onverschrokken verslaggevers op bezoek die de wereld wilden laten zien op hoeveel levens een crimineel dichtbij en ver weg invloed kon hebben. Met als onderliggende notitie dat niemand veilig is. Nergens. Zelfs niet de vriendelijke bewoners van Murungurune. Die eerder verbijsterd dan angstig leken door hun kennismaking met de handelwijze van een Amerikaanse seriemoordenaar. Ik had hen op tv gezien en ze waren duidelijk niet bang voor JPP. Een tandeloze oude man moest zelfs lachen om het absurde idee dat zijn dorp iets met zo'n verhaal te maken had. Toen het hem werd gevraagd, gaf hij toe dat hij de school nog niet had bezocht om de nieuwe computer te bekijken, en ook wist hij niet wat een web was, behalve dan als het door een spin werd gemaakt.

JPP was niet in Murungurune. En ook niet in Moskou, Jakarta of South Bend in Indiana – of een van de andere plaatsen met servers die hij had weten te gebruiken om de ware locatie van zijn Skype-telefoontje verborgen te houden. Het bleef een raadsel. Ten slotte wist niemand waar hij zat.

'Hij kan niet bij jullie komen,' zei ik tegen Jon.

Het was nu echt donker en het werd onmiddellijk kil buiten. Jon keek me aan; helderwitte puntjes in zijn bloeddoorlopen ogen. 'Ik hoop dat je gelijk hebt.' Daarna stak hij zijn arm uit en pakte mijn hand.

De volgende middag reed Mac met me naar Brooklyn om wat spullen te halen – half als vriend, half als lijfwacht. Het was de eerste echt warme dag, vierentwintig graden, met zo'n gouden zon waar je de hele winter op hoopt. Mensen zaten buiten voor hun huis. Er hing niets dringends in de lucht, iedereen genoot gewoon van het heerlijke weer.

We vonden een parkeerplaats in een straat verderop en stopten bij een kar met Italiaans ijs voor de basisschool waar kinderen ongeduldig op hun beurt wachtten. De lucht gonsde van hun gekwetter. De kleinsten leken een jaar of vier, de oudsten elf. Cece was niet oud genoeg geworden om naar school te kunnen, maar evengoed zag ik haar nu overal. Ik herkende die blije opwinding, haar aanwezigheid in het gezicht van ieder kind dat een kleurig ijsje aanpakte en ermee naar vriendjes of moeder of vader of oppas rende, klaar voor de volgende gebeurtenis.

'Twee citroenijsjes,' zei Mac tegen de vrouw, die het zachte gele ijs in kartonnen bekertjes schepte en ze aan hem gaf. Hij betaalde en reikte me er een aan. Het heerlijke, ietwat zure ijs smolt op mijn tong. We likten eraan en liepen zonder iets te zeggen door tot we bij mijn huis kwamen, waar we zittend op de stoep de bekertjes leeg aten, en het laatste beetje op onze tong uitknepen.

'Ik zou hier wel kunnen wonen,' zei Mac. 'Ik had nooit gedacht dat ik dat nog eens zou zeggen van de stad.'

'Het is niet echt een stad hier, niet zoals Manhattan.'

'Het voelt meer als een dorp.' Hij stond op. 'Nou, ik vind het vreselijk om te zeggen, maar ik moet terug naar Jersey voor de nachtdienst. Of moet ik het de dienst waar nooit een eind aan komt noemen?' Toen hij zijn pols draaide om op zijn horloge te kijken, zag ik een wit streepje op een van zijn vingers.

'Waar is je trouwring?'

'We hebben het geprobeerd, maar het is niet gelukt.'

'Wat jammer.'

'Ja, dat vind ik ook.'

Toen ik het ijzeren hek opendeed zag ik op het stukje stoffige grond voor de deur van mijn woning de post van gisteren liggen, met een elastiekje erom. Ernaast lag een glanzende brochure, met vouwen, alsof iemand had geprobeerd er een vliegtuigje van te maken voordat hij het door de gleuf van de brievenbus had gegooid.

'Wat raar.' Ik pakte de brochure op en streek hem glad. Er stonden allemaal tekenfilmhelden in primaire kleuren op.

'Zeker van een kind dat een grapje wilde uithalen.'

'Zou kunnen.' Het was een aankondiging voor een congres in Manhattan. 'ComicsCon,' las ik hardop. 'Op 12 juni in het Javits Center.'

'Dan ben ik jarig.'

Ik keek Mac aan. 'Dat wist ik niet.'

'Nou, nu wel.'

Ik bedacht dat hij dit jaar alleen zou zijn, aangezien hij en Val nu kennelijk voorgoed uit elkaar waren.

'Ik neem je mee uit eten op je verjaardag,' bood ik aan. 'Lunch of diner? Jij mag kiezen.'

'Ik zal erover nadenken.'

'Hoe oud word je?'

Hij knipoogde maar gaf geen antwoord. Begin veertig, schatte ik. Zijn huid was verweerd maar niet rimpelig, zijn haar vertoonde slechts hier en daar wat grijs.

Toen ik de brochure op de stapel met post legde, zodat ik met mijn vrije hand de binnendeur kon openmaken, zag ik dat iemand de datum van het congres met een zwarte stift had omcirkeld.

'Vreemd.' Ik liet het aan Mac zien.

Hij keek even en haalde zijn schouders op. 'Wat maakt het uit?'

Ik keek nog eens goed naar het zwarte rondje: het was zo perfect getekend, zonder hapering. 'Ik vraag me af of iemand dat hier doelbewust heeft neergelegd.'

'Ja, die mensen van het congres – die zijn op je geld uit.'

'Nee, Mac, serieus. Denk er even over na.'

Ik haalde de deur van het slot en we gingen mijn woning binnen, waar het zoals altijd kouder was dan buiten. Ik legde de post op het tafeltje voor de spiegel in het halletje, en pakte de brochure weer op. Mac liep meteen naar de keuken, ik hoorde hem een kastje opendoen en daarna liep de kraan. Toen ik de keuken in kwam stond hij voor het tuinraam gulzig te drinken.

'Ik denk dat hij het daar heeft neergelegd.'

'Karin...' Zijn toon kende ik intussen goed: verdraagzaam, meewarig.

'Hij is ongedurig. We doen er te lang over om hem weer te vinden. Hij wil dat we zijn spel spelen...'

'Hij speelt met dominostenen, niet met tekenfilmhelden. Dat past niet in zijn modus operandi, dat weet je.'

Ik keek weer naar de brochure. Misschien had Mac gelijk; dit ging over stripboeken en alles wat met strips te maken had. Geen games. Geen dominospel. En JPP was nooit eerder van zijn thema afgeweken. Als seriemoordenaars hun modus operandi of hun signatuur veranderden, was het meestal een kleine aanpassing, zelden een heel andere aanpak.

'Het zal wel iets heel anders zijn,' zei ik. 'Dat is waar. Maar ik heb er zo'n vreemd gevoel over.'

'Het is een verdwaald stukje papier. De wind kan het onder het hek door geblazen hebben. Ik zou er niet te veel achter zoeken.'

Mac draaide zich om naar de gootsteen, spoelde zijn glas af en zette het ondersteboven in het afdruiprek.

Waarschijnlijk had hij gelijk. Mijn emoties gingen de laatste tijd met me aan de haal, als in een achtbaan, voor een deel de reden waarom ik hier wat spullen op kwam halen.

Ik vulde een middelgrote koffer met kleren, boeken en toiletartikelen, en zorgde ervoor dat ik de prozac in de badkamer niet vergat... en dat ik mijn dagelijkse pil innam die ik had overgeslagen omdat ik die nacht in het penthouse had geslapen. Bijna onmiddellijk voelde ik het opbeurende effect, een lichter gevoel in mijn hoofd waardoor mijn zorgen van me af leken te vallen.

'Het voelt een beetje alsof ik op vakantie ga,' zei ik, toen ik de deur achter ons op slot deed.

'Op een bepaalde manier is dat ook zo, maar dan zonder strand.'

Mac droeg de koffer naar de auto. We reden snel naar de FDR, terug naar het centrum, waar mijn familie op me wachtte. Hij parkeerde voor het gebouw en vroeg voor hij wegreed of ik op de hoogte was van de beperkingen die het wonen in een safehouse met zich meebracht.

'Je moet binnenblijven.'

'Dat weet ik.'

'Als je ergens naartoe wilt, bel dan mij of Billy Staples.'

'Begrepen.'

'Ik meen het, Karin. De bewakers hebben daar instructies voor.' Ik had hem nog nooit zo serieus zien kijken. Kennelijk maakte hij zich minstens zo veel zorgen over de veiligheid van mijn familie als ik. Maar hij kende me.

'Mac,' zei ik terwijl hem een kus op zijn wang gaf, 'maak je geen zorgen.'

Ik kwam er snel achter hoe het leven in een hightech gevangenis verliep. Alles wat we nodig hadden werd besteld en bezorgd. Dagelijkse boodschappen. Drogisterijartikelen. Kleding. We zetten geen stap buiten het zogenaamde huis, dat na een paar dagen opsluiting meer als een ruimteschip aanvoelde. Het duurde niet lang voor ik begreep hoe opgesloten Jon, Andrea en Susanna zich hadden gevoeld – met wachten tot David groeide en tot JPP zou toeslaan – of waarom Susanna driftbuien kreeg, of waarom Andrea steeds depressiever werd. Op mijn aandringen ging ze drie keer per week onder begeleiding naar de stad voor een consult bij Joyce. De uitstapjes zelf waren waarschijnlijk even heilzaam als de therapie. Wat mij betreft, waren de sessies teruggebracht tot eenmaal per week. Soms, als Andrea het huis verliet, was ik een beetje jaloers. Maar ik had er zelf voor gekozen hier te blijven totdat mijn aanwezigheid niet meer nodig was, en die dag was nog lang niet in zicht.

Ik vertelde Joyce dat alles goed ging. Dat ik het redde. Mijn pillen verrichtten wonderen. En het gaf me een goed gevoel dat ik nuttig was. Wat ik verzweeg was de woede die in me ziedde. Dat ik, door mezelf op te sluiten met Jons gezin, een onvermijdelijke opstandigheid de kop indrukte. Aan de buitenkant leek het goed om mijn verdriet en woede te compenseren met huishoudelijke bezigheden – het was therapeutisch verantwoord, en dit gezin kon wel een luisterend oor en een stel extra handen gebruiken – maar de explosieve emoties die momenteel onderdrukt werden, bleven vlak onder de oppervlakte broeien.

Ik kookte eten. Ik maakte schoon. Ik speelde met Susanna. Ik praatte urenlang met Jon en nog langer met Andrea, die langzamerhand steeds meer tijd doorbracht in de zonnige woonkamer en zich zelfs 's ochtends aankleedde en de gordijnen opentrok.

Mijn ouders kwamen een paar keer per week op bezoek, en mam bracht altijd een tas met puzzels en hobbyspullen mee. Samen maakten we vogels en vlinders van de kleurige vierkantjes papier uit een origamidoos... zo veel dat we er één grote mobile van maakten die we aan het plafond in de woonkamer hingen. We hielden elkaar op tal van manieren gezelschap. En toch kon de verveling intens zijn, ons leven was het sprekende bewijs dat dit geen vakantie was waarin je thuis niets hoefde te doen. Hier gebeurde niets. In plaats daarvan hingen we rond, en wachtten we voor het geval er iets zou gebeuren. Het vreemde was dat het ons doel was dat te voorkomen.

Dus toen David op een ochtend, toen ik er al een paar weken zat, voor het eerst een lachje vertoonde, wat dat een enorme gebeurtenis. We vierden het met een fles champagne die Mac meebracht toen hij het nieuws hoorde – hij was toch op weg naar de stad, hoewel hij niet vertelde waarvoor. Hij ontkurkte de fles en schonk de schuimende champagne in wijnglazen die Lisette, Jon en ik ophielden. Andrea en Susanna klonken met een glas appelsap. We dronken en praatten over de vorderingen die David maakte en vroegen ons hardop af hoe hij eruit zou zien als hij een volgroeid jongetje was. Alsof hij genoot van al die aandacht, lachte David nogmaals. En nog eens. Zijn glimlach gleed over het kleine gezichtje als bloesem in een film die versneld wordt vertoond. Blauwgrijze oogjes lichtten op en maakten ons allemaal steeds weer blij.

Die middag, toen David een slaapje deed, las Andrea Susanna voor in de ouderslaapkamer, en Jon zat aan de telefoon te praten met iemand over alweer een filmaanbod waarvoor hij zich niet sterk genoeg voelde. Ik boog me naar Macs oor en fluisterde: 'Haal me hier weg.'

Een samenzweerderig lachje kroop over zijn gezicht.

Ik gebaarde naar Jon dat ik snel terug zou komen, en Mac liep met me naar buiten.

Tijdens mijn verblijf had ik soms buiten op het balkon zitten staren naar het stadsgezicht dat vanaf die hoogte bijna uit een horizon van daken bestond. Of ik staarde naar de hemel, waar ik de wolken in het voorbijgaan steeds andere vormen zag aannemen. Soms stond ik voor de reling en keek ik naar de stoep in de verte waar mensen net mieren leken, en auto's dinky toys. Het had me verbaasd hoe gevangen ik me in een relatief korte periode was gaan voelen. Het kwam deels doordat ik zat opgesloten in een hoog appartementengebouw. En deels was het psychisch, omdat ik wist dat we voor onze veiligheid moesten blijven waar we waren. Het kwam ook door de prozac, die me veel energie gaf, me deed verlangen naar meer beweging dan ik op dat moment kreeg.

Joyce en ik hadden elkaar onlangs gesproken over de betekenis van geluk, en we waren overeengekomen dat geluk niet te vinden was in anderen, maar in jezelf. Dat geluk zich spontaan voordeed door het te ervaren, niet in dingen zelf; en dat je het niet kon plannen of regelen, maar dat je er klaar voor moest zijn om het te herkennen wanneer het zich aan je voordeed. En dat geluk, of voldoening, zoals ik onlangs had geleerd, ook te vinden was als je in de meest basale zin iets voor anderen kon doen.

Op een dag had ze me gevraagd om zonder na te denken vrijelijk te associëren op haar vraag: 'Wat zou je nu gelukkig maken?'

'Een lange wandeling maken, helemaal alleen. Niet dat ik het erg vind om bij Jon en zijn gezin te zijn. Dat is het niet. Alleen zou ik...'

Joyce had geglimlacht. 'Ik begrijp het.' Ze knikte peinzend, als een docent wier lessen eindelijk vrucht begonnen af te werpen.

Er met Mac op uit zijn was niet helemaal hetzelfde als in mijn eentje mijn neus achternagaan. Hij had tenslotte een pistool bij zich, hij trad op als mijn bodyguard. Maar toch was het fijn. Zodra we Second Avenue in liepen, in het zonnetje, voelde ik me bevrijd.

Het verkeer was op straat dichtbij te horen: claxons in alle toonaarden op een vol kruispunt, het gestage geklikklak van hoge hakken van een zakenvrouw die in hoog tempo langsliep, het stuiteren van een basketbal waar een puber achteraan liep.

Vlagen parfum, de geur van hotdogs, van benzine waar een taxi stond te wachten naast een oversteekplaats.

Te wandelen zonder tegengehouden te worden door een muur of een deur of iets wat je meer in je vrijheid beperkte dan een stoeprand.

'Zullen we ergens een kop koffie drinken?' vroeg Mac na twintig minuten, toen we bij 23rd Street en Park Avenue South waren aangekomen.

'Lekker.'

Er was een cafetaria halverwege een zijstraat. We gingen buiten aan een tafeltje zitten en bestelden twee cappuccino en een appelmuffin die we deelden. Ik had het slaperige gevoel als gevolg van de champagne eruit gelopen en voelde me nu ontspannen en een beetje moe.

'Nou,' zei Mac terwijl hij het witte schuim van zijn cappuccino door de koffie roerde, 'ik dacht dat je wel zou willen weten wat Billy Staples en ik de laatste tijd hebben uitgespookt terwijl Alan en de andere mannen achter de computer zaten.' Hij grinnikte boven zijn koffie. Hij had twee glazen champagne gedronken en ik één, en zijn hoofd was waarschijnlijk niet zo opgefrist van het wandelen als het mijne.

'Wat dan?'

Hij trok zijn wenkbrauwen samenzweerderig op en wachtte even, alsof hij overwoog of hij het wel of niet zou vertellen. Toen zei hij: 'Zoeken.'

Ik hoefde niet te vragen of hij zoeken naar JPP bedoelde.

'Waar?'

'Overal, behalve op internet. We hebben samen besloten dat links te laten liggen.'

Mac had wekenlang alles voor me in de gaten gehouden; ik zou deze man vaker champagne moeten geven. Al vanaf het moment dat ik op de brochure van ComicsCon tussen de post had gereageerd alsof het een boodschap van hém was, had hij elk onderwerp vermeden dat mijn intuïtie in gang zou kunnen zetten, of mijn paranoia, of hoe je het ook wilde noemen. Mijn overgevoeligheid. Dat Mac me behandelde als breekbaar porselein ergerde me steeds als ik erover durfde na te denken. En dus probeerde ik dat niet te doen, en in plaats daarvan mijn best te doen alles per dag te bekijken.

'Vertel,' moedigde ik hem aan.

'Toernooien. Allerlei spellen. Kaarten: poker, blackjack, en de nieuwe: Yu-Gi-Oh, Pokémon, dat soort dingen. Pingpong. Schaak. Noem maar op.' Hij proefde voorzichtig of zijn koffie niet te heet was, en nam toen een slok.

'Dus je bent verder gaan kijken dan domino.' Het voelde als een kleine overwinning, gezien ons laatste gesprek hierover.

'Ja, een beetje, maar sport laten we verder zitten. Ik denk niet dat hij daaraan doet. We concentreren ons alleen op de spellen. De massa's die daarop afkomen – dat zijn niet gewoon fans, maar...'

'Fanatiekelingen.'

Hij grinnikte. 'Ja, dat is het juiste woord. De meesten zijn echte fanatiekelingen. Net als Price, maar dan zonder moordzucht.'

Ook al zei hij het luchtig, ik kromp ineen. Ik nam een paar slokjes van mijn koffie om de stroom van gevoelens te onderdrukken. Ik brak een stukje van de muffin af. Te zoet. Ik leunde naar achteren en keek Mac aan.

'Zou hij je niet herkennen?' vroeg ik. 'Ervandoor gaan voordat jij hem zag?'

Net als ik was Mac elke keer in de media genoemd. Als Price zich net als de meeste andere seriemoordenaars gedroeg, hield hij een plakboek bij. Waarschijnlijk had hij Macs gezicht net als dat van mij goed bestudeerd.

'Misschien. Waarschijnlijk. Maar we dachten dat het geen kwaad zou kunnen om dit te proberen, zolang we er niet te veel van verwachten. We beseffen dat het riskant zou zijn voor Price om zijn gezicht nu ergens te laten zien, maar Billy en ik waren allebei...'

'Ongeduldig,' vulde ik voor hem aan. 'Gefrustreerd. Rusteloos.'

Hij staarde me aan. Hij wist dat ik het over mezelf had.

'Hoeveel hebben jullie er tot dusver bezocht?' Ik had mijn ellebogen op het tafeltje gezet en leunde naar voren. Gretig.

Een blik vol terughoudendheid verscheen in zijn ogen en hij leek in één klap nuchter. 'Nee,' zei hij, mijn gedachten lezend.

'Ik zou iets kunnen doen.'

'Karin...'

'Als Price mij ziet, kan hij misschien de verleiding niet weerstaan. Ik zou hem uit zijn tent kunnen lokken.'

Mac gebaarde naar de serveerster dat hij de rekening wilde. Toen ze die bracht, pakte hij snel zijn portefeuille en weigerde mijn aanbod om mee te betalen.

'Kom, dan breng ik je terug.'

'Je gaat vanavond naar zo'n toernooi, hè?'

'Hou op.'

'Daarom kon je vandaag bij ons komen. Je moest toch in de stad zijn.'

Hij stond op. Zijn toon was vriendelijk maar geërgerd: 'Je familie heeft je nodig.'

'Had me nodig. Andrea is weer op de been. Met David gaat het veel beter. Iedereen slaapt beter. Wat is mijn leven waard als ik niet iets kan doen op de plek waar ik op dit moment nodig ben? Ik ben Jackson en Cece kwijtgeraakt door die gek. Ik heb niets meer.'

'Je ouders,' bracht hij haar in herinnering. 'Jon, Andrea, David, Susanna.'

'Ja. Dat klopt. Susanna. Maar als wij daar zitten te wachten, en hij vindt een manier om haar te bereiken...'

'Je kunt niet met ons mee, Karin.'

'Ik heb hem al eerder gevonden.'

We liepen inmiddels weer. Toen we voor een voetgangerslicht moesten wachten, haakte hij zijn arm door de mijne en trok me tegen zich aan. Hij schudde zijn hoofd. 'Het zou te gevaarlijk zijn. En moet ik je er echt aan herinneren dat je niet meer bij de politie werkt?'

'Vertel me dan één ding: ben je van plan om het ComicsCon-congres te bezoeken? Als jullie het werkgebied aan het uitbreiden zijn, waarom dan niet...'

'Op mijn verjaardag? Denk je dat ik niet goed bij mijn hoofd ben?'

Ik wist hoe koppig Mac kon zijn, dus ik liet het daarbij. Hij leverde me weer af op de drieëntwintigste verdieping, waar ik vlak voor ik het appartement in ging de benauwende tentakels alweer om me heen voelde. Ik wilde het liefst doorgaan over het congres

– waarom zou ik níét meegaan? In het ergste geval zou het tijdverspilling zijn – maar we namen afscheid alsof de zaak afgedaan was. Hij gaf me een lichte kus op mijn wang en draaide zich om naar de lift.

'Wacht even! Je bent donderdag jarig. Je hebt nog helemaal niet gezegd of je wilt gaan lunchen of dineren.'

Hij glimlachte. 'Oké. Laten we gaan lunchen.'

De deur van de lift, die nog op dezelfde verdieping stond, ging zoevend open zodra hij op de knop had gedrukt.

Het eerste wat me opviel toen ik de gang in liep was de heerlijke kookgeur. Ik trof Jon en Andrea samen in de keuken, waar ze zalm in een korst van maismeel en een salade maakten. Een baguette lag al in de oven. Susanna zat op de vloer te kleuren. David sliep en Lisette loste een kruiswoordpuzzel op in de hoek van de woonkamer. Toen ik het gezinnetje zo vredig bezig zag werd mijn gevoel versterkt dat ik, hoe welkom ik hier ook was, niet echt meer nodig was.

'Was het leuk?' vroeg Andrea. Haar wangen waren rood van de warmte.

'Het was fijn om er even uit te zijn.'

'Dat geloof ik graag.' Jon klapte in zijn handen, waardoor het maismeel ervanaf vloog alsof het stof was. Andrea schoot in de lach.

'Ik denk dat ik voor het eten nog even ga liggen.'

Ik liep naar de logeerkamer, waar mijn koffer geopend op een stoel stond. Ik ging op het bed zitten, leunde tegen de muur en zette mijn laptop op mijn knieën. Ik toetste ComicsCon New York in en las de website door… Mijn huid werd klam… Mijn hart sloeg iets te snel.

Rustig blijven, vermaande ik mezelf. Verzet je tegen de verleiding om in actie te komen. Mac had misschien wel gelijk. Misschien was het het beste dat ik momenteel niets ondernam. Bij mijn familie bleef. De vakmensen moesten zich er maar mee bezighouden. Met JPP – het monster.

Maar hoe kon ik braaf thuiszitten en als een victoriaanse oude vrijster voor mijn gekwetste familie zorgen, terwijl de man die ervoor had gezorgd dat we hier in een torenhoog graf opgesloten zaten vrij rondliep? We konden niet gewoon maar afwachten tot JPP zijn messen had geslepen. En misschien gebeurde er wel niets, zodat we de rest van ons leven steeds achterom moesten kijken.

10

Mac kwam die donderdag iets voor twaalven, geurend naar schone was en dennenzeep, met een boeket Spaanse margrieten in zwart-wit gestreept papier. Hij gaf de bloemen aan Andrea, wat hem een brede glimlach opleverde, en hees zich op een keukenkruk waar hij toekeek hoe ze ze in een vaas zette terwijl ik naar mijn kamer ging om mijn tas te pakken.

'Krijg ík bloemen op jóúw verjaardag?' hoorde ik Andrea zeggen.

'Mijn vrouw was er altijd dol op.' Mac vermeed elke verwijzing naar zichzelf, wat, zoals ik vooral de laatste tijd had gemerkt, typisch voor hem was. 'Dus het leek me een goed...' En toen was ik buiten gehoorsafstand.

Ik haalde overbodige spullen uit mijn tas, voor het geval ik geen veilige plek zou vinden om hem op te bergen in het Javits Center, en verborg die onder de sokken in de bovenste la van mijn kast. Ik nam wat kleingeld en mijn mobieltje mee. Meer niet. Ik zou mijn tas het liefst helemaal thuis hebben gelaten, maar dat zou misschien wantrouwen hebben gewekt: een vrouw die ging lunchen zonder tas. Mac zou het hebben opgemerkt. En me nog meer in de gaten hebben gehouden, en dat wilde ik nu juist voorkomen.

Ik besefte dat hij me dit later heel erg kwalijk zou kunnen nemen. Maar het zeurde zo in mijn hoofd, ik had zo'n sterke aandrang om dit te doen dat ik niet verder kon denken.

We gingen eten bij Marie-Therese, een restaurantje aan East 11th Street, vlak bij Fourth Avenue. Ik had het uitgekozen omdat er een terras achter was. Ik was er een keer eerder geweest, met Jackson, en daardoor wist ik van het bestaan ervan. Normaliter meed ik als het even kon alle plaatsen waar ik met Jackson of Cece was geweest, maar vandaag lag het anders. Vandaag wachtte me een specifieke taak. En ik was geconcentreerd. Vastberaden. Marie-Therese paste precies in het plaatje: mooi, ontspannen, gezellig… en gunstig gelegen, vlak om de hoek van Halloween Adventure – de grootste kostuumzaak van de stad. Ik had me goed georiënteerd en ik wist dat het niet ongebruikelijk was dat mensen in kostuum naar ComicsCon kwamen. Toen ik er eenmaal achter was dat het gemakkelijk zou zijn om het congres incognito gade te slaan, leek het een soort toestemming om mijn intuïtie te volgen; niet dat ik het had willen vragen, want ik wist dat Mac me zou tegenhouden.

We bestelden salade met omelet, en wijn.

'Nog aan je eerste glas?' vroeg Mac, terwijl hij zichzelf nog eens inschonk.

'Ik mag eigenlijk niet drinken, met die pillen.'

'Dat heeft je er tot nu toe niet van weerhouden.'

'Heb jij mij de afgelopen maand meer zien drinken dan één glas?'

Hij zweeg en dacht na. 'Nou…'

'Oké dan, twee.'

'Nooit.' Hij glimlachte.

Terwijl hij zich ontspande kreeg ik kramp in mijn buik en mijn hart klopte in mijn keel. Ik voelde dat er zich een laagje zweet op mijn gezicht vormde, ook al was het niet echt een warme dag. Ik begon me een primitief dier te voelen, alsof mijn lichaam zich voorbereidde op de jacht. Wat natuurlijk ook zo was. De adrenaline gierde door me heen en ik verzamelde energie voor het geval ik mijn prooi in het oog zou krijgen. Ook al was die kans klein. Daar hield ik me aan vast, aan Macs gezonde verstand, als een reddingsboei op de golven van wantrouwen en vastberadenheid die in me woedden.

'Alles goed?' vroeg Mac.

'Ik ben uitgehongerd.' Ik depte de saladedressing op met een stuk brood. Het was heerlijk. Ik had trek, maar ook weer niet. Maar ik wist dat ik beter presteerde als ik iets in mijn maag had.

Dus ik at alles op: de omelet met spinazie en kaas, gegrilde asperges, brood. Ik sloeg een toetje af en zei tegen Mac dat mijn maag zo vol was dat hij op knappen stond.

'Ik ben zo terug,' zei ik terwijl ik mijn linnen servet op mijn stoel legde, mijn tas over mijn schouder hing en naar het damestoilet liep. Ik liet hem licht beneveld, ontspannen en voldaan achter. Tussen klimop die over een bakstenen muur omlaag tuimelde. Onder een aquarel van een Frans landschap. In de zon. Op dit moment gingen mijn gevoelens voor hem dieper dan ooit. Het kwam door wat ik zag toen ik even omkeek: die vertrouwde, zorgzame man om wie ik op mijn beurt ook steeds meer begon te geven. Toen ik onze serveerster door de klapdeurtjes van de keuken zag komen, hield ik haar staande en zei zachtjes tegen haar: 'Wil je mijn vriend daar een stuk taart brengen met een kaarsje erop, en "Happy Birthday" voor hem zingen?'

'Chocolade-hazelnoot of aardbeien-slagroom?'

'Aardbeien-slagroom.'

Ze glimlachte samenzweerderig en liep weg.

Even wilde ik het liefst terug naar ons tafeltje toen ik langs het damestoilet door de keuken liep, de achterdeur uit naar de in schaduw gehulde zijstraat, de hoek om naar de kostuumzaak.

Een halfuur later stapte ik voor de ingang van het Javits Center uit een taxi, met een oranje plastic tas van Halloween Adventure waarin mijn nieuwe identiteit zat.

Ik stak het voorplein over en ging naar binnen door een van de vele glazen deuren van het enorme gebouw. Het congres was die ochtend officieel begonnen, en mensen liepen zigzaggend langs het touw dat naar de registratiebalie leidde. De meesten droegen gewone kleren, maar sommigen waren in kostuum, wat mijn geloof versterkte dat ik anoniem in de menigte op zou kunnen gaan. Toen ik aan de beurt was en betaalde, kreeg ik een naamplaatje (dat ik niet zou dragen) en liep meteen door naar het dichtstbijzijnde toilet.

Toen ik de deur opendeed zag ik tot mijn verbazing en opluchting nog drie vrouwen die zich openlijk aan het verkleden waren. Een van hen, een jonge vrouw met kort, rood geverfd haar, die een Batman-cape onder haar kin vastgespte, begroette me met de woorden: 'Mensen laten hier allerlei dingen liggen die ze niet kunnen gebruiken, dus pak maar wat je nodig hebt – het zijn vooral meisjesdingen die bij de superhelden van de dames horen... Sommigen van ons willen vandaag geen meisje zijn; we willen jongens zijn, zodat we een paar uur de beest kunnen uithangen.' Gelach vulde de ruimte.

'Bedankt. Ik geloof dat ik hier alles heb wat ik nodig heb.' Ik tilde mijn oranje tas op.

'Alles wat je niet gebruikt gooi je maar op de stoel.'

Een toiletdeur ging open en er stapte een vrouw uit in een rode doorknoopjurk en een gleufhoed op haar hoofd, terwijl ze in haar ene hand een volle rugzak vasthield, waarschijnlijk met daarin haar gewone kleren, en met de andere een zonnebril opzette.

'Pardon,' zei ik tegen de vrouw – een versie van Carmen Sandiego, althans voor de eerste paar uur. 'Weet je ook waar we onze eigendommen kunnen opbergen?'

'Aan de overkant is een zaak waar ze kluisjes verhuren, maar je kunt ook op je goede gesternte vertrouwen en alles hier laten liggen. Zoals ik.'

'En ik,' zei Batman.

Ik glipte de toiletruimte in, trok mijn kleren uit, scheurde het papier open, stapte in het rood met zwarte pak, hees het omhoog en... ik was Spiderman. Het was niet eens bij me opgekomen om de damesversie te kopen, als die er al was. Het spandex sloot aan alle kanten strak aan. Het gaf me energie. Met de hoofdbedekking en handschoenen was ik van top tot teen verkleed. Ik stopte mijn tasje in de oranje plastic tas, propte mijn kleren erbij en verliet het wc-hokje. Toen gooide ik mijn zak op de hoop die zich had opgestapeld in de hoek naast de stoel die schuilging onder allerlei spullen die mensen niet nodig hadden. Vervolgens liep ik de grote congresruimte in.

Ik stortte me onmiddellijk in de massa. Tussen de drukste, luidruchtigste, meest opgewonden mensen. Overal zag ik kopieën van mijn nieuwe identiteit; er waren wel twintig andere Spidermannen op het congres, naast versies van Superman, Batman, Catwoman, Green Goblins, Hulks, Yoda's en prinses Leia. Vermommingen die mijn besluit om hierheen te gaan legitiem leken te maken.

Enorme banieren hingen aan het plafond van de gigantische

zaal, met daarop aanwijzingen waar alles te vinden was: Hollywood Highlights, Anime, Autographs, Podcasts, Table Top Gaming, Graphic Novels, Toys & Props en iets wat Variant Stages heette.

Spiderman-achtig bewoog ik me langs stalletjes die vol lagen met strips, stripfiguurtjes en accessoires. Mensen bleven binnenstromen. Je kon je nauwelijks voorstellen dat niet iedereen die belangstelling had voor spellen, speelgoed of strips hier aanwezig was. Misschien was de wens de vader van de gedachte. Maar nadat ik uit het appartement had weten te ontkomen om vrijelijk in de echte wereld rond te lopen – misschien niet dé echte wereld, maar deze wereld – kreeg ik het idee niet uit mijn hoofd dat JPP hier was. Of kon zijn. Alles was mogelijk, en dus speurde ik door de oogspleetjes alle gezichten af. Stuk voor stuk. Ik zag hem. En knipperde de illusie weg. Ik zag hem niet. Ik zag hem weer.

Ik verliet de strips en ging naar Table Top Gaming. Hier waren hele onderafdelingen gewijd aan Chaotic – een kaartspel waar ik nog nooit van had gehoord – Magic en Dungeons of Dread. De eerste wedstrijden die waren gepland voor de volgende drie dagen begonnen. Terwijl ik erlangs liep hoorde ik het kletsende geluid van neergegooide kaarten, vermengd met geroezemoes, gelach en verkooppraat... en daarna het *klik-klik-klik* van vallende dominostenen.

Ik ging op het geluid af en kwam in een witte tent waarin vijf mannen in dezelfde oranje gebloemde overhemden aan kleine tafeltjes op een tegenstander wachtten. Van deze vijf hadden twee een partner: een oude latino in een kostuum met stropdas, en een jongetje met zijn moeder vlak naast hem... Door de manier waarop ze bij hem stond, zich bewust van haar kind maar ook van hun omgeving, voelde ik weer het pijnlijke verlangen naar Cece, naar de waakzaamheid die ik elk moment van ons samenzijn had gevoeld. Mijn ogen bekeken elk gezicht; elk gezicht dat niet van Martin Price was.

Teleurstelling overspoelde me, en daarna schaamte. Schaamte omdat ik had gedacht dat het zo gemakkelijk zou gaan... dat JPP me thuis zelf een uitnodiging zou brengen, met de datum omcirkeld, voor de volgende gelegenheid waar we hem zouden kunnen vinden. Ik hoorde de scherpe toon van Macs waarschuwing al die ik later vandaag beslist zou krijgen, even duidelijk als ik kon horen hoe gekwetst hij was omdat ik hem op zijn verjaardag had laten zitten.

'Neem plaats,' zei een van de ingehuurde spelers met een uitnodigend gebaar naar zijn tafeltje.

Ik schudde mijn hoofd en verliet de tent.

Ik dwaalde langs Anime, waar volop Japanse meta-animatie te zien was. Langs Autographs, waar sterren en aankomende sterren van de strip-, spellen- en speelgoedindustrie rij na rij op opgetogen fans wachtten. Langs Podcasts, waar internetproducenten informatie en meningen verzamelden van iedereen die bereid was die te laten publiceren. Terwijl ik er ronddoolde vond ik het opeens ontzettend stom dat ik hier was, dat ik Mac híérvoor in de steek had gelaten.

Ik stond ineens bij Variant Stages, een gedeelte achter in de expositiehal voor speciale evenementen en wedstrijden die geleid werden door spelers en acteurs. Vier aparte minivoorstellingen waren bezig op het moment dat ik binnenkwam. Omdat ik plotseling uitgeput was, liet ik me op de eerste beste lege stoel vallen.

De uitvoering heette volgens de affiches Vampire Cowboys. Twee mannen die gekleed waren als... vampiercowboys, zaten op stoelen die barkrukken moesten voorstellen, voor een grote bank in een bar van een ouderwetse saloon. Achter de bar hing een aanplakbord dat een spiegel moest voorstellen waarin naar mijn idee dezelfde twee cowboys te zien moesten zijn, maar dan als echte vampiers. Ik begreep het eigenlijk niet. Mijn hersenen weigerden dienst. Mijn oogleden werden zwaar en vielen steeds dicht. De keiharde, dreunende muziek die overal te horen was begon te vervagen. En toen greep iemand me bij mijn schouders en hees me overeind.

'Je valt bijna,' zei hij.

Ik opende mijn ogen. De afschuwelijke kop van de Green Goblin – een mosgroene huid, lange gele tanden, bolle ogen – bevond zich vlak voor me, zodat ik in één klap klaarwakker was. Die stem. En die verpletterende lichaamsgeur. Van dode vis. Van de dood. Mijn maaginhoud kwam omhoog. Ik slikte het weg. Ik stond op en dwong hem twee stappen naar achteren te zetten. Hij was kleiner dan ik, maar niet bang. Hij droeg zijn groene schubbenkostuum met weerzinwekkende vanzelfsprekendheid.

In een impuls stak ik een hand naar hem uit – ik wilde zijn macht verzwakken door mezelf ervan te overtuigen dat zijn huid slechts van rubber was.

Hij sprong naar achteren.

En vervolgens vloog hij, even onverwacht als hij was verschenen om zijn goede daad te verrichten, om te voorkomen dat een andere superheld – een rivaal, herinnerde ik me nu, want Green Goblin was de tegenstander van Spiderman – op de grond viel, de afdeling Variant Stages af, de expositiehal in.

Ik rende achter hem aan en hield zijn rug in de gaten, zodat ik hem niet uit het oog verloor. Zodat ik hem, als een andere Green Goblin zijn pad kruiste, daar niet mee kon verwarren – waardoor ik het idee kreeg dat ik hem nooit had gevonden. Had gehoord. Had geroken.

Als het niet JPP was, zou hij niet wegrennen. Dat was duidelijk: dan zou hij niet wegrennen.

'Help!' schreeuwde ik. En daarna: 'Hou hem tegen!'

Het was alsof mijn roep totaal verloren ging in de kakofonie van geluiden. Of misschien dacht men dat we een act opvoerden van een ontsnapt stel uit Variant Stages, waarbij de held en de slechterik elkaar achternazaten.

Hij vertraagde zijn pas enigszins en bleef even staan om om te kijken. Hij had me gehoord. Hij kende ook mijn stem. Hij wist dat ik het was. Ik kon bijna horen hoe de radertjes van zijn zieke brein de voor- en nadelen afwogen om me hier te grazen te nemen.

Als hij me nog wilde vermoorden, moest hij nu zijn kans grijpen.

Hij rende inmiddels nog harder de menigte door. Weg van mij.

Ik rende nog harder achter hem aan.

'Hou hem tegen!'

Weer reageerde er niemand.

We renden. Langs tafeltjes. Stalletjes. Fans die in de rij stonden voor gratis spulletjes. We renden. Op het dreunende ritme van de meedogenloze muziek die in elke molecuul doordrong. Sneller dan het ritme. We renden. Twee keer zo hard. Drie keer zo hard. We vlógen. Mensen bleven staan kijken. Er klonk applaus. We schoten langs het laatste afgescheiden gedeelte, onder de laatste banier door, een lange, lege gang in. Toen hij om een hoek verdween, barstte er achter ons gejuich los. Alsof het voorbij was. Alsof hij me was ontsnapt. Alsof hij had gewonnen.

Ik rende almaar door. Dezelfde hoek om. Achter hem aan toen hij over een lange helling een duisterder, smeriger en naargeestiger gedeelte in dook. De achteruitgang voor leveranciers – met brede poorten die uitkwamen op 35th Street. De muziek klonk zachter en werd overstemd door allerlei straatgeluiden: verkeer, claxons, stemmen.

Vijftig meter voor me zag ik door een open deur een stukje straat.

Ik rende. Sneller. Mijn hart bonsde in mijn keel. Mijn blik was aan hem vastgelijmd toen hij in een lege vrachtwagen sprong die vlak voor een open poort stond.

Ik rende, geholpen door de zwaartekracht, nog sneller de steile helling af. Ik rende en rende.

Want hij was het. Het was me gelukt. Ik had hem gevonden. Weer.

Eindelijk kwam ik bij de open vrachtwagen.

De lege vrachtwagen.

Hij was verdwenen.

Als een goochelaar was hij vlak voor mijn ogen in rook opgegaan.

Ik stond in de vrachtwagen en schreeuwde zijn naam: 'Martin! Hufter! Kom maar naar me toe!'

Daar stond ik. Alleen. Ik luisterde naar de echo van mijn eigen stem.

Hoe had hij zomaar kunnen verdwijnen?

Ik knipperde met mijn ogen. En keek nog eens.

Hij was nog steeds nergens te zien.

Ik boog me naar voren, zette mijn handen op mijn knieën en snakte naar adem toen ik de stoffige lucht binnenkreeg. Ik hoestte. Ik gaf mijn verzet op toen een gevoel van hulpeloosheid zich van me meester maakte. De bekende radeloosheid.

En toen hoorde ik iets, ergens op de helling. Een zachte bons. Hij moest uit de vrachtwagen zijn gesprongen en van opzij de helling weer op zijn gelopen.

Ik rende snel, sneller nog, de helling op. Met dezelfde energie als een paar uur geleden: met hoop en vertrouwen in mijn intuïtie en bekwaamheid. Ik kwam dichter bij hem. Heel dichtbij. Zo dichtbij dat ik hem bijna kon aanraken.

'Stop!' schreeuwde ik. 'Blijf staan, nu!'

En dat deed hij. Tot mijn verbazing bleef hij staan, draaide zich om en keek me aan, terwijl de afstand tussen ons tot nul werd gereduceerd.

Hij stak zijn armen uit om de klap te verzachten.

Met al mijn kracht werkte ik hem tegen de grond en zonder te aarzelen ging ik boven op hem zitten. Ik drukte hem met mijn volle gewicht neer, waardoor hij met geen mogelijkheid overeind kon komen. Ik zette hem met mijn knieën vast, zodat hij geen schijn van kans had. Ik sloot beide handen om zijn nek en boog me naar voren. Ik duwde. En duwde. En duwde.

Hem te wurgen, hem te vermoorden met mijn eigen handen, was een genoegen dat ik me nooit had kunnen voorstellen. Ik had het nooit naar waarde geschat. Ik merkte hoe gemakkelijk het ging als je het met heel je hart en ziel wilde. In dat opzicht begon ik hem te begrijpen. Ik voelde – terwijl ik het leven uit hem weg drukte – wat een geluk ik had, wat een ongelooflijk geluk dat ik deze kans kreeg. Niet toevallig, maar een kans die ik bewust had gezocht. De voldoening was onmetelijk… en met mijn gedachten bij Jackson en Cece kneep ik nog harder… en nog harder toen ik aan de familie Alderman dacht, een voor een, al die gezichten. Ze waren nu geesten. Ze vormden een rij en blokkeerden het monsterlijke gezicht achter het masker.

Zijn handen klemden zich misschien al ettelijke seconden, een hele minuut om mijn armen, voordat ik het besefte. Hij kneep zo hard dat mijn armspieren trilden. Plotseling lieten mijn handen zijn hals los. Mijn vingers waren stijf en machteloos.

Toen merkte ik ineens dat ik zijn geur niet rook. De rotte lucht die me die avond had overstelpt in mijn huis in Brooklyn was weg. De stank die me zojuist nog had overspoeld toen ik van die stoel af gleed was weg. Zíjn lucht.

In plaats daarvan rook ik dennengeur.

Hij duwde me van zich af en snakte naar adem terwijl hij ging zitten. Omdat ik bijna stikte in mijn hoofdbedekking trok ik die in één snelle beweging weg. Tegelijkertijd trok hij zijn afgrijselijke groene masker van zijn hoofd.

Vol ongeloof staarden we elkaar aan.

Zonder na te denken, gedreven door een impuls – een chaotische combinatie van schuldgevoel en genegenheid die me overviel – boog ik me naar hem toe en kuste hem. Zijn lippen waren teder, zoet als aardbeien. De smaak van de taart die hij zojuist had gegeten toen hij alleen en misschien ook boos was achtergebleven brak mijn hart.

'Het spijt me verschrikkelijk,' zei ik.

'Je hebt me bijna vermoord.'

'Je bent hierheen gegaan.'

'Natuurlijk.'

'Waarom had je me dat niet verteld?'

'Ik wilde je niet van streek maken, voor het geval...'

Ik legde een vinger tegen zijn lippen en zei: 'Hij is híér.'

Een stem door de luidsprekers deelde mee: 'Alle uitgangen zijn afgesloten. Wilt u blijven waar u bent? Gaat u alstublieft zitten. Dank voor uw geduld en medewerking.'

Medewerking, misschien, aangezien duizenden mensen ineens stil werden en een voor een gingen zitten. Maar geduld waarschijnlijk niet: paniek gonsde door de centrale expositiehal. Mensen wilden weten wat er aan de hand was. Wat was er gebeurd? Wat, wie, waar, hoe, wanneer kwam het gevaar?

Ergens in dit enorme complex, met zijn gigantische zalen, kronkelgangen en al die kamers... Ergens tussen tienduizenden doodsbange mensen, hield Martin Price zich schuil. Ik wist het zeker. Die geur. Die stem. Ik was ervan overtuigd dat hij het was.

Een donkerblauwe zee van politieagenten stroomde de enorme ruimte binnen. Gewapend, klaar voor actie.

De jacht op JPP was geopend.

Batman rende met een fladderende cape met lange, krachtige stappen op ons af. Een zwarte Batman in wie ik pas toen hij dichtbij genoeg was Billy Staples herkende. Heldere ogen, alsof ze geglaceerd waren, met een intense blik. Het was net alsof hij hier ineens met zijn eigen vleugels naartoe was gevlogen om ons te helpen.

'Hij zit in de val in het herentoilet.' Billy's ogen in het masker schoten van mij naar Mac en weer terug om onze reactie te peilen.

Voor mijn geestesoog zag ik een vuurbal door een kamer gaan en exploderen door een draaideur, waardoor alles in brand vloog. Pure, moedwillige destructie. Een hete gloed trok ineens door mijn lichaam, zo heet dat het leek alsof ik smolt.

Ik voelde Macs koele hand op mijn rug om me te kalmeren. Ik deed een stap opzij.

'We hebben hem nog niet gearresteerd,' zei Billy. 'Karin, ik dacht dat jij je die eer misschien wel wilt toe-eigenen.'

Dat wilde ik. Maar de eer die ik voor hem in gedachten had, had niets te maken met het voorlezen van zijn rechten.

We liepen achter Billy aan door de expositiehal, waar het gonsde van het geroezemoes. Kreten van agitatie, angst, verwarring vulden de reusachtige ruimte. Iedereen – congresbezoekers, standhouders, striphelden – zat in kleermakerszit of op z'n knieën of met gestrekte benen op de grond. Ze keken geschrokken naar de agenten die zich tussen hen verspreidden. Sommige agenten hielden hun wapen in de aanslag. Andere droegen een geweer op hun schouder.

Ik draaide me om en zag dat Billy zijn Batman-masker had afgedaan. Het zweet droop van zijn gezicht, dat glom in het licht van de tl-buizen. We volgden hem door de zittende menigte. Mensen keken naar ons met grote, vragende ogen. Ik keek vlak over hen heen en richtte mijn blik op de zwarte nylon cape die op en neer ging op de rug van Billy.

Hij ging ons voor vanaf de grote hal langs de afdeling Anime. Overal zaten mensen dicht bij elkaar en liepen politiemensen rond. Daarna gingen we een korte gang in. We sloegen rechts af een andere gang in die was gebarricadeerd door een rij politieagenten die uiteengingen om ons door te laten.

'Vier minuten!' riep Billy, en hij lachte even. 'Zo lang hadden we nodig om hem klem te zetten. Zo slecht kan hij zich verstoppen.' Ik besefte dat hij het niet alleen tegen mij zei; hij probeerde hierdoor Martin Price te kleineren – die bevond zich binnen gehoorsafstand. We kwamen dichterbij.

We gingen door een klapdeur waarop een mannetje afgebeeld stond.

We liepen het toilet in.

En daar was hij.

Martin Price.

JPP.

Het ergste stuk uitschot. Hij lag ineengedoken op de smerige vloer, als een stuk vuilnis, en verspreidde zijn enorme stank.

Hij lag op zijn knieën, vastgeketend aan de onderkant van een rij wasbakken in de enorme wit betegelde toiletruimte. Tegenover een rij urinoirs. Omringd door zes zwaarbewapende politieagenten.

Hij zag eruit als een klein jongetje.

Blond en bleek.

Hulpeloos.

Zielig.

Zwak.

Wat hij allemaal niet was.

Je zou bijna medelijden met hem krijgen.

Maar dat was wel het laatste wat je deed.

Alle zes agenten bleven staan, evenals Billy, die tegen de deur leunde. En toekeek. Hij gaf me ruimte – fysiek, mentaal en emotioneel. Hij gunde me mijn moment. Alleen Mac bleef vlak naast me staan.

Ik liep langzaam naar Martin Price. In de naar urine stinkende toiletruimte. De tegels plakten onder mijn voeten, elke stap kraakte.

Ik liep. Langzaam. Naar hem toe.

Terwijl hij in elkaar gedoken zat. Deed alsof hij niet bang was. Een en al arrogantie. Zijn lichte ogen schoten heen en weer tussen de vloer en mijn gezicht.

Ik liep.

Langzaam.

Naar hem toe.

Er heerste doodse stilte terwijl iedereen toekeek. Ik haalde zwoegend adem. Het zweet droop van mijn gezicht. Mijn vuisten hingen als stenen naast mijn lichaam.

De beslissing was aan mij. Ik mocht doen wat ik maar wilde.

Ik stond boven hem. Mijn knieën op centimeters van zijn gezicht. Ik keek op de kruin van zijn kalende hoofd. Een fractie van een seconde dacht ik eraan dat er een vrouw was geweest die hem ter wereld had gebracht. Ik werd vervuld van walging door het feit dat hij bestond. Door de willekeur van het lot, dat lukraak met goed en kwaad strooit.

'Allemaal naar buiten,' hoorde ik Billy tegen de zes agenten zeggen.

Er klonk wat gemompeld protest. Maar ze schuifelden de toiletruimte uit, en Billy sloot de rij. Hij liet mij en Mac alleen met die man, die gek, naar wie we zo lang en intens hadden gezocht, en tegen een verschrikkelijke prijs.

Als ik alleen met hem was geweest, helemaal alleen... In gedachten ging ik de mogelijkheden na. Ik zag voor me hoe mijn voet zijn zielige gezicht verpletterde. Ik zag mijn handen de laatste adem uit zijn miezerige hals knijpen. Ik zag hem verslappen onder de kracht van mijn woede. Als ik een pistool had gehad zou ik...

Ik draaide me om naar Mac, en wist weer waarom hij hier eigenlijk was: hij werkte undercover.

'Waar heb je het?'

'Nee, Karin.'

Ik ging met beide handen langs de zijkanten van Macs groene schubbenpak, een exacte replica van het pak dat Martin Price droeg. Ik zocht zijn pistool. Ik wist dat het, wanneer hij het niet op zijn heup droeg, op zijn rechterenkel zat, dus stak ik mijn hand in zijn schoen. Ik greep het vast en trok het eruit.

Het spel was nu aan mij.

'Ga weg,' zei ik tegen Mac. Ik wilde alleen zijn met de man die mijn dochter had vermoord. Mijn man had vermoord. Mijn leven had vernietigd. Met nog meer gruwelen had gedreigd tegen anderen die me lief waren. Die beloofd had terug te komen tot elke dominosteen van zijn zieke spel was gevallen en er niet één meer recht stond. Tot mijn hele familie was uitgeroeid.

Alleen met hem. Zonder een enkele getuige.

'Nee.'

'Ook goed.'

Ik richtte Macs pistool op de kruin van Martin Price. De lafaard kon me niet eens aankijken. Hij kon zijn eigen dood niet onder ogen zien, zoals hij zo veel anderen had laten doen – langzaam, zonder mededogen. Ik zou in elk geval genade tonen. Ik was een geoefend scherpschutter, en hij was zo dichtbij; één schot in zijn hoofd, meer was er niet nodig.

Ik ontgrendelde de veiligheidspal.

Mijn hand beefde.

Ik richtte.

'Karin, niet doen.' Macs hand probeerde mijn arm omlaag te duwen.

'Jawel.'

'Dat is moord.'

'Dat is gerechtigheid.'

'Zo gaat dat niet. Hij zal levenslang krijgen, en dat is erger dan de dood. Denk na. Niet voelen, maar denken.'

Maar was het nodig om nu met morele argumenten aan te komen? Terwijl ik milliseconden verwijderd was van de belangrijkste keuze van mijn leven?

Nee.

Maar...

Price richtte zich op en keek me aan.

En toen zei hij: 'Alsjeblieft, doe het niet.'

In mijn gedachten was ik al verder en zag ik het beeld voor me waarin ik hem afmaakte. En toen ik de kogel recht door de hersenpan van Martin Price zag gaan en exploderen, waardoor er zo'n enorme schok door zijn lichaam en ziel ging dat hij geen tijd kreeg om het geweld van zijn eigen dood tot zich door te laten dringen – toen keek ik in zijn ogen en zag ik een mens...

Wraak – wat was daar zo verkeerd aan? Waarom zou ik ook maar even aarzelen nu die ene kans zich voordeed?

Waarom zou goed of kwaad in zo'n geval tellen?

Wie zou zo'n monster niet af willen maken?

Wie zou er geen vergiffenis krijgen wanneer hij de trekker overhaalde en deze man doodde?

Dat wist ik allemaal. Zelfs op dat moment. Ik begreep het volkomen.

En toch kon ik het niet.

Ik kon het niet.

Ik kwam erachter dat ik eerder mezelf kon doden dan Martin Price.

Waarom?

Toen mijn arm zakte, gleden Macs vingers om mijn hand. Ze pakten het pistool van me af voor het op de grond zou vallen. Ik hoorde hem de veiligheidspal vergrendelen terwijl hij een arm om me heen sloeg en me weghaalde, zo ver mogelijk van Martin Price vandaan zonder de toiletruimte te verlaten. Met zijn vrije hand klopte hij op de binnenkant van de deur en riep: 'Staples!'

Billy kwam met een verontruste blik binnen. Mac stopte zijn pistool weer weg en zei: 'Ik wil hier een getuige bij hebben.' En toen, tegen mij: 'Wil jij nog de eer, Karin?'

Ik voelde me verlamd. Verstijfd, leeg. Zonder iets te kunnen doen stond ik tegenover hém. Een man die in de gevangenis waarschijnlijk een lang leven zou leiden, ambachten leerde, boeken las, basketballen door hoepels gooide, gedachten koesterde aan alle mensen die hij had gepijnigd, de levens die hij had genomen. En uiteindelijk had hij nog steeds het geschenk van zijn eigen leven. Ik kon niet naar hem kijken.

'Doe jij het maar,' zei ik tegen Mac.

De andere agenten schuifelden weer het toilet binnen en ik tuurde naar de grond en bekeek het vuil tussen de witte tegeltjes, terwijl Mac Martin Price zijn rechten voorlas. Toen maakten ze hem los, tilden hem van de grond, boeiden zijn handen achter zijn rug en namen hem mee. Vanuit mijn ooghoek zag ik hem in het voorbijgaan naar me kijken, ik voelde hoe graag hij wilde dat ik omkeek. Maar waarom wilde hij dat ik hem zag? Had hij mij nodig om hem als mens te erkennen? Wilde hij in mijn ogen mijn capitulatie zien – opnieuw? Of wilde hij nog één keer genieten van mijn angst voor hem? Ik was immers zijn dierbaarste getuige. Mijn pijn was voor hem een speciale troost. Zolang ik leefde, voor altijd verdoemd door de zware verliezen die hij op zijn geweten had, leefden ook zijn prestaties voort.

Ik bleek stug omlaag kijken en telde zeventien, achttien, negentien tegels voordat ik de tel kwijtraakte.

En toen ging de deur achter hem dicht. Het geluid van hun voetstappen nam af naarmate ze verder liepen en liet Mac en mij alleen achter in diepe stilte.

Ik schaamde me enorm – voor mijn vurige verlangen JPP te doden en het feit dat ik het niet had gekund. Omdat ik zo'n lafaard was, hoe je het ook bekeek. Ik sloeg mijn handen voor mijn gezicht en huilde. Mac sloeg zijn armen om me heen en omgaf me met zijn warmte. Hij fluisterde iets in mijn oor, waarschijnlijk iets aardigs, maar ik was te erg van streek om het te verstaan.

11

De batterij van de GPS die Jon van onze moeder voor deze rit had geleend was bijna leeg, dus zette hij de auto langs de kant en raadpleegde een plattegrond.

'Zeg nou waar we naartoe gaan,' drong ik aan. Opnieuw.

'Pas als je jezelf weer in de hand hebt.' Jons gezicht leek en profil bijna vlak. Zijn bijna doorzichtige huid vertoonde een netwerk van angst, spanning en vastberadenheid dat beenderen, spieren en kraakbeen leek te hebben vervangen. Hij had geen gemiddeld gezicht, niet meer, niet sinds hij zich met zijn hele wezen had ingezet voor het leven van zijn gezin. Ik was trots op mijn broer vanwege zijn moed, die boven was gekomen op het moment dat onze familie hem zo hard nodig had. Even trots als kwaad omdat hij samen met Joyce samen iets had bekokstoofd wat in mijn ogen een soort ontvoering leek.

Nog geen drie dagen nadat ik van de prozac was gehaald – toen Joyce had geconstateerd dat het een 'verderfelijk effect' had op mijn hersenen en dat ik daardoor 'roekeloos gedrag' vertoonde in mijn jacht, ongewapend en alleen, op een seriemoordenaar – was de somberheid weer terug. Het enige wat ik nu wilde was thuis zijn. Alleen. In mijn donkere appartement. Om te piekeren over dat ene moment, pas geleden. Na te denken over de morele logica waarop ik de belangrijkste keuze van mijn leven had gebaseerd. Mijn grote fout tot op het bot te analyseren. Er eindeloos over te piekeren. Mezelf te haten om mijn lafheid. Spijt te hebben. Ondanks de helderheid van dat moment in het herentoilet van het congrescentrum toen ik de trekker niet kon overhalen, toen ik Martin Price in zijn ogen keek en daarin een menselijk wezen herkende, had ik in mijn eigen ogen in alle opzichten gefaald.

Waarom kon ik hem niet doodmaken?

Dit was de vraag waar ik in weg wilde zakken, alleen, in mijn donkere kamer. Daar wilde ik blijven. Alleen. Voor altijd.

Dat was alles wat ik wilde. Als je dat nog wíllen kon noemen.

Ik miste zo veel. Alles wat ertoe deed: Jackson, Cece, moed; een persoonlijkheid die maakte dat je iemand was die een plek op deze aarde waard was.

Ik zou me schuilhouden, weg van de wereld, en me van niemand iets aantrekken en niets van het leven vragen. Niet om aandacht vragen door weer een zelfmoordpoging. Gewoon existeren, alleen in mijn duisternis. Als ik dat nu maar deed, de tijd liet passeren terwijl ik op dat ene ogenblik terugkeek – mezelf bevrijdde van de pijn om wat daarvoor was gebeurd en van alle verwachtingen van een leven daarna – dan zou ik kunnen leven. Existeren. Zonder de pijnlijke herinneringen die streden met de stem in mij.

'Moet je jou nou zien,' zei Jon tegen me, terwijl ik als een ellendig hoopje naast hem in de auto zat. Hij keek recht voor zich op de weg, niet naar mij, en toch had ik het gevoel dat hij me doorzag. 'Moet je jou zien.' Precies die woorden had hij ook gezegd toen hij twee dagen daarvoor bij me thuis kwam, nadat JPP weer achter slot en grendel zat en Jon zijn gezin naar huis had gebracht:

Moet je jou zien, je bent één hoop ellende. Je ziet er zo vreselijk uit dat ik niet eens naar je kan kijken. Kijk nou toch.

Alles aan me was onverdraaglijk geworden. De duisternis die ik in ieders leven had gebracht. Mijn man en kind, dood. Zijn gezin, doodsbang. Mac, om de tuin geleid. Mijn falen om degene die ons dit had aangedaan te doden. En toch bleven die mensen van me houden. Zo veel dat Jon zijn gezin had thuisgelaten om me naar een bestemming te brengen die door Joyce was uitgekozen en die hij weigerde te noemen.

'Je laat me opnemen.' Ik draaide me weg van zijn gezicht en zag groene flitsen van New York voorbijgaan. 'Ja. Dat is het.'

Een bitter lachje van mijn broer. 'Misschien daarna.'

'Er zijn psychiatrische klinieken in de stad.'

Hij negeerde me en reed door.

Na ruim drie uur reden we Massachusetts in en namen we de afslag naar de Mass Pike, daarna naar Lee. Het was een schilderachtig dorpje met winkels en restaurants en, toen we het kleine centrum uit reden, huizen met grote oude bomen ervoor. Ik was hier nog nooit eerder geweest en had geen idee waar hij me naartoe bracht. We kwamen in een ander dorp, Lenox, dat iets groter en welvarender leek. Maar voor we het wisten waren we er alweer uit en reden we langs de bosrand, waar borden de weg wezen naar TANGLEWOOD.

'Tanglewood?' vroeg ik. 'Waar ze concérten geven?' Jackson had me ooit over deze plaats verteld – al honderden jaren kwamen hier elke zomer 's werelds beste, voornamelijk klassieke musici naartoe om voorstellingen te geven, waarmee ze duizenden cultuurliefhebbers naar dit gebied in het westen van Massachusetts lokten. Ik wist het ineens weer: hij had hierheen willen gaan om James Taylor te zien optreden. We hadden afgesproken erheen te gaan, een kamer te nemen in een plattelandshotelletje, met Cece, om er een weekendje uit te zijn. Ik was het tot dit moment helemaal vergeten.

Ik begon weer te huilen.

'Ik neem je niet mee naar een concert,' zei Jon, zonder zijn ergernis te verbloemen.

We reden langs een stel parkeerterreinen, daarna langs de hoofdingang van Tanglewood zelf. En toen kwamen we bij een bordje waarop KRIPALU stond, en reden we een lange, bochtige oprijlaan in die bergopwaarts ging.

'Wat is dat hier?' wilde ik weten, terwijl ik mijn ogen met de palm van mijn hand afveegde. 'Jon, ik ben geen klein kind dat je zonder uitleg zomaar ergens naartoe kunt brengen.'

Hij wierp me snel een blik toe, en ik zag dat zijn ogen bloeddoorlopen waren, dat hij uitgeput was en niet de energie had om uit te leggen wat hij waarschijnlijk zelf niet begreep.

'Joyce heeft gezegd dat ik je hierheen moest brengen,' zei hij. 'En dat heb ik gedaan. Zodra je bent ingecheckt, moet ik terug.'

'Blijf je niet bij me?'

'Dat kan niet.'

Hij parkeerde de auto voor een groot bakstenen gebouw met twee vleugels aan beide kanten, als een vogel tijdens zijn vlucht. Boven op de berg hadden we uitzicht op tal van andere bergen en de hellingen en dalen ertussenin, allemaal rijk begroeid. Overal was het groen. De lucht was zo ijl en zacht dat ademen bijna moeizaam ging.

Jon had een weekendtas voor me ingepakt die hij nu uit de kofferbak haalde. Ik volgde hem een paar treden op, en liep door een dubbele deur naar een drukke lobby. We sloten achter in de rij aan die voor de balie stond. Tijdens het wachten kreeg ik een flauw vermoeden waar ik me bevond door de woorden die achter de grote balie op de muur gesjabloneerd stonden: KRIPULA YOGA-CENTRUM.

'Je lijkt wel gek,' siste ik in Jons nek. Ik zag kippenvel op zijn huid verschijnen, maar hij reageerde niet. 'Geef antwoord.'

'Dat was geen vraag,' zei hij zonder zich om te draaien.

'Háát je me soms?'

Met een ruk draaide hij zich om en keek me aan met de meest felle uitdrukking die ik ooit bij mijn tot voor kort altijd zo relaxte broer had gezien. 'Ik hou van je, Karin, dus hou op met dat gezeur.'

De rij nam af, maar mijn woede niet. Yoga? Joyce was niet goed bij haar hoofd. En Jon ook niet. Zij allemaal niet, om te denken dat zoiets stoms mijn pijn zou verzachten. Ik was agent geweest. Ik was weduwe. De moeder van een vermoord kind. Een waardeloze lafaard.

Jon haalde een vel papier uit zijn zak, vouwde het open en gaf het aan de jonge vrouw achter de balie, die het las en glimlachte. 'Die moet erg goed zijn.' Ze tikte iets in op haar computer en gaf Jon een print, die hij me aanreikte: *Vijfdaagse workshop angst en depressie, door Joyce Goldman-Kerns.*

Aha! Joyce was bezig met een van haar missies om iedereen te redden en had Jon opdracht gegeven me naar haar toe te brengen. Hierheen: naar een plek waar ik totaal niet hoorde en niet wilde zijn. Ik maakte een prop van het vel papier en probeerde die in de dichtstbijzijnde prullenbak te gooien, maar hij viel ernaast op de grond. Een glimlachende oudere man op blote voeten en in een joggingbroek en T-shirt die toevallig langsliep leek mijn geagiteerdheid op te merken en liep zonder zijn uitdrukking te veranderen door. Een jonge jongen rende lachend langs, rustig gevolgd door een vrouw met blonde dreadlocks, in een zwarte spandex broek en een oranje topje. Ze droeg een ring aan één teen en al haar teennagels waren in een andere kleur gelakt. Toen ze langs ons liep, glimlachte ze, maar ze bleef de jongen rustig achternalopen.

'Ik kan dit niet,' zei ik tegen Jon. 'Dit hier – dat is iets voor Joyce, niet voor mij. Wat moet ik met mensen in spandex en met dreadlocks? Dat kan ik niet.'

'Waarom niet? Waarom geef je het geen kans? Je bent nu toch hier.'

'Ik wil mijn prozac terug.'

'Dat vindt Joyce niet goed.'

'Daar voelde ik me beter door. Het werkte. Dit gaat niet werken.'

'Joyce zei dat je er niet goed op reageerde, en dat je niet eerlijk tegenover haar was over de invloed die het op je had.'

Ach, maar de energie die ik erdoor kreeg... Hoe kon ik het uitleggen? Het was goed geweest. Mijn dagelijkse veertig milligram had me vleugels gegeven. Ik was ervan overtuigd dat ik zonder prozac nooit de moed zou hebben gehad om Mac zover te krijgen dat hij met me uit lunchen ging – en hem vervolgens te laten zitten om mijn eigen plan te volgen. Ik zou het mezelf uit mijn hoofd hebben gepraat dat ik echt naar dat congres toe móést; en misschien hadden we JPP dan nooit gepakt, misschien zou hij dan nog steeds op vrije voeten zijn.

'Jon, heb je niet het gevoel dat dit háár goed uitkomt? Dat haar schuldgevoel spreekt? Omdat ze weer de stad uit was toen ik instortte en haar nodig had?'

Hij schudde zijn hoofd en zei zuchtend: 'Ja. Ik denk dat je gelijk hebt. Ik denk ook dat ze een manier probeert te vinden om je te helpen, wat dat ook mag zijn.' Hij drukte een kus op mijn voorhoofd. 'Ik kom over vijf dagen terug. Alles wat je moet weten staat op dat papier.' Hij bukte zich om het op te rapen, streek het glad en gaf het aan me terug.

En toen ging hij weg.

Ik kon het niet geloven.

Zodra hij was vertrokken ging ik naar de balie, vroeg om de vertrektijden van de bus en kwam er algauw achter dat de laatste bus naar New York een uur eerder was vertrokken. Het was zondag en hier op het platteland ging alles vroeg dicht; ik zou tot morgenochtend moeten wachten om te vertrekken. Ik bestudeerde een mededelingenbord met activiteiten en etenstijden, en vond daarna de kamer waarvan het nummer op mijn verkreukelde inschrijfformulier vermeld stond.

Het was een kamer met vier stapelbedden – gekozen in plaats van een eenpersoonskamer, niet zozeer om geld te besparen, veronderstelde ik, als wel om te voorkomen dat ik alleen was. Ik stalde mijn koffer naast het dichtstbijzijnde onderste bed en ging op zoek naar de badkamer, die, zoals ik algauw ontdekte, in de gang was. De zaal waar Joyce haar workshop zou geven, de zogenaamde Sunset Room, lag aan dezelfde gang.

Ik ging op mijn bed liggen piekeren. Tot rust kwam ik niet. Ik negeerde mijn kamergenoten toen ze binnendruppelden. Ik sloeg het avondeten over en daarna de eerste workshop. Ik verwachtte dat Joyce zou komen om me bestraffend toe te spreken, en was een beetje teleurgesteld toen ze dat niet deed. Ik besefte dat ik net zo koppig was als een humeurig kind, maar ik kon me er gewoon niet overheen zetten dat Joyce en Jon – en ook Mac, gokte ik... en misschien mijn ouders – dit samen hadden bedisseld. Ik had hun blikken wel gevoeld toen ik door wanhoop was overvallen nadat ik met de antidepressiva had moeten stoppen. Ik merkte dat ze samen overlegden hoe ze me zonder chemische middelen weer uit de put konden trekken. Ik kon het hun niet kwalijk nemen dat ze bezorgd waren; als ik er goed over nadacht moest ik er eigenlijk dankbaar om zijn. Tegen de ochtend was mijn woede voor het grootste deel weggeëbd. Ik werd hongerig wakker.

Tijdens het ontbijt in de gemeenschappelijke eetzaal – een enorme, zonovergoten ruimte met ontbijtgranen, vers fruit en slaperige, vriendelijke gezichten – zag ik Joyce. Ze stond in een zwart yogapak, met groene teenslippers en een geborduurde glanzende paarse blouse met lange mouwen over een wit topje in de rij met haar dienblad te balanceren terwijl ze een muffin uit de vitrine koos.

'Die met appel en walnoot is lekker,' zei ik vlak achter haar.

Ze keek om en glimlachte. 'Oké.'

'Een verontschuldiging zou wel aardig zijn.'

'Waarvoor? Je ziet er ontspannener uit dan ik je lange tijd heb gezien.'

Ik had inderdaad goed geslapen, wat ik toeschreef aan de plattelandslucht. Ze had wel lef om dat voor haar rekening te nemen.

'Ik vertrek na het ontbijt.'

'Mag ik bij je zitten voordat je gaat?'

Ik liep terug naar mijn tafeltje en wachtte. Ik zag dat ze een paar plakjes nepbacon op een bord legde, een schaaltje yoghurt pakte en een beker muntthee inschonk. Ze liep met haar blad door de zaal en glimlachte naar de vele mensen die haar begroetten.

'Het lijkt erop dat je hier iedereen kent,' zei ik toen ze haar blad neerzette en tegenover me ging zitten. We zaten met z'n tweeën achter aan een lange tafel.

'Ik kom hier al jaren, sinds de dood van mijn tweeling.'

Dat snoerde me de mond.

'Een auto-ongeluk,' legde ze uit. 'Elf jaar geleden, toen ze pas op de universiteit zaten.'

Ik staarde haar verbijsterd aan. Ze had nooit laten blijken dat ze kinderen had of dat ze het soort verlies had geleden als ik elke week bij haar op de bank opnieuw beleefde.

'Waarschijnlijk had ik je dat niet moeten vertellen.' Ze keek me zo recht aan dat ik niet kon wegkijken. 'Maar om je de waarheid te zeggen, door de manier waarop je me zojuist begroette – tja, ik dacht dat het misschien zou helpen als je wist dat er echt wel iemand is die begrijpt wat jij hebt meegemaakt.'

'Het spijt me.'

'Dat hoeft niet, Karin. Wees gewoon in het hier en nu. Meer kunnen we niet doen.' Ze boog zich over de tafel en greep mijn hand. Ze keek me recht aan. 'Het is voorbij.'

'Het zal nooit voorbij zijn.'

'Ik bedoel dat hij nu in de gevangenis zit.'

'Hij is al eerder ontsnapt.'

'Denk je echt dat ze hem nog eens laten ontsnappen?' Ze schudde zo nadrukkelijk haar hoofd dat haar boblijn tegen haar kin zwaaide. 'Geen schijn van kans.'

'Maar het is...'

'Nee.' Ze kneep iets harder in mijn hand. 'Je moet er weer bovenop komen. Het wordt tijd.'

Verlamd bij de gedachte om het los te laten en door te gaan op een manier die ik allang had opgegeven, keek ik in haar lichtbruine ogen en besefte dat ik nog nooit eerder de groene en gele puntjes in haar iris had gezien.

'Je kúnt het. Je móét het doen. We doen het sámen. Je hoeft niet naar mijn workshop te komen of aan de yogalessen deel te nemen. Er is hier genoeg te doen. Of je kunt ook niéts doen – er zijn kilometerslange wandelpaden, er is een meer, er is een aardig stadje vlakbij. Blijf hier gewoon een paar dagen, dan zien we wel wat er gebeurt, oké?'

'Misschien.'

'Denk erover na.'

'Dat doe ik.' Maar de waarheid was dat ze me al gestrikt had. Joyce was goed in haar werk, en haar timing was uitstekend. Ze wist wanneer en hoe ze de instrumenten waarover ze beschikte moest inzetten.

'Met of zonder medicijnen, het zou toch op hetzelfde neerkomen. Je moet een plek in jezelf vinden waar je je dierbaren kunt herinneren van een afstand die je is opgedrongen. En je moet het jezelf vergeven dat jij nog wel leeft.'

'Maar als we er nu achter komen dat ik weer aan de medicijnen moet?'

'Dat zien we dan wel. Je had ze niet nodig vóór de tragedie plaatsvond, dus ik zie dit niet als een klinische depressie, en misschien hebben we wel ontdekt dat medicatie voor jou niet geschikt is als tijdelijke behandelwijze.'

'Dat is wel een heel groot "we zien wel".'

Ze glimlachte. 'Inderdaad.'

Dus bleef ik en hield mezelf voor dat het voor een dag of twee zou zijn. Ik volgde haar suggestie op om zowel haar workshop als de yogalessen niet te volgen. De eerste twee dagen hing ik voornamelijk rond op het terrein, maakte wandelingen, las op een bankje in de schaduw, waarbij ik omzichtig alle yogi's uit de weg ging die ronddwaalden op zoek naar hun eigen manier om te herstellen. Nu en dan wandelde en praatte ik met Joyce. Net als in haar praktijk in New York liet ze me mijn verhaal doen en gaf ze wijze raad.

Op de derde dag begon ik me te vervelen. Het was een vreemde gewaarwording: een leeg hoofd, iets wat ik lang niet meer had ervaren. Ik had alle ongeorganiseerde activiteiten geprobeerd en verder lokte niets me. Toegevend aan mijn nieuwsgierigheid dook ik de Sunset Room in om naar een van de workshops van Joyce te luisteren. Zo'n veertig mensen zaten op de grond in een kring om haar heen naar haar te luisteren. Allerlei yogarekwisieten stonden verspreid door de ruimte en gaven de indruk dat de workshop, behalve luisteren naar de inzichten van Joyce, ook bestond uit actief bezig zijn. Ik had zo veel gemist dat ik nauwelijks het jargon kon volgen dat ze al die uren en dagen had gebezigd.

Ze bleef het maar over 'lichamen' hebben, alsof we er meer dan één hadden. En ze had het over je 'verhaal', alsof we er daarvan maar één hadden. Ik luisterde en liet de woorden over me heen komen. Ze bedoelde kennelijk een stelsel van emotionele en fysieke lichamen die vastzaten in een cyclus die steeds maar doorging, een zich herhalende dans. Dat kon ik begrijpen: vastzitten binnen in jezelf. Maar het scheen ook zo te zijn dat je die cyclus kon doorbreken door jezelf opnieuw te definiëren – het levensverhaal dat je jezelf en anderen steeds weer hebt verteld te veranderen – waarbij je uit de huid kruipt van wie je dacht te zijn en het verhaal dat je identiteit is geworden van je afwerpt.

Ik herinnerde me hoeveel energie het me had gegeven om in de huid van Spiderman te kruipen. Maar het was nooit bij me opgekomen dat je ook úít een huid kon kruipen, jezelf kon transformeren, net zo gemakkelijk als je erin kon kruipen.

De volgende ochtend ging ik naar de laatste workshop, waar Joyce de groep voorging in een yogales, ervan overtuigd dat ik niet lenig genoeg was om daaraan mee te doen. Na een poosje barstte een vrouw naast me in tranen uit en liet zich op de mat vallen. Joyce kwam haar troosten.

'Gaat het?' hoorde ik Joyce vragen.

De vrouw knikte en schudde daarna haar hoofd.

'Dat is heel normaal,' fluisterde Joyce. 'De dingen die diep in je begraven liggen komen er soms ineens uit.' Ze streelde de vrouw een paar keer over haar rug.

Geleidelijk werd de vrouw kalmer. Intussen bleef ik aldoor denken hoe ironisch het was dat 'dingen die diep in je begraven liggen er ineens uit komen'. Op dat moment werd die zin een metafoor die zich vasthechtte aan mijn verhaal, dat rijkelijk voorzien was van 'dingen'.

Graven.

In die graven: lijken. Echte lijken.

Zeven, om precies te zijn: de vijf Aldermans, Jackson en Cece.

En dan was er nog nummer acht: het lege graf van iemand die aan de dood was ontsnapt. Mijn graf. Dat van Susanna. Van JPP. Het achtste lichaam waarvoor de andere dominostenen moesten vallen. Om de nachtmerrie tot een waarachtig, onherroepelijk einde te brengen.

Nummer acht was het lichaam waarin ik vastzat. Het was de essentie van mijn verhaal: mijn eigen dood, waar ik naar had verlangd. De dood van Martin Price, die ik niet had kunnen verwezenlijken. En de duizend doden – de angsten en verschrikkingen – die daartussenin lagen. Alsof er een plaat werd afgespeeld die bleef steken, die ene toon die constant in mijn hoofd bleef spelen... Zelfs nu de dreiging voorbij was... Zelfs nu er een heel jaar was verstreken sinds het verlies van mijn geliefde echtgenoot en kind.

Toen ik die vrijdag op een bankje voor de hoofdingang van Kripalu op Jon zat te wachten, ging mijn telefoon.

'Hoe gaat het?' vroeg Mac. Het was maar een week geleden dat we Martin Price tijdens het congres hadden gepakt, en nog korter geleden dat ik Mac voor het laatst had gezien. Waarom had ik het gevoel dat we elkaar al een halfjaar niet hadden gesproken?

'Hoe is het met jou?'

'Ik was eerst.'

'Eigenlijk wel goed.'

'Fijn om je stem te horen, Karin.'

Het frisse groen van het gazon voor me liep gevaarlijk steil naar beneden, ging daarna over in een smalle parkeerplaats, en liep vervolgens weer omlaag naar een dal met tuinen, weilanden en bossen, waarna het aan de overkant opliep in het schitterende spectrum van een berg in de verte. Het was prachtig.

'Ik bel je als ik weer in New York ben.'

'Goed idee. Tot ziens...'

'Wacht! Mac?'

'Ja?'

'Ik vind het ook fijn om jouw stem te horen.'

12

Alles was klam in de vroege ochtendnevel die over een uur in de brandende julizon zeker zou optrekken. Jon had zijn enorme gazon gisteren gemaaid en de geur van gras hing nog in de lucht. Ik stond op de veranda voor de keuken en keek naar Susanna die op blote voeten de vier treden af liep naar het gazon, en rondjes rende voordat ze zich op haar rug liet vallen. Lachend. Haar nachthemd was doorweekt.

Vandaag was ze drie geworden. De leeftijd waarop herinneringen beklijven. Een echt begin.

'Susanna, kom binnen, dan kleden we je aan.'

Ze deed alsof ze me niet hoorde. Ik wilde mijn stem niet verheffen omdat Jon, Andrea en David nog binnen lagen te slapen. Dus ging ik naar haar toe op het natte gras. Ik stond naast haar en zei: 'Kom liefje, we moeten voortmaken.'

Ze rolde watervlug van me weg.

Dus deed ik het enige wat ik op dat moment kon bedenken: ik ging in mijn nachthemd op het vochtige gras liggen en rolde naar haar toe. Het gras prikte op mijn huid. Een laagje dauw bedekte me van top tot teen. Ik werd verrast door het geluksgevoel dat door mijn hele lichaam zinderde. Susanna rolde weer naar me toe totdat we neus aan neus lagen.

'We zijn zo nat dat we straks niet hoeven douchen,' zei ik.

Ze sloeg haar ene been over me heen en klom boven op me. Giechelend liet ze zich vallen en ze blies met haar lippen in mijn hals. Ik kietelde haar tot ze ermee ophield.

Een bestelwagen kwam luidruchtig tot stilstand voor het huis.

'Kom,' zei ik.

We renden naar binnen, de trap op. In de logeerkamer, waar ik die nacht had geslapen, trok ik mijn natte nachthemd uit, liet het als een poeltje op de grond liggen en trok de blouse en broek van de vorige dag aan. Daarna rende ik naar buiten om de honneurs waar te nemen. Op de zijkant van de witte auto stond BOUNCY HOUSE. Ik begroette de chauffeur halverwege de oprit.

'Bent u mevrouw Castle?'

'Ik ben haar schoonzus.'

'Ook goed,' zei de man. 'Wilt u hier tekenen? En hoe laat moet het opgehaald worden?'

'Na vijf uur.'

Hij noteerde het op de afleveringsbon en gaf mij het bovenste vel. Intussen waren twee andere mannen bezig een lange rol veelkleurig plastic uit te laden en naar de achtertuin te dragen, samen met een luchtpomp die op een aggregaat werkte.

'Daar graag.' Ik wees naar de plek die Andrea, mijn moeder en ik al tot de beste plek hadden uitgeroepen. De mannen rolden het plastic uit tot er een rood vierkant op het gras lag. Ze sloten de pomp erop aan. Langzaam kwam er een enorm rood-blauw-gele kubus op het gazon omhoog.

Tegen de tijd dat hij helemaal opgeblazen was, verscheen Jon met Susanna. Ze was nu helemaal gereed voor haar grote dag, in haar nieuwe groen met paars gebloemde feestjurk, en haar haar in een hoge paardenstaart, vastgebonden met een paarse strik. Ze slaakte een kreet toen ze het springkussen zag en rende meteen het gras over om het als eerste uit te proberen. Terwijl ze lekker stond te springen, gingen Jon en ik op de veranda zitten met een kop koffie, en namen het schema voor die dag door.

Susanna's verjaardag.

4 juli.

Onafhankelijkheidsdag, in vele opzichten.

Zelfs al was JPP niet langer een bedreiging voor Susanna, hij was nog steeds in onze gedachten. Het was alsof we nog niet helemaal klaar waren met hem en de angst die hij in ons leven had verankerd pas na 4 juli voorbij zou zijn en we zijn dreigement konden vergeten. Dan zou het vandaag niet alleen Susanna's feest zijn, maar ook het einde van onze nachtmerrie. Een einde aan het onvermijdelijke idee van het achtste lijk dat het leven van mijn familie te lang als spookbeeld had achtervolgd. Vandaag kregen we de kans om ons verhaal opnieuw vorm te geven. Het was een belangrijke dag voor ons allemaal, om al die redenen. Het was een heerlijke sensatie geweest om juist deze ochtend wakker te worden, springlevend.

Omdat de tafel voor het feest naar het gazon was verhuisd, liet Jon zijn lege beker op zijn knie balanceren. Hij zag er moe uit, meer dan moe, ouder, na de afgelopen angstige maanden. De kraaienpootjes rond zijn ogen waren dieper geworden en een verticale rimpel tekende zich af tussen zijn wenkbrauwen. En als ik me niet vergiste zag ik in het heldere ochtendlicht wat grijs tussen zijn korte blonde krullen.

'We krijgen mooi weer vandaag,' zei hij.

'We hebben geluk. Als het regende zou alles...'

'In het water vallen.'

Hij glimlachte. Ik glimlachte. We draaiden ons allebei om naar Susanna, die lachend op het springkussen tuimelde. De zon klom nog wat hoger en de hemel werd zienderogen lichter.

'We hebben écht geluk.' Hij boog zijn hoofd en wreef met zijn duimen in zijn oogkassen, zoals iemand doet die een bril draagt, maar Jons ogen waren prima. 'Ik kreeg gisteren een telefoontje over een project. Volgende week is de eerste bespreking.'

'Ga je het doen?'

Hij knikte. 'Maar ik heb het nog niet aan Andrea verteld.'

'Die redt het wel. Mam en ik zijn hier, we helpen haar.'

'De bankrekening slinkt. Ik moet weer aan het werk.'

'Ik weet het.' Ik stak mijn arm uit en kneep even in zijn hand. Net als ik hield Jon van zijn werk bijna evenveel als van zijn gezin. Ik wist dat het niet alleen het inkomen was dat hem ernaartoe trok, maar zijn rusteloosheid. 'Je moet toch weer een keer aan het werk. Ze begrijpt het wel.'

'Dat hoop ik. Gelukkig zijn de eerste besprekingen in New York. Ik hoef waarschijnlijk pas over een week of drie naar L.A.'

Bijna augustus. Hoogzomer. Het beste moment om mijn woning in de stad te ontvluchten. 'Ik blijf wel bij ze.'

'Weet je het zeker?'

'Ik ga met Susanna naar het zwembad en gun Andrea wat rust met David.'

Hij keek me vorsend aan.

'Ik weet het heel zeker,' zei ik.

Voor het huis sloeg een portier dicht. Jon liep erheen om de volgende leverancier te begroeten. Ik ging naar boven om me te douchen en aan te kleden.

Rond het middaguur was het feest in volle gang. Alle twaalf kinderen van Susanna's speelklasje waren uitgenodigd, samen met hun broertjes en zusjes en ouders. Alles bij elkaar, vrienden en buren meegeteld, waren er meer dan vijftig gasten.

Op vier tafels met roze papieren kleden stonden kartonnen Assepoesterbordjes en -bekertjes. Witte heliumballonnen hingen aan bomen, aan de leuning van de veranda en de ruggen van stoelen. Op een serveertafel stonden schalen met sandwiches, crackers, kaas, koekjes, rauwkost en andere snacks. Een enorme taart, versierd met roze en paarse bloemen, trok constant de aandacht van een groep kleine kinderen: ze stonden er op hun tenen naar te kijken, met hun vingertjes om de rand van de tafel, alsof de taart daardoor vanzelf in hun gretige mond zou vliegen. Maar ze moesten tot na de lunch én het optreden wachten voordat ze het lekkers kregen. Toen we Elizabeth Stoppard, oftewel Loopy Lizzie de Clown hadden gepolst, had ze duidelijk gemaakt dat het opdienen van de taart onderdeel was van haar grote finale-act.

Te midden van het vrolijke geroezemoes kwamen af en toe herinneringen boven aan Cece, toen we háár derde verjaardag vierden, toen ik de moeder was van een klein dochtertje dat van prinsessen en sprookjes hield. En in gedachten zweefde ik weg. Net zoals Joyce me had geleerd: niet in de herinneringen blijven hangen, maar ze gewoon toelaten en weer laten gaan. Zonder inspanning toelaten. Het was zwaar, maar ik oefende ermee en vandaag ging het goed. Cece was in mijn gedachten, op dit moment, op dit feest, in Susanna's bewegingen, in elke molecule van de vochtige julilucht. Ze was in al die dingen aanwezig. En toch ook niet. Het doel was hier en daar te zijn, in heden en verleden tegelijk, zonder me tegen een ervan te verzetten. En nu mijn chemische huishouding weer bekomen was van de schrik nadat ik met de medicijnen was gestopt, merkte ik dat ik mezelf in balans kon houden tussen verdriet en overdreven alertheid. Ik miste niet langer de sensatie waarbij mijn geest in volle snelheid op elke gedachte die zich daar nestelde af ging. Ik kon nu stilzitten. Observeren. Nadenken. Voelen. Een wandelingetje maken, mijn tuin verzorgen, kijken naar de vorm van een wolk in de lucht, luisteren naar de regen die op de ruiten roffelde – zonder onophoudelijk de ramp opnieuw te beleven die een einde aan mijn wereld had gemaakt.

Aan de andere kant van het gazon was mam bezig eten op te scheppen voor een steeds langere rij gasten. Toen ik naar haar toe liep om te helpen, hield Andrea me tegen en gaf David aan me over.

'Wil je dat wel?' vroeg ze.

'Met alle plezier.'

Ze liep weg om te helpen bij het eten opscheppen. Voor haar, een jonge moeder, betekende het een moment van vrijheid – even de handen vrij om iets, wat dan ook, te kunnen doen buiten de baby om – terwijl ik gelukzalig David in mijn armen wiegde.

Ik kuste de zachte kruin van zijn donzige hoofd en fluisterde: 'Hallo mannetje.' Hij droeg een hansop met het ontwerp van een smoking. Tien dagen na de dag dat hij was uitgerekend had hij het gewicht en de omvang bereikt van een normale baby die wat klein was uitgevallen. Hij had stralend blauwe ogen en een oogverblindende glimlach. Hij lachte nu ook – zijn hele gezicht lichtte op, en hij trok zijn mondhoeken omhoog – en zo liep ik met hem naar mijn vader, die aan een tafeltje langs de kant zat. Ik ging naast hem zitten en legde David zo neer dat pap hem goed kon zien.

Na de lunch raakten steeds meer kinderen opgewonden over de taart. Maar de clown was te laat.

'Wat moeten we doen?' vroeg Andrea, nadat ze David voor een middagdutje in de wieg in de keuken had gelegd, waar ze hem kon horen als hij huilde.

'De taart aansnijden,' zei mijn moeder. 'Iedereen zei dat ze punctueel was – ze is vast en zeker opgehouden in het verkeer. Wie weet hoelang het nog duurt voordat ze hier is?'

Net toen Andrea de taart wilde aansnijden, kwam de clown de achtertuin in en zei: 'Sorry dat ik te laat ben! De accu was leeg, ik moest wachten tot die weer opgeladen was.' Ze haastte zich naar het midden van het gazon en haalde van alles uit haar tas: een rubberkip, een blik met linten, een melkfles zonder bodem – en binnen een paar minuten stonden alle kinderen en de meeste volwassenen om haar heen te lachen en te klappen.

Loopy Lizzie was minder dik dan de keer dat ik haar had ontmoet, en ze was waarschijnlijk verkouden want haar stem klonk een beetje anders dan ik me herinnerde. Maar met haar wijde, kleurig bedrukte kostuum en haar rode pruik, haar gezicht beschilderd en een grote rode bal op haar neus, kon je met geen mogelijkheid zien of ze een man of een vrouw was, en hoe oud ze was. Ze had ons verteld dat ze, na een begin als actrice, de afgelopen tien jaar nadat ze moeder was geworden de kost was gaan verdienen als clown. Ze was zelfs de meest gevraagde clown op kinderfeestjes in de regio. Toen ik toekeek vond ik haar best grappig, maar ik begreep niet echt waarom iedereen zo hoog over haar opgaf. Misschien was ik gewoon niet zo dol op clowns. In het circus gaf ik altijd de voorkeur aan acrobaten op het koord.

Na zo'n drie kwartier blies ze ballonnen op en liet de kinderen verstomd staan door er eenvoudige katten, honden, harten, hoeden, zwaarden en stokken van te draaien. Daarna deelde ze zoals beloofd de taart uit, en bij elk stuk had ze een grap. Ze was bijna anderhalf uur bij ons geweest, zoals afgesproken, en omdat ze graag snel naar haar volgende afspraak wilde, zei ze dat we haar niet hoefden uit te laten; ze wilde alleen even naar het toilet, daarna zou ze zelf de voordeur wel vinden. Jon betaalde haar en wees haar de weg. Toen hij terugkwam zei hij tegen Andrea dat David nog lag te slapen.

Een paar minuten later hoorden we de wagen van Loopy Lizzie starten en wegrijden, waarna een andere auto arriveerde.

Na een ogenblik verscheen Mac om de hoek van het huis – hij was laat, maar dat was niet erg. Hij zei gedag en kwam naast me staan. Sinds onze kus in het congrescentrum was er een vage tederheid tussen ons ontstaan, maar geen van beiden wilden we iets veranderen aan de manier van omgang die we al zo lang kenden. Ik voelde me bijvoorbeeld veiliger alleen, omdat ik dan in alle vrijheid aan Jackson kon blijven denken. Soms maakte het me bang dat ik me het gezicht of de geur of de lach van mijn echtgenoot niet meer voor de geest kon halen; het was alsof mijn zintuiglijke geheugen hem los ging laten, en dat vond ik vreselijk. Maar Cece leefde nog in elke molecule van mijn lichaam voort. Maar dat was anders, zij was mijn kind.

'Hoe komen ze daaraan?' vroeg Mac toen hij alle kinderen rond zag rennen met hun ballonnen.

'Die heeft de clown gemaakt.'

'De clówn?'

'Loopy Lizzie... Ik heb je over haar verteld.'

Hij keek me onderzoekend aan. 'Lizzie Stoppard is dood.'

'Nee, ze was net nog hier. Ze is een minuut geleden vertrokken.'

'Een jogger in Memorial Park is vanochtend bijna over haar lijk gestruikeld.'

En toen bracht een ijselijke gil uit de keuken ons tot zwijgen.

We troffen Andrea aan in de keuken, op haar knieën voor een grote teil op de grond. Een stuk of tien rode appels dreven op het water waar ze met haar handen in tastte.

Details kwamen uitvergroot in beeld.

De grote wijzer van de wandklok die op zes over halfvier stond.

Een samengeknepen pakje sap waar een rietje bovenuit stak op het aanrecht.

De blauwe fluwelen beer die David volgens Susanna het liefst bij zich had, de beer die ze altijd bij hem in de buurt legde, op de grond naast de wieg.

De wieg zelf – leeg.

Het water dat langs Andrea's armen stroomde toen ze een kleine pinguïn uit het water haalde.

Geen pinguïn, nee. Een smokingpakje – met een baby. Slap. Druipend. Op het moment dat ik het pakje herkende dat David de hele dag had gedragen, meende ik ook David te zien. Andrea moest hetzelfde hebben gezien – of net als ik hebben gedacht hem te zien en dezelfde schok hebben gekregen voordat ze besefte dat de baby een pop was die in Davids pakje gestoken was.

'Waar is hij?' Ze richtte haar vraag aan iedereen die haar had horen schreeuwen en de keuken was binnen gelopen: aan mij, Mac, Jon, en een paar gasten. 'Waar is David?'

'Ik heb hem!' Mijn moeders stem was er eerder dan zijzelf. Gewikkeld in een lichtgroen dekentje lag David in haar armen te pruttelen. 'Hij had een natte luier en moest worden verschoond. Wie heeft die pop dat pakje aangetrokken?'

Andrea pakte David aan en wiegde hem zachtjes, met een blik

vol beschaamde opluchting. 'Sorry,' zei ze. 'Ik wilde niemand van streek maken. Maar ik dacht...' Ze zweeg toen ze Macs gezicht zag, de emoties die over zijn gezicht gleden voordat hij ze kon tegenhouden: verbazing toen hij iets in de teil met water ontdekte; nieuwsgierigheid, toen hij dichterbij kwam staan om het beter te bekijken; angst, toen hij neerhurkte en een arm in het water stak; ontzetting toen hij er twee zwarte, akelig bekend aandoende rechthoeken met witte stippen uit haalde.

Dominostenen. Twee stuks. Drie cijfers: vier, twee, een.

Ze lagen glimmend van het vocht in de palm van zijn hand.

'Is dit een soort grap?' Jon kwam naast Mac staan en keek naar de dominostenen. 'Ik bedoel, wat stelt dit vóór?'

Alle familieleden en gasten lieten ontkennende geluiden horen. Als het bedoeld was als grap om een pop in Davids pakje te steken, en dominostenen in een teil met water te gooien, zou niemand dat willen toegeven. Ik voelde intuïtief aan dat dit geen grap was. Ik kon niet geloven dat iemand hier, op dit feest, in staat was tot zoiets gruwelijks.

Mac keek me aan zonder iets te zeggen. Ik wist wat hij dacht. 'Hij zit in de bak,' zei ik. 'Het is onmogelijk.' Maar een akelig gevoel bekroop me, een afschuwelijke angst.

Mac droogde zijn hand af aan zijn spijkerbroek en haalde zijn mobiele telefoon uit zijn zak. Hij drukte met zijn duim op de sneltoets voor Alan, zijn collega. Een minuut later kregen we de bevestiging dat Martin Price zat waar hij hoorde te zitten: achter slot en grendel in de New Jersey State Prison in Trenton.

En toen begonnen de cijfers door mijn hoofd te gaan: vier, twee, een, twee, vier, een, twee, vier, twee, vier, een...

'Twee-vier-een,' zei ik, en ik keek Mac aan, en ik zag aan zijn blik dat hij het begreep. '*Two-for-one*. Twee voor de prijs van één.'

En ineens keek ik snel om me heen, langs alle gezichten van de groep die plotseling was stilgevallen.

Waar was ze?

Door het keukenraam zag ik een groepje kinderen op het springkussen. Drie jongens en een klein meisje, dat niet mijn nichtje was.

'Waar is Susanna?' vroeg ik.

Mac stopte de natte dominostenen in zijn zak. 'Iedereen gaat nú zoeken.'

Ik werd even duizelig toen de beelden me een voor een voor ogen kwamen: de wijzer van de wandklok stond een minuut verder; de chaos van mensen die ineens door het huis en de tuin liepen; de scherpe toon van een vader die een kind terechtwees dat om aandacht vroeg, op het verkeerde tijdstip, nu er geen ogenblik te verliezen was. Ik sloot mijn ogen en haalde diep adem, vermande me en liep toen over de natte vloer naar Andrea die van schrik stokstijf stond. Ik aaide Davids donzige hoofdje, zo warm, terwijl hij tegen haar hals lag en ze hem stevig vasthield. Haar gezicht drukte ontzetting uit, zoals ik eerder had gezien, in het ziekenhuis, toen ze hoorde dat JPP het had voorzien op Susanna of plannen had voor haar verjaardag – of beide.

'Ik begrijp het niet,' fluisterde Andrea met trillende stem.

'Ik ook niet,' zei ik, maar dat was niet helemaal waar. Als Susanna niet snel gevonden werd, waren er twee mogelijkheden, en die voorspelden allebei niet veel goeds.

Of Martin Price had een imitator, of hij had iemand die met hem samenwerkte.

Ik wilde Andrea troosten, zeggen dat het allemaal een idioot toeval was, een verschrikkelijk misverstand. Maar hoe kon ik? Ik was agent geweest. Een slachtoffer. En ik wist, iedereen wist, dat we zojuist met iets te maken hadden gekregen wat niemand had voorzien. Het was een onwerkelijk moment, waarin je niet begrijpt wat er gebeurt; als in een droom, waarin je niet verder kunt rennen omdat je wordt tegengehouden door iets wat sterker is dan jij.

DEEL DRIE

13

'Susanna wordt nog steeds vermist,' zei ik tegen Alan Tavarese, die in zijn witte Prius achter een stoet politieauto's met extra agenten voor een zoektocht was aangekomen. 'We hebben overal gezocht.' Hoewel 'overal' de lading natuurlijk niet dekte.

Het huis lag aan de rand van een bosrijk gebied dat Walton Avenue scheidde van de weilanden van Waterlands Park. Dat had een pre geleken toen Jon en Andrea op zoek waren naar een huis, maar bood nu allerlei verschrikkelijke mogelijkheden, nog verschrikkelijker vanwege de spoorweg die vlak achter het park lag. Er waren zo veel plaatsen waar een kind kon verdwalen of zich kon verstoppen, te veel wegen om iemand ongezien met haar weg te laten komen. Omdat Susanna nog zo klein was, waren we de zoektocht in huis begonnen. Ik had zelf elk hoekje en gaatje op de zolder verkend, waar ik eigenlijk niet verwachtte haar aan te treffen. Jon, Andrea en een paar vrienden hadden elke kamer, elke kast, elk hoekje doorzocht. Mac, die net met een groepje buren terugkwam van een zoektocht in de omringende tuinen, kwam bij het huis aan toen hij Alan zag.

'Je kunt het best een Amber Alert laten uitgaan,' zei Mac.

'Is al gebeurd,' zei Alan. 'In de hele staat, en we hebben gewezen op de mogelijkheid van ontvoering en verwonding.'

Ik kreeg het ineens warm en besefte dat ik niet de enige was: we stonden allemaal te transpireren. Bij Alan, die uit de koelte van zijn auto was gestapt, stond het zweet op zijn voorhoofd. Langs Macs slapen liepen straaltjes. Het werd almaar warmer, er was dan ook een hittegolf.

'... en het onderzoeksteam is weer bijeengeroepen, al voordat ik vertrok. Beter laat dan nooit...' Alan zweeg ineens, zich bewust van de onwaarachtigheid van zijn woorden. 'Vroeg' was beter geweest dan 'laat', 'laat' was misschien niet beter dan 'nooit'. 'Ze zijn al bezig met de cijfers op de dominostenen – alles wat we weten over je familie, Karin – maar tot dusver geen treffers. Maar luister: iemand in Trenton heeft geprobeerd met Martin Price te praten om erachter te komen of hij weet wat hier in hemelsnaam gaande is, en hij wilde niets zeggen, alleen dat we niet met een imitator te maken hebben. Hij wilde wel kwijt dat hij met iemand samenwerkt. Maar verder zegt hij niets.'

'Geloof je dat, van die partner?' vroeg Mac.

'Eigenlijk wel,' zei Alan. 'Hoe minder die vent zegt, hoe meer ik hem geloof, als je begrijpt wat ik bedoel.'

Achter ons hoorden we Andrea in huis huilen, en Jons geagiteerde stem: 'Dat wéét je niet!'

Ik ging dichter bij Mac en Alan staan. 'We moeten er niet van uitgaan dat het waar is wat hij zegt.'

'Mee eens,' zei Mac.

'We gaan beide mogelijkheden na,' zei Alan. 'En dan kijken we wat dat oplevert.'

'Luister,' zei Mac. 'Susanna wordt vermist vanaf het moment dat die nepclown is vertrokken. Zijn er al sms'jes verstuurd?'

'Jep. Ik heb het al ontvangen, dus dat is zeker gebeurd.'

Sms-berichten, oproepen door internetproviders, mededelingen in grote winkelbedrijven – samen met een tv-oproep door de politie was het nieuws van Susanna's verdwijning al bekend bij tienduizenden mensen, mogelijk al voordat Susanna zelf helemaal besefte wat er gebeurde. (Als... Ik durfde de gedachte niet af te maken: als ze nog...) Het was haar verjaardag, een clown had opgetreden, en toen had de clown haar meegenomen op avontuur... Ik vroeg me af wat er op dit moment door Susanna heen ging.

Een twee vier twee een vier twee... De cijfers bleven door mijn hoofd gaan... Maar iets anders dan die impliciete boodschap – twee voor de prijs van één – kon ik niet bedenken. Martin Price had altijd dominostenen achtergelaten die naar zijn volgende slachtoffer verwezen, zou zijn partner of imitator dan niet hetzelfde doen?

Macs hand op mijn rug bracht me weer terug in het nu, waardoor ik ook besefte dat mijn blouse nat was. Ik transpireerde meer dan ik had gedacht. Agenten in uniform verspreidden zich voor een beter gestructureerde zoektocht in de huizen van buren, terwijl anderen die al eerder waren begonnen met zoeken bijeenkwamen op het gazon, wachtend op verdere instructies – alsof iemand wist wat er moest gebeuren.

Jon overstemde weer het geroezemoes: 'Blijf zoeken! Alsjeblieft!'

Ik draaide me om en zag mijn broer voor zijn huis staan, druipend van het zweet, met halsspieren die opzwollen van de spanning terwijl hij vrienden en buren smeekte om het niet op te geven. Een voor een kwamen degenen die stilstonden weer in beweging, om nog eens overal te zoeken, van één ding overtuigd: blijven staan was geen optie. Zelfs mijn vader dwaalde door de tuin, vlak naast mijn moeder, die op handen en knieën met een zaklantaarn rondkroop die ze op de kruipruimte onder het huis richtte.

'Karin,' zei Mac, 'Alan en ik moeten weer naar het onderzoeksteam om dit allemaal uit te zoeken.'

Ik was verbaasd dat hij wegging, verbaasd door de wrede gewaarwording dat het vangnet onder me weggerukt werd – maar ik hield mezelf voor dat hij aan het werk was, en ik niet, en dat mijn plaats bij mijn familie was.

Ik knikte en zonder verder nog iets te zeggen reden Mac en Alan weg.

Kelly, een andere inspecteur van mijn oude team – een gezette latina van in de veertig met een welluidende stem – had de leiding van de zoekoperatie. Door een megafoon die ze eigenlijk helemaal niet nodig had deelde ze mensen in groepjes in en zorgde ervoor dat niemand dubbel werk deed. Toen ik naar haar toe kwam voor mijn opdracht liet ze de megafoon zakken, sloeg een arm om mijn schouders en trok me dicht tegen zich aan. Ze was een krachtige vrouw en ze rook lekker naar parfum.

'Ga jij maar naar binnen, naar je familie. Ik geloof dat ze het niet goed aankunnen.'

Ik keek naar het huis: het witte stucwerk, de bakstenen, het bochtige paadje vanaf de oprit naar de deur. Een enkele heliumballon, met een lang lint vastgemaakt aan de knop van de buitendeur, rees op naar de hemel en wiegde bijna onmerkbaar.

'Als je iets hoort...'

'Maak je geen zorgen,' viel ze me in de rede. 'Dan ben ik binnen een seconde bij je.'

Binnen was het fris vergeleken met de hitte buiten. Ik hoorde stemmen in de keuken, en voetstappen boven. Maar de eerste die ik zag was Andrea. Ze wiegde de engelachtige David in haar armen, die in zalige onwetendheid lag te slapen. Ze keek me aan en kneep haar lippen op elkaar om aan te geven dat ik stil moest zijn. Het verdriet stond op haar gezicht gegrift, alsof ze al wist hoe dit zou aflopen, alsof de verdwijning van Susanna al in haar gedachten was vastgelegd als een blijvend verlies. Ik liep zo stil mogelijk de kamer door en boog me naar haar toe om haar een kus te geven, haar gerust te stellen door te zeggen dat we nog niets zeker wisten, maar ze draaide zich van me af voordat ik haar zelfs kon aanraken.

'Andrea...' fluisterde ik.

Davids ogen vlogen open, zijn gezichtje werd rimpelig en hij begon te huilen.

'Kijk nou wat je doet!'

'Het spijt me. Sorry dat ik hem wakker heb gemaakt. Sorry dat ik –'

'Ga alsjeblieft weg!' Tranen liepen over haar wangen. 'Ik kan je even niet zien.'

'We vinden haar wel,' zei ik, maar het was een belofte waarvan we allebei wisten dat ik die niet in alle eerlijkheid kon doen.

Ze tuurde naar de muur en huilde met David mee, totdat ik het opgaf en de kamer uit liep.

Ik vond Jon in de keuken, waar hij met een inspecteur sprak die ik niet kende. De man maakte aantekeningen en noteerde bijzonderheden over Susanna: hoe ze eruitzag, wat ze die dag droeg, haar favoriete speeltjes, hoe ze reageerde in stresssituaties. Toen er een stilte viel stelde ik me voor en vernam dat deze inspecteur onlangs aan het team was toegevoegd. Toen hij mijn naam hoorde, keek hij me even aan voordat hij zijn blik afwendde. Hij was slim genoeg om niet te laten merken dat hij natuurlijk wist wie ik was. In plaats daarvan stelde hij zich voor als 'assistent-inspecteur Gerry Mober', en vervolgde toen zijn gesprek met Jon.

Ik voelde me stom en nutteloos en liep weg. Ze hadden me niet nodig; ik liep alleen maar in de weg en herinnerde hen aan de dingen waar ze nu juist niet aan mochten denken: de mogelijk duistere afloop. Ik ging weer naar buiten – dankbaar voor de meedogenloze hitte – en liep over het gazon langs Kelly, wier blik ik aldoor op me gericht voelde. Ik bleef omlaag kijken omdat ik haar aandacht of die van wie ook ineens niet meer kon verdragen, de blikken van iedereen die mijn achtergrond kende; iedereen die wist dat ik, als gevolg van mijn vroegere werk en mijn eigen verliezen, dit het gezin van mijn broer had aangedaan. Zijn onschuldige gezin. Ik had het monster laten hongeren naar meer, en nu had het monster zich vermenigvuldigd. Deed het er iets toe dat ik van Jon en zijn gezin hield, meer dan ik mijn eigen leven waard achtte? Nee. Het enige wat ertoe deed was dat Susanna vermist werd en dat het mijn schuld was. Was er maar een manier om het op een akkoordje te gooien: mijn leven te ruilen voor het hare. Kon dat maar. Ik zou alles doen wat in mijn vermogen lag om haar terug te krijgen. Maar hoe? Ik was me nog nooit zo bewust geweest van mijn hulpeloosheid, van mijn aandeel hierin. Ik voelde alle beschuldigende blikken terwijl ik over het gras naar de straat liep... Totdat ik uiteindelijk, toen ik even omkeek in de overtuiging dat ik in een zoutpilaar zou veranderen als straf voor mijn hang naar het leven, zag dat niemand ook maar enige aandacht aan me besteedde. Dat ik alleen was met mijn gedachten en gevoelens was een opluchting. Ik schudde de gedachte aan mijn eigen schuld van me af, concentreerde me, maakte mijn hoofd leeg en liep de straat op, op zoek naar Susanna.

Huizen. Grasvelden. Auto's die langsreden. En overal mensen die rondliepen en 'Susanna, Susanna' riepen. Die overal in en boven en onder en achter keken. Niet één mogelijke schuilplaats werd overgeslagen. We zochten terwijl de minuten uren werden, en tot de dag overging in de nacht: honderden mensen waren intussen samengestroomd in deze wijk. Kelly's megafoon was van zo'n grote afstand te horen dat je, zonder terug te gaan naar de basis, te weten kwam dat de zoektocht ondanks alle bereidwillige hulp en inspanningen niets had opgeleverd.

Het was donker toen ik terugging naar het huis. De media waren inmiddels in groten getale toegestroomd: vijf televisiewagens met hun hoge satellietantennes, verslaggevers met microfoon voor iedereen die iets wilde zeggen, schijnwerpers die de voorkant van het huis in een felgroene gloed hulden. Al die aandacht had een nieuwe groep zoekers op de been gebracht, die met nietaflatende energie aan het werk gegaan waren. De laatste keer dat ik een dergelijk tafereel had meegemaakt was ik binnen geweest – in een ander huis, *mijn* eigen huis – rouwend om mijn man en kind. Ik haalde diep adem en liep het gras op, terwijl camera's en microfoons me achtervolgden en ik steeds 'geen commentaar' zei totdat ik bij de voordeur was en wachtte tot iemand me binnenliet.

Eindelijk verscheen er een glimp van mijn moeders gezicht toen de deur op een kier openging. Ze trok me snel naar binnen. Assistent-inspecteur Mober had van de eettafel een bureau gemaakt en zat gebogen over een blocnote waar hij dingen op schreef terwijl hij aan de telefoon praatte. Naast de blocnote stond een lege beker, en er lag een servet vol kruimels. Mijn vader zat tegenover hem, met zijn eigen lege beker in zijn hand. Toen hij me zag, was er iets van opluchting te zien in zijn bezorgde blik, maar hij zei niets.

Mijn moeder nam me mee naar de keuken, waar een blad met restanten van het feest op de bar stond. Er werden geen borden of bestek tevoorschijn gehaald. Ze gaf me een servet en zei: 'Eten.'

Ik had geen trek, maar ik had niet de puf om haar tegen te spreken en nam een halve sandwich. Ze gaf me een glas ijswater, en toen ik dronk merkte ik pas wat een verschrikkelijke dorst ik had. Ik dronk nog een glas voordat we iets tegen elkaar zeiden.

'Niets?' vroeg ik, in de wetenschap dat ik het als eerste zou hebben gehoord als er nieuws geweest zou zijn.

'Al die camera's,' zei ze hoofdschuddend.

'Hoe is het met Jon en Andrea?'

Ze zuchtte en keek me met haar lieve ogen aan. 'Ze zijn bang. Ze verwachten het ergste – maar ik niet. Ik voel haar aanwezigheid. Ik voel gewoon dat ze er nog is.'

Mijn moeders optimisme was aanstekelijk en even leefde mijn hoop op. Maar één blik op Jons asgrauwe gezicht toen hij de keuken in liep sloeg al mijn hoop de bodem in. Zijn geagiteerdheid bracht ons tot zwijgen. We keken toe terwijl hij liep te ijsberen, zwaar in- en uitademend, alsof hij moeite moest doen om niet te stikken. Toen hij ineens bleef staan en me aankeek kwam al mijn schuldgevoel in één klap terug.

'Hoe heeft dit kunnen gebeuren?' wilde hij weten. 'Hoeveel tijd hebben jullie geïnvesteerd in die kerel? Twee jaar? En nooit een flauw vermoeden gehad dat hij misschien niet alleen opereerde?'

Ik voelde dat mijn hoofd trilde, alsof het probeerde nee te

schudden, te ontkennen dat we er niet alles aan hadden gedaan om dit aan te zien komen. Martin Price was gepakt. Achter slot en grendel gezet. Het zou voorbij moeten zijn.

'Ik...' Hakkelend. 'Ik...'

'Je kunt Karin hiervoor niet aansprakelijk stellen,' zei mijn moeder zachtjes. Ze raakte Jons arm aan, maar die trok hij meteen weg. 'Juist háár kun je niet aansprakelijk stellen.'

Jon wierp haar een blik vol woede en verdriet toe. Daarna keek hij mij aan. 'Ik weet niet hoe ik hiermee om moet gaan. Het had nooit mogen gebeuren. Het had niet hóéven gebeuren. Ze was nog maar drie!'

'Niet "wás" zeggen.' Ik huilde nu, en hij ook. 'Dat moet je niet zeggen.'

Mijn moeder kwam tussen ons in staan, wreef met haar rechterhand over mijn rug en met haar linkerhand over die van Jon. 'Ik denk...' Ze wilde net verdergaan toen Jon de keuken uit rende. 'Ach,' zei ze nu op een berustende toon, 'het doet er eigenlijk niet toe wat ik denk.'

Ze had gelijk. Het deed er niet toe wat wij dachten. Alleen de feiten deden ertoe, en daaruit bleek tot dusver alleen: er was een vrouw vermoord, Susanna werd vermist en er was een nieuw stel dominostenen gevonden – opnieuw een onbekende factor.

Het was middernacht en ik had niets meer van Mac gehoord sinds hij en Alan die middag waren vertrokken. Mijn besluit hen met rust te laten zodat ze zich konden wijden aan, zo wist ik, een zeer arbeidsintensieve klus, ebde uiteindelijk weg. Toen ik Mac belde, hoorde ik tot mijn verbazing nieuws.

'Ze hebben de wagen van de clown gevonden. Ik rijd er op dit moment naartoe.'

'Susanna?'

'Alleen de wagen, zeiden ze. Hoe houdt iedereen zich daar?'

'Steeds als ik de kamer in loop barst Andrea in tranen uit. Alleen al door mij te zien worden ze eraan herinnerd hoe rampzalig dit kan eindigen. Laten we maar zeggen dat mijn aanwezigheid hier niet bepaald helpt.'

Een stilte, claxons die me duidelijk maakten dat Mac nog niet op de snelweg zat, en toen: 'Ik kan je wel even ophalen.'

Zeven minuten later stond hij voor Jons huis en ik haastte me door een hongerige massa verslaggevers naar zijn auto. Hij reed al bijna weer weg voordat ik goed en wel het portier had dichtgeslagen.

'Waar is Alan?'

'Aan het werk met het team. Ze proberen die cijfercode te kraken, maar ik ben bang dat het vechten tegen de bierkaai wordt.'

'Het spel heet domino.'

Hij wierp mij een halfslachtige glimlach toe. 'Als je op dit moment grapjes kunt maken, ben je of te optimistisch of te pessimistisch.'

'Alleen maar verdoofd.' Hij voegde in op de Garden State Parkway en ik keek de rode achterlichtjes na van een auto die met grote snelheid passeerde. Ik keek naar Mac; zijn voorhoofd was een web van rimpels.

'We kunnen niets concluderen over Susanna,' zei hij. 'Partner of imitator, in beide gevallen hebben we te maken met een andere persoon, dus alles is mogelijk.'

'Maar de dominostenen wezen altijd naar de volgende die aan de beurt was, het onderzoeksteam beschikt over alle cijfermatige gegevens van mijn familieleden, en toch is het niet duidelijk.'

'Oké, maar denk eens na – het is wel steeds vager geworden. De laatste keer liet hij een hint achter die meer zei over de plaats wáár dan over wíé. En die "wie" was mogelijk ook een "wanneer". We zijn er gewoon nog niet achter wat voor aanwijzing ze deze keer hebben gegeven: een wie, wat, waar, hoe of waarom.'

'Een "waarom"? Wat maakt dat uit? Ze zijn gestoord.'

'Een "waarom" zou misschien iets duidelijk maken over hun plannen met Susanna. Ik wil alleen maar zeggen dat de cijfers deze keer van alles kunnen betekenen, ja toch?' De retorische vraag bleef tussen ons in hangen terwijl hij het gaspedaal intrapte om een treuzelende auto te passeren.

We reden de enorme parkeerplaats op van winkelcentrum Willowbrook Mall in Wayne. Het was een sombere plek die werd verlicht door een uithangbord van Macy's aan één kant van het betonnen gebouw en de zwaailichten van politiewagens, waardoor het een scène uit een horrorfilm leek – met dit verschil dat dit helaas de realiteit was. Een paar auto's stonden bij de hoofdingang en de verlichting in het winkelcentrum was aan. De parkeerplaats was verder leeg, op een enkel wit busje na waar de technische recherche rondom bezig was, met hun auto's schuin geparkeerd en de portieren open. De koplampen wierpen hun licht in de bleke duisternis. Een radio in een van de auto's stond aan en speelde Bob Dylans 'Mr. Tambourine Man', een fotograaf van de politie zong mee terwijl hij systematisch afdrukte, steeds met een verblindende flits. Mac en ik schermden onze ogen af toen we op de bestelwagen af liepen. Het zijportier, dat openstond, was beschilderd met een groot lachend clownshoofd dat in deze omstandigheden iets wrangs had.

Een oudere man in witte hemdsmouwen en een blauwe broek kwam op ons af. Zijn dunner wordende haar was zorgvuldig naar één kant gekamd en hij kneep herhaaldelijk in een blauw versleten stressballetje. Hij liet het in zijn zak glijden en stak zijn rechterhand uit.

'Inspecteur Harry Ramirez. U moet inspecteur MacLeary uit Maplewood zijn.'

'Mac.' Ze gaven elkaar een hand. Mac stelde me voor en vroeg: 'Hoe staat het ermee?'

'Tot dusver is er niet meer bekend dan je nu ziet. Geen spoor van het meisje, maar er zijn mensen aan het zoeken in het winkelcentrum, en ook daar in dat weiland.' Hij wees in de verte rechts van hem. Het was te donker om het weiland te kunnen zien.

Een technicus met handschoenen aan sprong uit het busje en zei tegen de fotograaf: 'Hé, Roman, wil je eerst dit doen voordat we alles in zakjes stoppen?'

'Ja, goed.'

We gingen opzij en keken toe terwijl Roman, een man met grijszwart haar dat onder een rode bandana uit kwam, de binnenkant van de wagen fotografeerde. Bij elke flits kregen we iets te zien van het interieur: een smerig bruin harig kleed; drie plastic kratten met clownsspullen; een grote plastic tas waar kleurige ballonnen uit staken; een halfvol krat met waterflessen. Toen ik een ingeduwde injectiespuit op het bruine kleed zag liggen, begon mijn hart als een razende te bonken. In de volgende flits zag ik de feloranje pruik boven op de modderige stof van het pak dat de clown op Susanna's feest had gedragen.

'Heeft hij nog iets anders laten liggen?' vroeg Mac aan Harry Ramirez. 'Iets van het meisje?'

'Niets wat daarop lijkt. Misschien kunnen ze sporen van haar vinden in het lab.'

Mac en ik keken elkaar aan; we wisten allebei dat dat nog langer wachten betekende, en langer wachten betekende de veronderstelling in stand houden dat de nepclown Susanna had ontvoerd, en een onderzoek dat op veronderstellingen was gebaseerd, zou hoogstwaarschijnlijk niets opleveren. Het was geen goed nieuws.

Tegen drie uur in de nacht was de winkelgalerij vanbinnen en vanbuiten doorzocht. Tegen vier uur was er een zoektocht georganiseerd in de omringende straten. Om tien voor halfvijf was het hoofd van de beveiliging van het winkelcentrum opgespoord en gesommeerd. Om kwart voor vijf reed ze de parkeerplaats op, en stapte ze uit haar auto in een paarse ochtendjas en op gympen. Haar identiteitspas en een sleutelring hingen om haar nek.

'Wie heeft hier de leiding?' riep ze. 'Ik heb twee minuten om u bij de bewakingspost binnen te laten, dus opschieten!'

Mac en ik stonden met Ramirez naast een politiewagen, waarvan we het dak gebruikten als koffietafel voor onze piepschuimbekers.

'Rustig aan, mevrouw...' Ramirez kneep zijn ogen samen toen hij probeerde in het donker haar identiteitspasje te lezen. 'Diana Spencer... net als de prinses?'

'Ik ben een alleenstaande moeder en ik heb mijn kinderen midden in de nacht alleen thuis moeten laten, dus schiet op, ik moet hier nú weg!'

Ze stapte weer in haar auto, racete naar de hoofdingang, sprong eruit en liet de motor lopen. Ramirez, Mac en ik volgden haar te voet en voegden ons binnen bij haar. De airconditioning was die dag niet aan geweest en de lucht was bedompt. We kwamen na een rij onverlichte etalages bij een deur die naar een souterrain leidde, en daarna in een grauwe gang met muren van beige geschilderde B-2-blokken en een aantal onopvallende deuren. Ik wist dat we bij haar kantoor waren toen we bij een deur kwamen waarop in het midden een blinkend kroontje geplakt zat. Ze deed de deur open met een van haar sleutels en knipte een stel tl-buizen aan. Toen startte ze haar computer op, toetste haar wachtwoord in en nam ons mee naar een andere kamer, drie deuren verder in dezelfde gang. De lichten waren al aan in de bewakingsruimte, waar acht schermen in een kring zicht boden op een aantal punten binnen en buiten het winkelcentrum.

'Daar is alles terug te zien van de afgelopen vierentwintig uur. Jullie hebben mijn wachtwoord. Als jullie nog iets van me willen weten, kun je me bellen. Ik kom om negen uur terug. Als jullie een kopie willen zorg ik daarvoor. Geen probleem.' En weg was ze.

Mac ging in een van de twee stoelen achter de monitoren zitten. 'Waar moeten we beginnen?'

'Ik moet weer naar buiten.' Ramirez haalde het stressballetje uit zijn zak en gooide het heen en weer in zijn handen. 'Oké?'

'Ga je gang,' zei Mac.

We kwamen er snel achter dat er tweeënzeventig camera's opgesteld stonden in en rondom het winkelcentrum. Als je dat vermenigvuldigde met vierentwintig uur, kwam je uit op zeventienhonderd achtentwintig uur filmmateriaal dat we moesten bekijken. Dat kwam neer op ieder achthonderd vierenzestig uur... Wat ons zesendertig dagen zou kosten, als we niet zouden slapen. Een onmogelijke opgave. Maar we moesten ergens beginnen.

Mac drukte op PLAY boven een sticker met EEN: INGANG OOST. Ik bekeek TWEE: INGANG NOORD. Met de fastforwardtoets gingen we terug tot de vorige middag halfvier, het tijdstip waarop de clown en Susanna voor het laatst in het huis gezien waren, en daarna keken we het filmmateriaal aandachtig door.

Buiten kwam de zon op, maar we merkten er niets van. Het winkelcentrum bleef dicht en we zagen ook niet de rijen klanten die onverrichter zake teruggingen. Seconden, minuten, uren tikten weg in een waas van grofkorrelige beelden totdat ik ten slotte, vlak voor het middaguur, het busje zag. De hoop wakkerde meteen aan dat we na het snelle inparkeren de clown te zien zouden krijgen en, belangrijker, Susanna.

14

Het witte busje van Lizzie Stoppard, met het lachende clownsgezicht op de zijkant, reed de parkeerplaats op en verdween toen uit beeld. Opnieuw. En nog eens. Mac en ik speelden de digitale clip van negen seconden steeds weer af en tuurden intensief naar het HD-scherm op de nieuwe technische afdeling van het politiebureau van Maplewood, waar we even na twaalf uur 's middags met een dvd van de betreffende opname waren aangekomen. Maar alle hightech apparatuur van de wereld gaf niet meer prijs dan een onscherp busje dat het beeld in en uit reed. Slechts negen seconden, en geen Susanna te zien.

'Man of vrouw?' Mac boog zich naar voren en tuurde naar het wazige beeld van de clown achter het stuur.

'Dat kan ik niet zien.'

'Kom op, Karin. Man of vrouw?' Zijn vingertop duwde harder dan nodig was op de replaytoets en de opname was weer slechts negen seconden te zien. Zodra hij afgelopen was, drukte Mac opnieuw op de knop en boog zich nog dichter naar het scherm. Het was onmogelijk te zien wie er achter het stuur zat; je zag niet veel meer dan een persoon van onbepaalde leeftijd en onbepaald geslacht, met een grote oranje pruik op. En toen die persoon de pruik afzette en het pak uittrok, uit het busje stapte en wegliep, had niet één camera dat vastgelegd. De man of vrouw verdween in de menigte – waarschijnlijk samen met Susanna.

Een autopsie van het lichaam van Lizzie Stoppard zou snel plaatsvinden, maar op dit moment was de doodsoorzaak nog onbekend. In het voorlopig rapport stond niets over bloed, niets over aanranding, wurging, een fatale klap... of iets anders wat een gewelddadige aanval deed vermoeden, behalve een paar blauwe plekken en schrammen die erop leken te wijzen dat ze had geprobeerd zich te verzetten. Mogelijk had de lege injectiespuit in de bestelbus iets te maken met de moord, maar pas als de autopsie voltooid was zouden we precies weten hoe en wanneer ze was overleden en of de injectienaald was gebruikt.

Mac leunde naar achteren en keek me aan. Zijn ogen waren bloeddoorlopen. De mijne zullen er niet veel beter uitgezien hebben.

'De manier waarop ze is omgebracht was zorgvuldig, snel, schoon en voorzichtig. Geen gewelddadige actie. Hij kickte niet op bloed. Hij was niet uit op martelen. Anders dan Price, die dat allemaal nodig heeft.'

Ik verdrong de beelden; de foto's van het geweld, die zich in mijn hersens hadden vastgezet. Ik richtte mijn aandacht op het nu, op dit gesprek.

'Volgens mij is het een vrouw,' zei hij.

'Misschien. Maar het clownspak is in de auto achtergelaten. Dat zou een vrouw niet doen.'

'Dan is het misschien een slórdige vrouw.' Mac liet een scheve grijns zien. 'Ik moet je zeggen, Karin, dat je me enigszins verbaast.

Ik had niet gedacht dat jij in stereotypes dacht. Zeker jij niet – je bent helemaal geen opruimerig type.'

'Het was niet zozeer slordig om dat pak achter te laten,' wierp ik tegen, 'maar eerder onvoorzichtig, impulsief, onnadenkend. Ik ken geen enkele vrouw die niet elk aspect van haar leven in strategische banen leidt. Een vrouw die iets wil presteren, zelfs dit, zou van tevoren goed nadenken over elk aspect.'

'Multitasken.'

'Het gaat verder dan dat. Het is strategie. Iedere vrouw die ik ken, ikzelf incluis, overdenkt eerst alles goed. Ik weet dat ík dat pak niet zou hebben achtergelaten. Dat spreekt voor zich. Hij of zij deed er alles aan om die dominostenen achter te laten, en liet ook dat pak achter. Dat was van tevoren besloten.'

'Oké. Dan blijkt er tegenstrijdigheid uit, want we zullen vast en zeker zijn of haar DNA vinden. Huid, haren, dat soort dingen.'

'Martin Price deed nooit iets tegenstrijdigs, wat hij ook deed.'

'Dan is ze tegenstrijdig,' zei Mac, 'of ze wil dat we haar vinden, omdat ze er niet mee door wil gaan – of ze is een beginneling. Misschien is ze er na het vermoorden van Lizzie achter gekomen dat het niets voor haar is... Misschien is dat de reden waarom we Susanna niet hebben gevonden.'

Wat me beviel aan Macs theorie was de onderliggende wensgedachte dat deze moordenaar niet zo bloeddorstig was als JPP. Misschien was Susanna nog in leven.

'Laten we aannemen dat het om een vrouw gaat,' zei ik. 'Als zij met JPP samenwerkt, zou ze iets te maken kunnen hebben met het gevangeniswezen, denk je niet? Dat zou verklaren waarom JPP heeft kunnen ontsnappen – twee keer. En als we de mogelijkheden nog verder beperken, zou ze iets te maken kunnen hebben met de gevangenis van New Jersey.'

'Of een vrouw die iets te maken heeft met iemand die iets te maken heeft met het gevangeniswezen. Of iemand die te maken heeft met iemand die te maken heeft met iemand die –'

'Mac, hou op.'

'Sorry, maar dit is zo frustrerend. Het onderzoeksteam heeft dit al nagegaan; ze hebben de lijst afgewerkt en tot dusver hebben alle vrouwelijke werknemers van de staatsgevangenis een geldig alibi voor 4 juli. Barbecues. Vuurwerk. Iedereen was druk bezig met ouderwets plezier maken.'

De manier waarop hij dat zei: elk woord droop van het cynisme. Alsof ouderwets plezier maken iets was dat niet meer mogelijk was. Ik kon niet zeggen dat ik het niet met hem eens was, maar toch klonk het pijnlijk.

'Mac...'

Hij schudde zijn hoofd, alsof hij daarmee het pessimisme dat vroeg of laat iedere agent bekroop van zich wilde afwerpen. 'Wil jij koffie? Ik kan wel een kop gebruiken.' Hij stond op en liep naar de deur. Ik stond ook op, maar voordat hij de knop had omgedraaid legde ik een hand op zijn arm om hem tegen te houden.

'Ik heb nagedacht over wat we eerder hebben besproken, en ik geloof dat we geen keus hebben.' Het idee terug te gaan naar Martin Price met een tweede verzoek om een gesprek hadden we overwogen en terzijde geschoven. Elke theorie die we uitprobeerden vroeg kostbare tijd, en die konden we niet verspillen aan een beruchte spelletjesfanaat. Maar het schaarse videomateriaal en het totale gebrek aan sporen van Susanna gaf ons het gevoel dat we in volle vaart op een dikke muur af stevenden. We hadden geen enkele aanwijzing – en dat deed pijn. Als we zeker waren van zijn bewering dat hij met iemand samenwerkte, konden we ons misschien sneller een idee vormen van degene naar wie we op zoek waren.

Mac knikte. 'Laten we kijken of hij iets prijsgeeft.'

Zodra we uit de technische afdeling de gang in liepen, hoorden we het telefoongerinkel van bellers die reageerden op het Amber Alert. In een dergelijke situatie waren alle hens aan dek om tips te registreren. We liepen langs de vergaderkamer, waar een onderzoeksteam met extra mankracht hard aan het werk was. Door de glazen wand konden we hen zien, maar niet horen: Alan, verkreukeld en moe, gebarend naar de contactpersoon van de FBI voor een whiteboard waarop cijfers stonden, terwijl nog een stuk of tien andere mannen en vrouwen achter computers en telefoons zaten. Nog tientallen anderen waren buiten het bureau aan het werk.

In de kitchenette achter in de gang stond verse koffie door te druppelen. We bleven wachten tot hij klaar was.

'Als je met JPP gaat praten,' zei ik, 'vergeet dan niet dat hij met je speelt. Trap er niet in. Denk niet aan mij of Jackson of Cece of de Aldermans of zoiets. Stel alleen je vragen.'

'Denk je echt dat je me dat moet vertellen? Als ik die gedachten toeliet, zou ik niets zeggen – dan zou ik die kerel met mijn blote handen vermoorden.'

De koffie was zo heet dat ik mijn tong verbrandde. Maar we werden er wel wakker van. Mac ging meteen aan het werk en diende een verzoek in voor een gesprek met Martin Price. Na een uur kregen we antwoord: de gevangene had erover nagedacht, maar hij wilde niet met Mac of iemand anders van de politie praten.

Alleen met mij.

Mac gaf me toen ik uit het damestoilet kwam een stukje kauwgom. Pepermuntsmaak. Ik haalde het wikkeltje ervanaf en stak de kauwgom in mijn mond tegen de vieze smaak. Ik had zojuist voor de tweede keer sinds we waren vertrokken overgegeven. Een cipier die voor het toilet de wacht hield – een magere vrouw in een blauw uniform en met rode oorbellen – glimlachte hoofdschuddend toen ze me zag, om te kennen te geven dat ik niet de eerste was die ze op die manier had zien reageren voordat hij een kamer binnen stapte waar een beruchte gevangene wachtte. Wat ze niet wist was dat ik niet zomaar een wetenschapper of psycholoog of schrijver was die informatie wilde. Ik was de tante van het vermiste meisje, en ik was zelf bijna een van de slachtoffers geweest van de Dominokiller; het had weinig gescheeld of ik was het achtste slachtoffer geworden in de serie moorden. De cipier kon onmogelijk weten dat dit voor mij geen routinekwestie was, dat elke minuut nu een pijnlijke herbeleving was en dat ik hier was gekomen met een hart vol haat jegens de man die ik ging bezoeken.

'Blijf rustig straks.' Mac legde een hand op mijn rug terwijl hij met me over de glanzende linoleumvloer naar de eerste bewakingspost liep die de openbare hal scheidde van de gevangenis. 'Hier heb je er nog een, voor het geval je nog eens moet overgeven.' Hij stopte een verpakt kauwgommetje in de achterzak van mijn spijkerbroek. 'Als dat gebeurt, richt je maar op hem.'

Dat ontlokte me een glimlach. Althans, dat dacht ik. Aan Macs gezicht te zien was het waarschijnlijk meer een grimas geweest.

Hij liet me achter bij de bewakerspost, waar ik mijn schoenen uittrok, mijn zakken leeghaalde, mijn tas afgaf, mijn kauwgom uitspuugde en de rest van de lange gang alleen door liep. Mac zou het bezoek achter een eenzijdige spiegel volgen. Ik had gedacht dat dat een geruststellende gedachte zou zijn, maar toen ik de verhoorkamer naderde merkte ik dat ik onbedwingbaar beefde.

Een forse bewaker legde zijn hand op de deurknop en aarzelde. 'Wilt u dat ik meega of niet?'

'Nee. Maar hou je oren open.'

'Dat doe ik. Er kijken vier mannen mee via monitoren, dus maakt u zich geen zorgen. We zijn tot nu toe nog nooit een bezoeker kwijtgeraakt.' Hij lachte een stel afstotelijke tanden bloot en duwde de deur voor me open.

En daar zat hij: het monster. Hij besloop me niet. Hij duwde geen mes tussen mijn ribben en geen tong in mijn mond. Hij tergde me niet via de computer. Rende niet van me weg in een Green Goblin-schubbenpak. Maar daar zat hij: vlak voor me, op een normale stoel, als een normaal iemand... bijna. Hij droeg een oranje overall met een nummer op zijn linkerschouder. Zijn geboeide handen lagen op zijn schoot, en van daar liep een ketting naar de grond waar zijn enkels waren vastgebonden aan de onderkant van de stoel, die in de vloer verankerd was.

Ik bleef drie meter voor hem staan. Daar keek ik naar hem, terwijl zijn blik aan me kleefde. Ik voelde hoe zijn verwrongen geest kronkelde, gefrustreerd door het kille feit dat hij, als hij zou proberen op te staan, plat op zijn gezicht zou vallen. Dat wilde ik zien: ik wilde zien dat hij op me af kwam en onderuit getrokken werd door zijn ketens. Zijn huid was flets. Zijn dunne blonde haar was vet en lag in strengen tegen elkaar aan geplakt op zijn glanzende schedel. Hij zat doodstil, alsof hij mijn gedachten las, en toen verscheen er een grijns op zijn gezicht.

Hij wilde net iets zeggen toen ik hem mijn rug toekeerde en de kamer door liep naar de stoel die daar was neergezet om op enige afstand met hem te praten. Ik wilde niet dat hij de touwtjes in handen nam, dat zou verkeerd zijn.

Ik ging zitten. Sloeg mijn benen over elkaar. Sloeg mijn armen over elkaar. Ik zou mezelf hebben opgerold tot een bal om in de hoek van de kamer te gaan liggen als ik niet zo vastberaden was geweest om informatie uit hem los te krijgen. Hij zat hier vast en keek tegen een lang, wreed, inhoudsloos leven of een barmhartige dood aan; hij zou deze keer niet ontsnappen, want niemand gaf hem daartoe de kans. Maar dat was niet genoeg. Ik wilde meer.

Ik keek in zijn fletsblauwe ogen, haalde diep adem, blies uit en stelde mijn eerste vraag.

'Wie is je partner?' vroeg ik, zonder dat ik liet merken dat ik er nog aan twijfelde of hij die had.

Hij keek me aan, maar zei niets.

'Wie heeft de clown vermoord?'

Zijn gezicht vertrok geen spier: niets.

Zijn grijns ging over in een glimlach.

'Waar is mijn nichtje? Wie heeft haar ontvoerd?'

De glimlach verdween abrupt. 'Ontvoerd?' Afkeer verscheen op zijn gezicht, waardoor zijn wangen even trilden. Waarmee hij me duidelijk maakte dat ik iets in hem had geraakt: dat het heel goed mogelijk was dat hij een partner had.

'Ja. Ontvoerd, niet vermoord – we hebben bewijs dat ze nog in leven is. Stelt het je teleur dat je partner niet zo snel te werk gaat als jij?'

Het was een gok om hem informatie te verstrekken die ik niet had, een poging hem een reactie te ontlokken; een gok die alleen maar een ijzige blik en stilte opleverde.

'Natuurlijk stelt het je teleur om te horen dat ze nog leeft,' ging ik door. 'Waarom vraag ik dat eigenlijk?'

'Ja, waarom? Een teleurstelling die jij maar al te goed kent.'

Woede gierde door me heen en ik voelde dat mijn lichaam aanstalten maakte om door de kamer te schieten, mijn handen om zijn nek te leggen zoals ik ooit had gedaan, of had gedacht dat ik had gedaan in het congrescentrum, toen ik in plaats van hem bijna Mac had gewurgd.

'Zou je niet willen dat je nu dat pistool weer in je hand had?'

Ik bedwong mijn woede, riep mezelf tot de orde, verdrong mijn herinneringen.

'Nee. Ik heb er bewust voor gekozen jou niet dood te schieten, Martin. Ik zie je liever de rest van je leven wegrotten in de gevangenis. Het enige wat ik wil is mijn nichtje. Waar is ze?'

Hij hield zijn hoofd schuin. 'Denk je dat ze me laten leven?'

Ik wist niet of hij met 'ze' het gerechtshof bedoelde of zijn medegevangenen, voor het geval een van hen hem te grazen kon nemen. Maar het waren vragen waar ik me niet in wilde verdiepen.

Ik schoof iets naar voren en probeerde het nog eens. 'Waar is mijn nichtje?'

'Je zou willen dat je het had gedaan. Ik zie het aan je – spijt. Ik ruik het aan je.'

Ik dwong mezelf niets te laten merken. Hield mezelf voor dat hij geen grip op me mocht krijgen.

''s Nachts in bed maak je jezelf uit voor lafaard. Waarom had je niet het lef de man om te brengen die jouw dochtertje dát heeft aangedaan?'

Cece – o, Cece, mijn kleintje – ik zag haar nu, zingend bij het ontbijt, half in slaap gewiegd in mijn armen – ik zag haar en rook haar en hoorde haar en ik verlangde naar haar. Ik zag haar levenloze lichaam op het met bloed doordrenkte bed... Daarna zag ik

Susanna... Ik zag haar. En het was alsof er iets in me explodeerde. Onbeheersbare woede en pijn.

Mijn maaginhoud kwam omhoog en ik voelde het braaksel in mijn keel. Ik slikte het weg. Sloot mijn ogen. Haalde een keer diep adem, het leek minuten, uren, jaren te duren. En toen blies ik uit.

Zodra ik mijn ogen opendeed sprak hij.

'Kom hier.'

Ik staarde hem aan. Hield hij me voor de gek? Ik keek en wachtte op uitleg.

'Ik moet je iets zeggen.'

Daarvoor was ik hier. Dus ik stond op. Trillend. Langzaam liep ik naar hem toe.

'Dichterbij.'

Ik boog zo ver voorover dat ik zijn ranzige lucht rook, vermengd met de chemische geur van fabriekszeep.

'Je kunt het nu wel. Leg je handen om mijn nek. Doe het. Maak me dood. In de tussentijd zal ik je vertellen wat je wilt weten.'

O – dit zou het perfecte moment zijn! Ik zou alles krijgen wat ik wilde: zijn dood, mijn wraak, de naam van zijn partner – en Susanna. En hij zou ook krijgen wat hij wilde: een allerlaatste, zelf gekozen daad die een eind zou maken aan zijn machteloze verveling.

'Doe het,' fluisterde hij zo dicht bij mijn oor dat ik de warmte van zijn adem voelde.

Met alle kracht die ik in me had bundelde ik de losse, gloeiende draden van het afgelopen jaar en vlocht er een stevig touw van waar ik me aan vasthield.

Ik ging rechtop staan.

Deed een stap naar achteren.

Draaide me om.

Liep de kamer door.

Ging op mijn stoel zitten.

Keek hem aan.

'Waar is ze?'

Stilte.

'Wie is je partner?'

Martin Price krulde zijn bovenlip in een spottende lach. Zijn smeekbede veranderde in stroperige rancune die van zijn lippen droop toen hij zei: 'Dat is de verkeerde vraag.'

'De verkeerde vraag.'

'Niet herhalen. Dat klinkt stom.'

'Wat is dan de juiste vraag?'

'"Wie ben ik?" of beter: "Wie was ik?" Beantwoord die vraag maar eerst.' Toen richtte hij zijn blik op de deur en hij schreeuwde: 'Cipier!'

We kwamen in de schemering bij Macs huis – de gemeubileerde vrijgezellenflat die hij had gehuurd na zijn scheiding van Val – waar hij het bad voor me liet vollopen om de restanten van de derde en laatste braakpartij van me af te wassen die me had overvallen toen we van de gevangenis wegreden. Terwijl ik in het water lag te weken ging hij naar het souterrain van de flat om mijn kleren in de wasmachine te stoppen, daarna was hij een tijdje in zijn auto bezig met schoonmaakspray en een rol keukenpapier. Ik moest aldoor denken aan een gedicht dat ik op school met Engels had gelezen, waarschijnlijk van Edith Wharton, en met name aan de regel 'hij kwam in de nacht, drukte zijn dunne witte lippen op mijn hart en zoog tot de ochtend'. Of zoiets. Zo voelde ik me: alsof mijn ziel uit mijn lichaam was gezogen door de levenloze lippen van een vampierachtig wezen.

De hele nacht had dat geduurd; alleen had mijn nacht een jaar geduurd.

Ik voelde me leeg, totaal uitgeblust, en ik had niet eens concrete informatie aan het gesprek overgehouden. Hij was erin geslaagd me te tergen, mijn zenuwen te raken waar hij maar kon. Hij had me bijna laten geloven dat hij inderdaad met iemand samenwerkte. Maar hij had mijn vragen over Susanna niet beantwoord. Negenentwintig uur waren er verstreken sinds haar verdwijning en ondanks alle verwoede pogingen van iedereen om haar te vinden, nam de kans dat ze nog leefde statistisch gezien snel af.

Toen Mac terugkwam ging hij op het wc-deksel zitten en namen we alles nog een keer door.

'Hij heeft je een aanwijzing gegeven toen hij zei dat we de verkeerde vraag stelden,' zei hij.

'Hij kwam met een andere vraag.'

'"Wie was ik?"' peinsde Mac hardop. 'Waarmee hij bedoelde... voordat hij met die dominomoorden begon.'

'Of daarvoor nog. Hoelang ervoor?' Ik vond het naar dennen geurende stuk zeep tussen mijn voeten, pakte het op en legde het terug in het zeepbakje aan de witte tegelwand. 'Heb je een handdoek voor me? Ik krijg het koud.'

Mac overhandigde me een handdoek en wendde zijn blik af toen ik druipnat uit het bad stapte. Eerst stond ik er niet eens bij stil dat ik naakt was in het bijzijn van mijn ex-collega, mijn goede vriend. Toen hij zijn blik afwendde kreeg het moment een erotisch geladen tintje, zoals ik nooit eerder in zijn bijzijn had gevoeld. Ik besefte daardoor dat ik me altijd op mijn gemak voelde in zijn aanwezigheid, dat het heel natuurlijk was; maar het deed me ook beseffen dat hij een man was en ik een vrouw. Daarna verdween het gevoel weer even snel als het was opgekomen. Mac volgde me de badkamer uit en ik hoorde hem bezig in de keuken terwijl ik zijn ochtendjas aantrok.

Toen ik op de bank zat – een blauwgeruite slaapbank die de helft van zijn woon- annex eetkamer in beslag nam – kwam hij aan met twee glazen rode wijn. Ik trok mijn benen onder me om ze warm te houden en boog me naar voren zodat ik het dossier kon zien dat hij geopend op zijn schoot had liggen. Allemaal oude papieren die eindeloos waren betast en gelezen en gekopieerd, en ook een paar nieuwe. Het probleem was dat je, wanneer je de informatie te goed kende, niet langer tussen de regels door las. Nu Susanna werd vermist, de resultaten van het lab en de autopsie nog niet bekend waren en de enige andere aanwijzingen – drie cijfers en een vage vraag – naar een dood spoor leidden, moesten we alles opnieuw bekijken.

'Hij is negenentwintig,' zei Mac. 'Voor zover wij weten is hij hier twee jaar mee bezig geweest. Dus vanaf dat punt, vanaf het begin, gaan we alles opnieuw bekijken.'

Ik bracht het glas naar mijn lippen. De wijn was een beetje bitter, maar dat vond ik wel lekker; mijn lichaam reageerde meteen op het verwarmende effect ervan.

'In een weeshuis ondergebracht toen hij twee was,' las Mac voor uit de korte biografie die het eerste onderzoeksteam over Martin Price had genoteerd, 'te jong om zich zijn biologische ouders te herinneren, gemiddeld kind, gegevens van het weeshuis verloren gegaan tijdens een brand, blablabla.'

Oppervlakkig gezien leek het erop dat Martin Price een eenzaam, tragisch kind was geweest, net zoals hij een eenzame, tragische man was. Na de brand in het weeshuis waren er op zijn achtste wat vluchtige aantekeningen over hem opgenomen in zijn nieuwe dossier. Hij was een gemiddelde leerling en een vrij gehoorzaam kind. Na tien jaar was hij op zijn achttiende de wijde wereld in gestuurd met drie stel kleren en vijftig dollar, en met de boodschap dat hij het verder zelf moest uitzoeken. En dat deed hij, zonder dat er veel bijzonders gebeurde, totdat hij besloot het leven van anderen tot inzet te maken van een spel... Waarom?

Mac legde de biografische gegevens opzij en pakte een andere print – het strafblad van Martin Price voordat hij de dominomoorden pleegde. Het was kort en er stond slechts één voorval in beschreven: een arrestatie wegens winkeldiefstal, ongeveer drie maanden nadat hij uit het weeshuis was weggestuurd. Hij had een paar handboeien gestolen in een pornozaak in Trenton, een begin dat al weinig goed voorspelde voor zijn latere gedrag. Daar was niets bijzonders aan op te merken.

Na nog een paar documenten stuitten we op een oud probleem.

'Dit klopt niet.' Mac zwaaide met de kopie van een rijbewijsaanvraag van het Bureau Rijvaardigheid. 'Hoe kun je een aanvraag voor een rijbewijs doen als je vastzit wegens winkeldiefstal?'

Ik kon mijn oude krabbels nauwelijks lezen, maar ik kon het me nog wel herinneren. 'Bureaucratische fout. Iemand heeft de verkeerde datum ingevuld.'

'Denk je dat nog steeds?'

'Bureau Rijvaardigheid? Absoluut. En we zijn naar het adres geweest dat op het aanvraagformulier stond en die man...'

'Paul Maher...' las Mac op een ander vel.

'... vertelde toen dat hij nooit had gehoord van Martin Price, en dat hij er al tien jaar woonde.'

'Ja, dat herinner ik me. Hij keek steeds weg, weet je nog?' Mac probeerde Mahers blik na te doen die ons steeds ontweken had.

Het was vreemd. Maar mensen konden soms vreemd doen. We hechtten er toen niet al te veel belang aan.

'Dat weet ik nog.'

'En hij kon zich de naam van de mensen van wie hij het huis had gekocht niet herinneren.' Mac raadpleegde zijn oude aantekeningen nogmaals: '"Zeven jaar geleden huis gekocht. Woonde er daarvoor al drie jaar, als huurder. Herinnert zich naam van verkoper niet meer. Weet alleen nog dat hij rond de vijftig was." Een verkoper van wie hij drie jaar heeft gehuurd en die hem het huis heeft verkocht, en dan weet hij zijn naam niet meer? Raar.'

'Ann en Arbold Selby,' zei ik. 'Die hebben hun huis destijds aan Jackson en mij verkocht. We hebben hen maar twee keer gezien, op de kijkdag en bij de overdracht.'

'Terry Silverman heeft Val en mij zijn huis zestien jaar geleden verkocht.'

'Het is inderdaad raar.' Ik herinnerde me Paul Maher, zijn weerzin om met ons te praten, maar de reden voor zijn slechte geheugen was me inmiddels ontschoten. 'Wat voor verklaring gaf hij daarvoor?'

'Een of ander zwak excuus. Maar die buurt, tien jaar geleden? Een hoop verslaafden; er is toen een inval gedaan in een ander huis in dezelfde straat. Dealers. Het huis werd gesloten en langzaam bloeide de straat weer op. Als Maher tien jaar geleden al in zijn huis woonde, wat het geval was, dan was hij of stom, of de weg kwijt, of hij was aan de drugs.'

'Maher heeft het huis gekocht waar hij in woonde,' zei ik. 'Misschien heeft hij schoon schip gemaakt met de buurt.'

'Dat denk ik ook.' Mac pakte zijn wijnglas en nam een slok. 'Hij deed schichtig toen we hem twee jaar geleden spraken. Weet je dat nog?'

'Ja.'

'We gaan hem nog eens opzoeken.'

'En als hij zegt dat het inderdaad Martin Price was die hem het huis heeft verkocht? En we komen erachter dat dat degene is die een rijbewijs had aangevraagd? Het moet een veel voorkomende naam zijn.'

Mac zette zijn glas op de salontafel, boog naar voren en keek me aan. 'Ik weet het. Maar een vijftigjarige huiseigenaar in een buitenwijk die niet kan rijden? Hier staat...' hij wees op het formulier – 'eerste aanvraag. Als je goed nadenkt, klopt dat toch niet, Karin?'

'Je hebt gelijk.'

'Kleed je aan. Ik rij de auto alvast voor.'

15

Paul Maher deed de deur open en keek ons verbaasd aan. Hij zag er nog net zo uit als toen we twee jaar geleden ineens voor zijn neus stonden: klein en gezet, een bleke huid, dik zwart haar en groene, dicht bij elkaar staande ogen. Zijn slapen begonnen nu iets te grijzen. Hij stond onder de lamp in het portaal van zijn pas geverfde witte houten huis, in een dure spijkerbroek en een helderwit poloshirt, en hij begroette ons niet. In plaats daarvan riep hij over zijn schouder: 'Ik zet even het vuilnis buiten, schat!' Hij sloot de deur en troonde ons mee het trapje af.

Hij leidde ons weg van de oprit – een keurig pad van lei, omzoomd door kortgeknipt, dik gras – om het huis heen. Langs drie vuilnisbakken – een zwarte, een blauwe en een groene, elk met een etiket waarop een aanwijzing voor het gebruik vermeld stond – naar een achtertuin met een schommel die in het donker zilverpaars glansde. Een roze driewielertje stond naast een fiets met pluimen aan de handvatten en steunwieltjes. Het leek erop dat hij een stel jonge dochters had. Ik slikte een brok in mijn keel weg van afgunst, wrok, plezier, verdriet… wantrouwen. Dit was een man die iets van kleine meisjes wist – en die nerveus was.

We liepen achter hem aan een tuinhuisje in dat zo nieuw was dat er nog een kerstachtige geur van vers hout af kwam. Hij gebaarde me plaats te nemen op een van de vijf bankjes. Mac ging naast me zitten. Paul Maher bleef staan en keek schichtig om naar het huis, waar achter het raam een licht uitging – kind nummer één was net naar bed gebracht, kind nummer twee moest nog, en hij had maar een beperkte hoeveelheid tijd voordat zijn vrouw naar hem op zoek ging. Het was een laat tijdstip om kinderen naar bed te brengen, wat erop wees dat ze heel jong moesten zijn en 's middags nog een slaapje deden.

'Goed, ik zal het kort houden. Dat meisje dat vermist wordt... Ik heb geen idee waar ze is, maar ik kan u wel dit vertellen, ook al hebt u daar waarschijnlijk niets aan: mijn echte naam is niet Paul Maher, maar Marty Prizinsky.'

Mijn hart sprong op toen hij dat zei zonder dat we erom hadden gevraagd. Ik keek steels naar Mac. Hij had nog steeds zijn pokerface op en ik trok ook mijn gezicht weer in de plooi.

'Ik heb alle kranten gelezen, en ik vind het heel erg. Ik had er geen idee van. Ik schrok me dood toen jullie de vorige keer langskwamen, dat geef ik toe. Ik zal nu met jullie praten, maar laten we het alsjeblieft kort houden.'

'Goed,' zei Mac. 'Misschien moet u ons gewoon maar alles vertellen waarvan u niet wilt dat u vrouw het weet.'

Paul Maher knikte snel, alsof hij dat al van plan was, ging toen tegenover ons zitten en sprak op gespannen fluistertoon. 'Twee jaar geleden wilden jullie de naam weten van mijn huisbaas – Fernando Garza. Hij bezat een paar huizen in deze straat en verkocht ze na het vertrek van de dealer.'

'Uw dealer?' vroeg Mac.

'Die van iedereen. De meesten verdwenen na die inval. Sommigen bleven nog een tijdje in de buurt. Ik ben de enige die hier nog woont. Ik kickte af, zocht een baan, kocht het huis. Nu heb ik mijn eigen bedrijf – ik ben websiteontwerper, ik heb zojuist mijn eerste bureau buitenshuis geopend en mijn personeel uitgebreid...' Hij wachtte even om te peilen hoe we op zijn succesverhaal reageerden. Ik glimlachte, Mac knikte en Paul hervatte zijn verhaal, dat voor de helft een voordracht en voor de andere helft een bekentenis leek. '...En inmiddels ben ik getrouwd met Carly en hebben we twee prachtige kinderen.'

'Meisjes.' Ik glimlachte weer.

'Ja.' Hij wierp me een hartelijke blik toe en schoof iets dichterbij.

'Ik wil dit door níéts laten verpesten.'

'Oké,' zei Mac. 'Zoals... wat?'

Het licht in de andere slaapkamer ging uit. Paul Maher keek even naar het huis en toen weer naar ons.

'Luister. Tien jaar geleden was ik echt een loser, ik bedoel in elk opzicht. Dat weten we, oké? Dus toen er een dame kwam die me tien ruggen bood voor mijn identiteit, een nieuw begin, dacht ik: waarom niet, weet u wel.'

'Er kwam "een dáme"?' vroeg ik.

'Wat voor dame?' wilde Mac weten.

'En hoe kwam ze bij u terecht?'

'Via de naaldenverstrekking. Die kwam altijd langs om ons nieuwe injectienaalden te geven. We verklaarden ze voor gek, maar joh – sommigen van ons wilden echt niet dood, niet bewust althans.'

Gisteren: de gebruikte naald die op de vloer van de bestelbus van de clown lag. Mijn hart begon sneller te slaan. Hij wist iets.

'Wie was ze?' Mac boog zich naar voren; zijn oogwit glansde in het licht dat achter uit het huis kwam, waar beneden een lamp was aangegaan.

'Ik weet het niet. Een blanke dame. We stelden elkaar geen vragen bij die transactie. Er werd contant betaald. Toentertijd kon het me niet veel schelen waarom ze die naam wilde – het was trouwens toch niet mijn echte naam, zoals ik al zei. Ik heette bij mijn geboorte Marty Prizinsky, en toen mijn biologische ouders me op mijn tweede naar een weeshuis brachten, stond mijn naam de directeur misschien niet aan. Te etnisch, waarschijnlijk.' Zijn blik ging steeds heen en weer, kennelijk was dat zijn vermijdingsstrategie wanneer iets hem van streek maakte. 'Hij werd wettelijk veranderd in Martin Price. Daar kwam ik pas achter toen ik achttien was en van school kwam... Toen vertelden ze het me; ik kwam van school en was in één klap volwassen. Toen ik die naam, Marty Prizinsky, van de lippen van de directrice hoorde rollen wist ik waarom Martin Price nooit echt als mijn eigen naam had gevoeld. Ik ging op zoek naar mijn biologische ouders en kwam erachter dat mijn moeder in het kraambed was overleden en dat mijn vader een paar jaar nadat hij me had gedumpt als alcoholist was gestorven. Weet u, toen ik het aanbod kreeg om die naam van het weeshuis te verkopen, greep ik die kans maar al te graag. Ik was blij om die zogenaamde kinderjaren achter me te laten, en ik had het geld nodig. Toen kreeg ik de naam van Paul Maher – een ouwe kerel die was overleden. Ze gaf me zijn identiteitspapieren toen ik haar de mijne verkocht. Alleen bij mijn aanvraag voor een rijbewijs ging het mis. De vorige keer dat jullie hier waren, hebben jullie verteld dat jullie zo aan mijn naam waren gekomen. Ik werd bang. Ik wist dat jullie wilden weten wie Martin Price was, of hij de eigenaar was geweest van dit huis, of ik jullie aan zijn adres kon helpen.' Paul Maher schudde zijn hoofd en keek in zijn handen alsof hij in een spiegelende vijver keek. Hij probeerde nog steeds, na al die identiteitsveranderingen, zichzelf te vinden.

'Dat wist u.' Mac hield zijn rustige toon aan.

'Toen ik over die moorden las…' Hij zweeg ineens en schudde zijn hoofd. 'Ik was geschokt. Ik besefte dat die vrouw kwaad in de zin had gehad toen ze mijn naam kocht… Maar geloof me, dat zou je nooit hebben gedacht als jullie haar hadden gezien.'

Twee jaar geleden. Twee jaar geleden had hij geweten dat er verband bestond tussen de verkoop van zijn identiteit en de Dominokiller. Twee jaar, en hij had niets gezegd. Als hij er toen mee voor de draad was gekomen, hadden we een heel jaar de tijd gehad om de vrouw te vinden – we zouden hebben geweten dat we naar haar moesten uitkijken, we zouden hebben geweten dat JPP met iemand samenwerkte, een idee dat nu plausibeler leek dan ooit – en misschien hadden we hen kunnen tegenhouden voordat hij, of zij, Jackson en Cece had vermoord. Voordat Susanna verdween.

Ik stond abrupt op, verlangend naar het duister om de tranen niet te laten zien die in mijn ogen waren gesprongen. Ik liet de twee mannen in het tuinhuisje achter, liep naar de rand van het gras staan en huilde in stilte.

Hun stemmen klonken over het grasveld: 'Ik nam me voor om mijn mond open te doen als jullie nog eens terugkwamen,' zei Paul Maher. 'Toen ik gisteren het nieuws over die moord en de ontvoering hoorde dacht ik al dat jullie zouden komen. En kijk. Ik ben er klaar voor. Wat kan ik doen?'

Mijn laatste restje zelfbeheersing verdween. Een kreet van wanhoop ontsnapte me alsof er een koppige demon in me zat die zich niet liet verjagen, een geluid waardoor hun gesprek even stokte.

Daarna: 'Is zij de vrouw die haar man en kind...?' hoorde ik Paul Maher vragen. 'Jemig. Wat vreselijk.'

Mac zei iets, maar ik kon het niet verstaan, en er klonken voetstappen in het tuinhuisje op het moment dat de achterdeur van het huis openzwaaide: een schuine lichtbundel waarin het silhouet van een vrouw te zien was. Achter haar stond een rood emaillen fornuis.

'Paul? Ben je daar met iemand?'

'Nee.' Hij rende uit het tuinhuis over het grasveld naar zijn vrouw. Ik zag dat hij haar een kus gaf en de deur achter zich dichttrok.

Mac bleef in het tuinhuisje totdat het licht in de keuken uitging en de achterkant van het huis in het donker gehuld werd. Ik liep naar hem toe.

'Sorry,' fluisterde ik.

'Jij bent niet degene die sorry moet zeggen.'

Hij drukte me tegen zich aan toen we over het gras liepen, langs de verschillende vuilnisbakken over de oprit naar de auto. Pas toen hij de auto had gestart en de opgepimpte straat uit was gereden – waar Paul Maher zich ten koste van alles een nieuwe identiteit had aangemeten – bracht Mac me op de hoogte van wat ze verder hadden besproken.

'Die vent is een klootzak,' zei hij. 'Dat zijn junks altijd, of ze nu clean zijn of niet.'

Ik knikte. Ik kon niets zeggen – nog niet. Ik keek naar de huizen die er naarmate we verder reden steeds armoediger uitzagen.

'Hij heeft beloofd over een uur naar het bureau te komen om een paar foto's te bekijken van vrouwen die voldoen aan de algemene beschrijving van "die dáme".' Mac snoof verachtelijk. 'Tenminste, als wij...' Hij schudde zijn hoofd zonder de zin af te maken.

'Als we tenminste wat? Heeft hij geprobeerd het met je op een akkoordje te gooien?'

Mac knikte. Hij wachtte tot het licht op groen sprong en sloeg toen Bloomfield Avenue in, waar we langs een hele rij autodealers reden tot we East Orange hadden verlaten. Ten slotte zei hij: 'Hij helpt ons als we hem niet aan zijn vrouw verlinken. Hij vindt het prettig om Paul Maher te heten. Hij wil het zo houden.'

Ik richtte mijn aandacht op de wereld om me heen – een grote wereld waarin Susanna ergens, in onbekende toestand, wachtte tot ze gevonden werd. We reden Valley Road op en passeerden een aantal restaurants en winkelgalerijen. Enorme, meest lege parkeerterreinen. Boodschappenkarretjes in glimmende rijen achter elkaar, gereed voor de winkelende mensen van morgen. Een eenzaam karretje dat ergens op een eindeloos schaakbord van asfalt was achtergelaten. Een rijtje bomen, daarna nog een winkelgalerij en meer van hetzelfde.

'Had hij maar...' begon ik, maar ik kwam niet verder. Ik keek naar Mac, die hardnekkig recht voor zich uit bleef kijken.

'Precies, Karin. Niet verdergaan.'

Stilzwijgend reden we door de rustige woonstraten van Montclair totdat we bij mijn ouderlijk huis kwamen. De auto van mijn moeder stond langs de stoep geparkeerd, wat me verbaasde, aangezien ik ervan uit was gegaan dat ze nog bij Jon zouden zijn.

'Ik ga terug naar het bureau,' zei Mac, 'maar het lijkt me goed als jij een paar uur slaap krijgt.' Hij keek even naar het statige gele huis, en toen weer naar mij. 'Ik neem aan dat dit de plek is waar je wilt zijn.'

Even was ik van mijn stuk gebracht. Er was eigenlijk geen plek waar ik wilde zijn. De ontmoeting met Martin Price en Paul Maher had het korstje dat de laatste tijd over mijn wond was gegroeid en dat gisteren al was losgescheurd er helemaal afgetrokken. Nu werd ik weer gepijnigd door een hevig verlangen naar iets wat ik niet kon krijgen: mijn gezin. Ik wilde de tijd terugdraaien, ik wilde naar gene zijde om hen te vinden. Waar mijn lichaam deze nacht verbleef maakte me niet uit.

'Ik zou naar binnen kunnen gaan om Jon te bellen en hem te vertellen dat we misschien iets op het spoor zijn.'

'Geen goed idee.'

'Het kan hen helpen als ze wat hoop krijgen.'

'Niet als het valse hoop is.'

Daarop trok mijn gezicht spontaan in een kramp, weer een mislukte poging om mijn tranen tegen te houden.

Mac stak aarzelend een hand naar me uit, trok hem toen weer terug en greep het stuur vast. 'Het zijn zware dagen geweest voor iedereen – maar voor jou, Karin... Luister, ik denk dat je jezelf even de ruimte moet geven. Het is niet goed voor je om ermiddenin te zitten, denk je niet? Laat het aan ons over om haar te zoeken.'

'Wat moet ik nu dan doen? Met mijn armen over elkaar zitten wachten, terwijl ze god weet waar is? Ik moet mee helpen zoeken. Wat voor opties heb ik precies?'

Er passeerde een auto en in het licht zag ik even zijn intense blik, waarin iets te lezen was wat niet alleen te maken had met Susanna's verdwijning.

'Karin...' Hij wilde iets zeggen, bedacht zich en begon opnieuw. 'Ik weet niet wat je opties op dit moment zijn. Maar ik had je niet mee moeten nemen – dat was fout. Een fout van mij persoonlijk.' Zijn hand liet het stuur los en gleed op zijn schoot. Terwijl hij een vuist maakte voelde ik zijn eenzaamheid – ondanks mijn aanwezigheid. Ik voelde dat hij het voor zichzelf wilde houden, zodat ik er niet de druk van voelde. En ik zag op dat moment dat hij nooit zou proberen mijn eenzaamheid te verbreken uit angst dat hij te ver ging en me daardoor helemaal zou verliezen. Macs wens om me op alle mogelijke manieren te helpen, om de wrede misdaden tegen mijn familie te stoppen, waren nooit een geheim geweest; nu begreep ik dat hij er ook naar verlangde mijn innerlijke onrust tot bedaren te brengen... misschien zelfs van me te houden. Maar hij kon zich er niet toe zetten daartoe een poging te doen. Wat mij betreft was de gedachte aan liefde een wazig beeld van iets wat rondtolde: iets wat je duizelig maakte totdat je het probeerde te grijpen, en dan was het weg.

'Mac...' begon ik, maar wat er door me heen ging kon ik niet in eenvoudige woorden uitdrukken.

Hij keek door het raampje van zijn portier, weg van mij, naar de donkere straat. 'Ga naar binnen. Probeer wat te slapen. Toe.'

Ik mompelde welterusten en stapte uit, me ervan bewust dat hij me nakeek tot ik veilig binnen was, ook al stond het politiebusje buiten de wacht te houden. Ik hoorde hem pas wegrijden nadat ik de deur had dichtgedaan.

Het was griezelig stil in huis. Boven bleef ik voor de slaapkamer van mijn ouders staan en hoorde de vertrouwde luidruchtige ademhaling van mijn vader. Het was een geruststellende gedachte dat ze daar veilig en wel in bed lagen te slapen; hoewel de kans groot was dat mijn moeder wakker was. Ik bleef even wachten of ik haar hoorde, toen ze ineens de deur opendeed.

'Heb ik je wakker gemaakt?' vroeg ik zachtjes.

Ze schudde nee en liep de gang in, terwijl ze de deur achter zich dichttrok. 'Ik moest je vader naar huis brengen, de spanning daar... Hij was erg van streek.'

'Hoe is het bij Jon thuis?'

Tranen vulden haar ogen, maar ze vocht ertegen. 'Iedereen is op zoek, honderden mensen, Karin. Het is ongelooflijk om te zien hoe liefdevol al die onbekende mensen zijn. Andrea blijft binnen, ze is er slecht aan toe, maar Jon zet al die woede om in actie omdat...' Haar woorden ebden weg toen ze me in haar armen sloot.

Hoe kon ik het hun vertellen? Mijn ouders? Jon en Andrea? Hoe kon ik hun zeggen dat we stekeblind waren geweest. Dat JPP met iemand samenwerkte – dat ze aldoor al met z'n tweeën waren geweest.

16

'De laatste feiten over de zoektocht naar Susanna Castle, het kleine meisje dat al vanaf haar verjaardag, twee dagen geleden, wordt vermist,' zei de presentator van *Good Morning America*.

Een compositietekening van het gezicht van een vrouw vulde het kleine scherm van de tv in de keuken – en ineens leek het gesis van de gebakken eieren, klaar om opgediend te worden, de aangename geur van koffie, mijn moeder die naar de tafel liep met drie kommen met stukjes meloen, dat alles leek ineens niet meer te bestaan. Ik staarde naar het gezicht op het scherm en wist dat ik daar 'de dame' zag. Steil bruin met grijs haar tot op haar schouders, grote ogen, geprononceerde jukbeenderen, smalle kaak, dunne, strenge lippen. Ik herkende het werk van Narcisco Jones, compositietekenaar van de politie in Maplewood, en de zwierige kraaienpootjes die hij altijd naast de ogen tekende om iemand van middelbare leeftijd weer te geven. Mijn maag trok samen. Mijn adem stokte. De tijd viel weg uit de keuken, uit mijn ouderlijk huis, uit de afgelopen twee jaar, en ineens werd ik geconfronteerd met een vrouw die de andere helft van JPP kon zijn.

Mijn moeder draaide zich abrupt om naar de tv, een van de kommetjes viel uit haar handen en overal lagen stukjes meloen en porselein op de grond.

'De politie van New Jersey wil graag in contact komen met deze vrouw,' zei de presentator. 'Ze willen haar alleen maar enkele vragen voorleggen, zij is geen verdachte.'

Een andere presentator nam nu het woord: 'Kijkt u daarom goed of u deze vrouw kent. Zo ja, vertelt u dan aan de politie waar zij zich bevindt, via het nummer dat onder in beeld komt. Of belt u naar ons, dan geven wij u het nummer. ABC zal deze compositietekening de hele dag laten zien, evenals de andere zenders.'

De tekening werd vervangen door twee telefoonnummers – van de politie van Maplewood en van de televisiestudio – die eeuwig in beeld leken te blijven terwijl de tweede presentator aan het woord was.

'Weet je, de manier waarop mensen het opnemen voor dit gezin, dat is echt ongelooflijk.'

Jons voortuin kwam in beeld: mensen verzamelden zich rond een witte tent waaronder een tafel was neergezet, met daarop stapels fotokopieën. Twee vrouwen stonden met klemborden bij de tafel en deelden routes uit. Een derde vrouw met een roze zonneklep reikte flesjes water uit. De camera zwenkte vervolgens naar de parkeerplaats van de Willowbrook Mall in Wayne, waar een soortgelijk tafereel te zien was.

'Er zijn nu twéé zoekbases waar allerlei mensen zomaar naartoe komen om zo lang het licht is naar de kleine Susanna te zoeken.'

Een close-up van Susanna's lachende gezichtje met paardenstaart vulde het scherm, gevolgd door een foto van Cece… Mijn hart sloeg over.

'Niemand wil dat deze familie opnieuw zo'n drama moet meemaken.'

'Wat meer dan begrijpelijk is.'

Een nieuw camerashot van de twee presentatoren bracht meteen een andere stemming teweeg toen de een zich met een glimlach omdraaide en de ander een nieuw onderwerp aansneed.

Ik hurkte neer om de witte scherven en de met vuil bespikkelde stukjes meloen op te rapen, die ik allemaal in mijn hand legde.

'De eieren,' zei mijn moeder.

Toen pas werd ik me bewust van de brandlucht. Ik keek naar het fornuis en zag donkere rook uit de pan kringelen terwijl mijn moeder eropaf vloog en het gas uitzette. Ik sprong overeind en wapperde met mijn vrije hand de rook naar een open raam boven het aanrecht. Intussen gooide ik de stukjes glas en fruit in de vuilnisbak onder de gootsteen.

'Karin,' zei mijn moeder op dringende toon, 'je bloedt.'

Ik was blootsvoets, en bloedsporen liepen van het fornuis naar de gootsteen. Er zat een snee onder in mijn rechtervoet, zag ik nu. Ik ging aan de tafel naast mijn vader zitten – die vragend van de een naar de ander keek – en pakte een servetje om het bloed op te deppen.

Toen de rook voor het grootste deel was verdwenen en mijn moeder de vloer had gedweild, kwam ze met een verbanddoos naar de tafel en verzorgde mijn voet. Ze trok een behoorlijk groot stuk porselein uit mijn huid en maakte de wond schoon. We waren het erover eens dat het niet zo diep was dat hij gehecht moest worden, dus ze desinfecteerde hem en plakte er een pleister op. Toen keek ze me aan en vroeg: 'Wat was dat voor foto op de tv? Wist je daarvan?'

'Niet van die compositietekening.' Ik had nog niet de kans gekregen om mijn moeder te vertellen wat er de vorige dag was gebeurd.

'Ze hadden ons wel mogen waarschuwen.' Mam ging verbijsterd aan de tafel zitten.

'Ik heb trek,' zei pap.

'Het is niet goed om daarmee ineens geconfronteerd te worden als je nietsvermoedend de tv aanzet.'

'Waar zijn de eieren?'

'Ik bak wel andere.' Mam stond op en ging aan de slag om een nieuw ontbijt te maken.

Ik bleef bij mijn vader zitten en bedacht dat ze gelijk had. Ze hadden ons moeten waarschuwen. Met name Mac had dat moeten doen. Ik liep naar de keukentelefoon en belde zijn mobiele nummer, kreeg zijn voicemail en liet een berichtje achter. Ik ploegde me door het ontbijt en het douchen heen terwijl ik steeds erger van streek raakte. Wat was er precies gaande? Zat er schot in de zaak of was die tekening een slag in de lucht? Pauls bezoek aan het bureau had kennelijk niet de identiteit van de dame opgeleverd... Maar was er iets anders uit naar voren gekomen? Macs besluit om me 'ruimte' te geven begon als een straf te voelen. Ik probeerde hem nog eens te bellen, sprak nog een bericht in... En toen herinnerde ik me opeens dat mijn eigen mobiel uitstond om op te laden, al vanaf de vorige avond. Toen ik hem aanzette zag ik meteen dat hij 's ochtends vroeg een berichtje had achtergelaten.

'Ik wilde je ouders niet wakker maken, dus bel ik je op je mobiel. Ik heb je berichtjes ontvangen, maar het is hier een gekkenhuis... Je kent het wel, Karin. Maher kon niemand identificeren, dus we laten vanochtend een tekening uitgaan in de media. Je weet nooit wat het oplevert. Ik spreek je later. Hou je taai.'

Al mijn boosheid ebde weg. Ik wist inderdaad hoe het daar toeging. Maar Mac droeg altijd zijn telefoon op zak en hij had nog nooit eerder een telefoontje van me genegeerd. Dat feit gaf me een ongemakkelijk gevoel; ik mocht hem niet verliezen, vooral nu niet.

Ik toetste zijn nummer, sprak nog een bericht in en liet mijn mobiel in mijn broekzak glijden, op de trilstand, zodat ik het zou voelen als hij belde. Daarna reed ik met mijn ouders naar Jons huis om mee te helpen zoeken. Geloofde ik echt dat we Susanna ergens in de buurt van haar huis zouden vinden, terwijl het busje van de clown in Wayne was aangetroffen? Als ze nog leefde. Als dat niet het geval was, zou ze praktisch gesproken dichter in de buurt van het winkelcentrum gevonden worden... en daarom wilde ik daar niet zijn.

Op zo'n vijfhonderd meter van het huis zagen we mensen rondlopen met kopieën van Susanna's foto en hoorden we hen dringend haar naam roepen. Ze waren goed voorbereid, met breedgerande hoeden, hun gezicht glimmend van de zonnebrandolie, en velen met flesjes water alsof ze verwachtten dat ze lang buiten zouden zijn. Toen we bij het huis kwamen, zagen we overal op het gras koeltassen staan, als likstenen in primaire kleuren. De zoektocht had op de derde dag de sfeer van een werkdag gekregen, en de wilde paniek die ons allemaal op de eerste dag had vervuld, was verdwenen.

Mijn moeder bracht mijn vader naar binnen, waar hij bij Andrea kon zitten, daarna kwam ze in de tent naar me toe. Ze begroette de vrouw met de roze zonneklep en ging bij de twee anderen aan de tafel staan. Onmiddellijk ontstonden er grootmoedergesprekken over Susanna. Ze deelde daarbij zowel informatie om de zoekenden te helpen ons meisje te herkennen als liefdevolle herinneringen om de hoop op een goede afloop in stand te houden. Ik begreep dat dit haar manier was om met het onbekende lot van haar kleindochter om te gaan en om verdrietige herinneringen aan Cece te vermijden. De dames in de tent wisten niet precies hoe ze met mij, het slachtoffer van een andere tragedie, moesten omgaan, en hielden afstand, deels uit respect, alsof ik een beroemdheid waas, en deels uit angst alsof ik een besmettelijke ziekte had. Ik moest daar weg. Dus ging ik er ondanks mijn zere voet in mijn eentje opuit met een plattegrond waarop een lokale route in fluorescerend blauw aangegeven stond.

Mijn weg voerde door het bosrijke gedeelte dat grensde aan Jons achtertuin naar een tennisveld, en daarna naar een voetbalveld. Vanaf dat punt liep ik naast de spoorweg vijfhonderd meter naar het smalle uiteinde van Waterlands Park en bleef herhaaldelijk staan om goed rond te kijken. Er was nog een heel stel zoekers die de blauwe route hadden genomen dus ik was niet alleen, maar het gevoel dat we allemaal het belangrijkste detail hadden gemist knaagde aan me. De kreten van onbekende mensen die Susanna's naam riepen kregen iets van een vertrouwd achtergrondgeluid. Langs de hele route waren plakkaten met VERMIST met haar foto en uiterlijke kenmerken op bomen geplakt.

Nadat ik de zoom van het park had verkend, waar een pupillenwedstrijdje een van de drie velden met hartverscheurende alledaagsheid tot leven bracht, liep ik het bos weer in terwijl ik steeds opnieuw 'SuzieQ!' riep.

'Karin!'

Toen ik me omdraaide zag ik Jon staan: zonder kaart en zonder fles water, en zo wit als een doek, met dikke wallen onder zijn ogen van de slapeloze nachten.

'Je ziet er verschrikkelijk uit,' flapte ik eruit.

In minder dan een seconde stortte hij zich in mijn armen; voor mijn gevoel viel hij met zijn hele gewicht tegen me aan. Ik wankelde achteruit, hervond mijn evenwicht en hield hem vast.

'Ik mis haar,' fluisterde hij. 'Ik kan dit niet aan.'

Stilzwijgend wreef ik over zijn rug en luisterde.

'Het is ondraaglijk om niet te weten waar ze is. Maar het weten... Als het ergste gebeurt... Dat zou nog erger zijn, toch?' Hij trok zijn hoofd een stukje in en keek me recht aan, met een blik vol angst en een nieuw, onzegbaar begrip. Tranen biggelden over zijn wangen. Ik probeerde ze met mijn vlakke hand weg te vegen, maar ze bleven stromen.

'Dat zul je nooit weten,' zei ik, 'want iedereen is op dit moment naar haar op zoek, en we zullen haar vinden, het komt goed.'

Hij zoog zijn adem in en knikte als een klein kind dat vastbesloten is het ongelooflijke te aanvaarden.

'Mam heeft ons verteld wat je hebt gedaan, Karin... Dat je naar de gevangenis bent geweest om met hem te praten. Wat moet dat zwaar voor je zijn geweest.'

'Het doet er niet toe of het zwaar voor mij is. Als ik niet bij de politie was gaan werken, zou dit allemaal niet zijn gebeurd en zou jij nu niet...'

'Néé. Jij bent bij de politie gegaan om iets waardevols te doen, om mensen te helpen... Dat kan ík niet van mezelf zeggen – en de prijs die je daarvoor hebt moeten betalen...'

Zijn woorden werden gestuit door tranen en ik hield hem weer vast.

'Het spijt me heel erg wat ik gisteren heb gezegd,' zei hij. 'En Andrea ook. We weten dat het niet jouw schuld is.'

'Dank je. Maar dat is het wel.'

Na een paar minuten liepen we gearmd terug naar het huis.

Tegen de avond was er nog steeds geen spoor van Susanna – nergens.

Toen de duisternis inviel, pakten de zoekers hun spullen en gingen ze naar huis, met de plechtige belofte de volgende dag terug te komen.

Jon trok zich terug in zijn huis om de wacht te houden bij Andrea en David.

Mijn ouders en ik reden terug naar Montclair, waar we een lichte maaltijd in de keuken gebruikten en daarna naar onze kamer gingen.

Ik liet me volkomen uitgeput op bed vallen en probeerde Mac nog eens te bellen. Die hele dag had hij, ondanks nog drie berichtjes van mij waarin ik hem smeekte te reageren, nog steeds niet teruggebeld. Het was intens frustrerend om niet te weten hoe ver ze waren met het onderzoek, behalve wat we via de media hoorden, wat, zo wist ik uit ervaring, slechts het topje van de ijsberg zou zijn. Macs telefoon ging vijf keer over voor ik de voicemail kreeg. Deze keer sprak ik niet in. Ik wist dat een compositietekening altijd veel reacties opleverde en soms zelfs een identificatie. Ik wist dat hij het druk had. Er zouden natuurlijk honderden telefoontjes komen van mensen die meenden de vrouw te kennen, die haar vroeger gekend hadden of die gewoon aandacht wilden. Maar op dit moment had ik mezelf ervan overtuigd dat zijn stilzwijgen niet alleen te maken had met de zaak; ons gesprek bij het afscheid in de auto was beladen geweest met zo veel andere dingen. Met het verstrijken van de dag waarbij ik me afwisselend bevond tussen een uitzinnige leegte, zeeën vol wensgedachten, valleien vol herinneringen en tunnels van blinde woede, dwaalden mijn gedachten af en toe naar Mac en voelde ik een verwarrende combinatie van verlamming en verlangen.

Ik legde mijn mobieltje op het nachtkastje en bleef in stilte liggen, terwijl de gedachten door mijn hoofd spookten, ervan overtuigd dat ik de slaap niet zou kunnen vatten.

Eerst was het een gevoel, een diepgewortelde herinnering: de gladde, droge, massieve heuvels en dalen van spieren en huid. En dan het landschap van zijn lichaam, de delen en stukjes met een abstracte vorm, die bij elkaar iets, iemand werden die vertrouwd en uiteindelijk bekend was. De sensatie van Jacksons huid onder mijn handen, de lange spieren in zijn rug, en het besef dat ik hem kon aanraken en dat mijn aanraking door hem heen ging alsof we samengesmolten waren. Dit kon alleen in een droom: dat iemand bij je terugkwam, zo compleet en zonder twijfel.

Ik bevond me in het gebied tussen slapen en waken in het bed uit mijn kinderjaren en mijn man kwam op, in me, en ik liet mijn handen over zijn lichaam glijden. Ik voelde hem. Nam hem in me op. Beminde hem. Ik had hem terug.

'Ssst,' fluisterde ik terwijl mijn lippen de zachte rand van zijn oorschelp beroerden, voelden, proefden, kusten. 'We mogen Cece niet wakker maken.'

Ook haar had ik terug.

Jackson zei niets. Misschien konden geesten niet praten. Maar hij was net zo echt als hij altijd was geweest. En het vrijen was even echt en vertrouwd, en bracht golven van genot en aanbidding teweeg in mijn lichaam, en vuurwerk in mijn hoofd. En daarna werd het nog fijner, dieper, heftiger, en ik voelde dat ons DNA samensmolt terwijl ons tweede kind werd verwekt, waarmee we een belofte inlosten die we elkaar ooit hadden gedaan, voordat, voordat, voordat...

Nu stond ik alleen in een korenveld, warm en bezweet in de gloeiend hete zon. En daar was Jackson, in de spijkerbroek en het

T-shirt dat hij de laatste keer had gedragen... de laatste keer... Daar stond hij in de verte op een heuvel en hij sloeg steeds op een gong. Golven van galmend geluid. Oorverdovend. Het verwarde me.

Gerinkel. Er belde iemand. Jackson. Dat was het.

Ik deed mijn ogen open. Koplampen van een auto wierpen hun licht op het plafond, veranderden de schaduwen in mijn kamer en verdwenen. En het was weer donker. En stil. Ik was volkomen gedesoriënteerd door mijn droom over Jackson terwijl hij kennelijk nog niet thuis was.

Ik zag iets op mijn nachtkastje flitsen: het lampje van mijn mobiele telefoon gaf aan dat ik gebeld werd. Ik rolde om en greep het toestel, klapte het open en drukte het tegen mijn oor aan.

'Waar ben je?'

'Sorry dat ik niet eerder heb gebeld. Heb ik je wakker gemaakt?'

'Ik droomde net van je. Kom je naar huis?'

'Karin?'

En toen zag ik waar ik was, en wie ik was, en wist ik weer wat er gebeurd was. Een golf verdriet werd meteen gevolgd door een golf schaamte. Misselijkheid. Daarna – leegte, berusting.

'Mac? Heb je haar gevonden?'

'Nee.' Stilte. 'Karin, luister...'

Voordat hij verder kon gaan vertelde ik weer huilend mijn verhaal tegen de geduldigste man van de wereld. Ik wilde ophangen om hem dit te besparen, maar tegelijkertijd drong het naarmate ik wakkerder werd tot me door dat het wel eens een hele tijd kon duren voordat ik hem weer aan de lijn zou krijgen.

'Hoe laat is het?' vroeg ik.

'Bijna elf uur. Sorry, ik dacht dat het nog niet te laat was om te bellen.'

'Geeft niet. Ik wilde je de hele dag al spreken.'

Na een kort ogenblik zei hij: 'Als je wilt, kom ik naar je toe.'

'Ja.'

Ik stond op, trok mijn nachthemd uit, deed een spijkerbroek en een T-shirt aan en ging op bed zitten wachten. Wachten. Alleen. In een huis dat in doodse stilte gehuld was. Mijn ouders lagen verderop in hun kamer. Waarom voelde ik me zo alleen in dit huis terwijl ik niet alleen was?

Maar ik wist wel waarom. De intensiteit van mijn droom, mijn oude verlangen naar Jackson had me bij het wakker worden iets onherroepelijk duidelijk gemaakt: dat hij dood was. Dat dat zo zou blijven. Ik kon de rest van mijn leven doorbrengen met verlangen naar hem, naar Cece, of...

Een kwartier later belde Mac weer. 'Ik sta buiten.'

Ik liep naar het raam en schoof het gordijn open. Daar stond hij, voor het huis met zijn handen in zijn zakken op me te wachten.

Ik pakte mijn tas, trok de voordeur achter me dicht en liep naar hem toe. Voordat hij iets kon zeggen, voordat ik iets kon zeggen, stonden we tegen elkaar aan met onze armen om elkaar heen. Onze voorhoofden raakten elkaar en we keken elkaar aan.

'Ik weet dat dit niet het juiste moment is,' fluisterde hij, 'maar ik verlangde naar je. Is dat oké?'

Ik knikte. Het was meer dan oké.

Met zijn arm warm om me heen liepen we naar zijn auto. De agent in de surveillancewagen deed alsof hij niets zag. Onderweg naar Macs huis zeiden we niets, alsof woorden ons wankele besluit om samen te zijn teniet zouden kunnen doen. We zeiden nog steeds niets toen we over het parkeerterrein naar zijn huis liepen. Toen we in de lift stonden. Toen we zijn woning binnen gingen.

We zeiden niets toen we ons naar elkaar toe keerden en stuk voor stuk elkaar ontdeden van kleding, weerstand en twijfel.

'Wat is er met je voet gebeurd?'

We lagen naakt naast elkaar op Macs bed. De airco blies zoemend koele lucht de kamer in, maar we hadden het nog steeds warm en waren overdekt met een laagje zweet. Ik tilde mijn rechtervoet op en zag dat de pleister door het lopen van zijn plaats was geschoven. De wond was nu deels zichtbaar en zag er bloederig uit. Er was vuil in mijn sok gekropen dat aan de rand van de pleister plakte.

'Ik heb over glasscherven gelopen. Wat dacht je dan?'

Hij grinnikte en wachtte op een serieus antwoord. Zijn ogen waren slaperig, sexy. Ik rolde me tegen hem aan en vertelde hem wat er die ochtend tijdens het ontbijt was voorgevallen.

'Dat gaan we even schoonmaken.' Hij liep naar de aangrenzende badkamer en deed het licht aan. En daar was hij: het was echt. Híj was echt, levend, we hadden gevreeën en er was tussen ons niets veranderd, alleen maar inniger geworden. Mac was naakt prachtig. Ik keek naar de spieren van zijn rug die bewogen toen hij het spiegeldeurtje van het medicijnkastje opendeed en er een doos pleisters uit haalde, een flesje alcohol, een potje watten en een tube antiseptische zalf. Zonder kleren zag hij er magerder uit dan ik had gedacht, en hij bewoog zich met gratie. Terwijl ik naar hem keek voelde ik een nieuwe, innige band tussen ons die me blij maakte. Hij had de pijnlijke droom verjaagd; de droom die een brug had geslagen naar dit punt en die ik nooit overgestoken zou zijn als ik niet op die manier wakker was geschrokken. Zijn telefoontje had me op het juiste moment uit mijn halfslaap gehaald.

Hij trok zijn boxershort aan, ging in kleermakerszit op het bed naast me zitten en deed het bedlampje aan. Het verspreidde een zwakke gloed, maar genoeg om te zien wat me niet eerder was opgevallen: een kleine, paarsige tatoeage, een bloem, vlak onder zijn linker sleutelbeen. Ik raakte hem aan.

'Wat is dat?'

'Een dahlia. Die heb ik laten zetten toen ik achttien was – jeugdige dwaasheid. Ik ben er niet toe gekomen om hem te laten weghalen.'

'Niet doen. Hij is mooi.'

'Geef je voet eens.'

Ik liet me zittend tegen twee kussens zakken en legde mijn gewonde voet op zijn schoot. 'Voorzichtig alsjeblieft.'

'In het licht ziet het er erger uit.'

'Geldt dat niet voor alles?'

'Niet voor jou.'

'Voor jou ook niet.'

Hij keek me even aan, beantwoordde mijn glimlach en in één ruk trok hij de vuile pleister van mijn voet. Het ging zo snel dat er geen tijd was om het uit te schreeuwen of zelfs om er lang bij stil te staan. Ik sloot mijn ogen en huiverde even toen hij de snee depte met alcohol. Het prikte erger dan die ochtend. Hij wachtte een minuut en wapperde zacht met zijn hand totdat de wond droog genoeg was om er een schone pleister over te plakken.

'Voelt het goed?' vroeg hij.

Ik knikte.

'Nee, ik bedoel dít.' Wij. Seks. Meer dan seks.

Ik knikte nogmaals.

'Je lijkt niet erg overtuigd.'

'Mac...'

'Ik maak maar een grapje.' Hij gleed onder de lakens naast me.

‘Mijn poging tot luchtigheid. Het is een verdomd zware dag geweest.’

‘Vertel. Ik bedoel, vertel me echt alles.’ Ik ging overeind zitten en hield het laken voor mijn borsten.

‘Jij weet ook niet van opgeven, hè.’ Geen vraag, hij kende me.

‘Kom op, Mac. Je kunt niet verwachten dat ik Susanna zomaar uit mijn hoofd kan zetten.’

‘Dat weet ik,’ zei hij. ‘Dat kan ik ook niet.’

Hij draaide zich naar me toe, kuste me, sprong uit bed en kwam even later terug met een dikke dossiermap. Dé dossiermap, door de jaren heen gehavend en gevlekt. Hij legde zijn benen recht naar voren naast de mijne, opende het dossier en haalde er een vel uit dat ik nooit eerder had gezien. Hij reikte het me aan. Het was een kopie van een krantenartikel van achttien jaar geleden.

‘Kijk maar eens.’

Het stukje heette ‘Club van Bollebozen’ en het ging over Nancy Maxtor, een lerares bij een naschoolse opvang in Montclair die haar meest veelbelovende wiskundeleerlingen aan ‘Spelletjes voor Bollebozen’ mee liet doen. Met behulp van spelletjes om sneller wiskundige vaardigheden aan te leren, was het mevrouw Maxtor gelukt het niveau op een plaatselijke middenschool op te schroeven, waarvoor de school een prijs had ontvangen. De ouders waren er gelukkig mee, de leraren ook, en de leerlingen vonden het allemaal geweldig. Een grofkorrelige foto bij het artikel toonde een vrouw van rond de veertig – blank, met schouderlang bruin haar en een bril met ovale glazen – omringd door een stuk of tien lachende kinderen.

‘Nancy Maxtor.’ Ik sprak langzaam haar naam uit. ‘Dit is ze dus?’

‘We hebben gisteren een hoop telefoontjes gehad, en negen

mensen noemden haar. Een van hen was haar volwassen dochter, Christa, die zei dat haar moeder al maandenlang zendelingenwerk deed in Myanmar.'

Ik las het biografische gedeelte nogmaals. 'Er staat dat ze van alles voor de gemeenschap heeft gedaan: bijlessen, voedselbank, daklozen, naalden uitdelen.' Ik keek op van het artikel. 'Mac, dat lijkt me niet iemand die aan identiteitsvervalsing doet.'

'Nee, klopt. Maar aan de andere kant is zij degene over wie Maher het heeft gehad.'

Dat was waar, tot in detail. Ik bekeek de foto wat beter: ze leek onschuldiger dan de eerste keer dat ik haar had gezien, omdat haar foto het dreigende miste van een compositietekening. Hierop leek ze meer het type onzelfzuchtige vrouw dat zich inzette voor de gemeenschap, en die je wel moest bewonderen. Ze droeg eenvoudige kleding, geen make-up, een simpel gouden kruisje aan een ketting om haar hals.

'Vroeg weduwe geworden,' las Mac van een vel met handgeschreven notities. 'Religieus, heeft zendelingenwerk gedaan in verre landen.'

'Geloof je wat de dochter – Christa – zegt?'

'Dat haar moeder het land uit is en niet op Susanna's feestje kan zijn geweest? Misschien. Misschien niet. We hebben geprobeerd nogmaals contact te zoeken met Christa, maar tot nu toe is dat niet gelukt.'

Hij schoof dichter naar me toe en raakte de krantenfoto aan. 'Karin, bekijk dit nog eens goed.'

Een groep jongeren omringde Nancy Maxtor: voor het merendeel blanke kinderen, twee Aziatisch, een zwart, allemaal tussen de negen en twaalf jaar oud. Allemaal lachten ze, allemaal leken ze oprecht plezier te hebben... Behalve één jongen wiens glimlach bij nader onderzoek onecht leek... En toen ik de foto beter bekeek kwam hij tot mijn schrik ineens bekend voor.

'Híj is het.' Mijn hart sloeg op hol toen ik Martin Price herkende... Of de jongen die hij toen was.

'Lees nu eens het bijschrift.'

Ik bekeek de namen van de kinderen een paar keer. Martin Price stond er niet bij. Maar waarom zou hij ook? We wisten nu per slot van rekening dat dat niet zijn echte naam was. Met behulp van het bijschrift telde ik vier gezichten van rechts, tweede rij.

'Neil Tanner,' las ik hardop.

'Neil Tanner,' echode Mac.

Neil Tanner. De ware naam van mijn vijand. Die jongen, die zo onschuldig als een lammetje leek. Neil Tanner. Die opgroeide tot Martin Price – JPP. Die met iemand samenwerkte die nu een naam en een gezicht had... En die misschien ook Susanna had ontvoerd.

'Wat ik nu bedenk...' begon Mac, maar toen werd hij gebeld door Alan die hem... óns... op het bureau ontbood voor een briefing die niet tot de ochtend kon wachten.

17

Het was verbijsterend om te zien: een politiefoto van een kind. En niet zomaar een kind. Neil Tanner alias Martin Price leek een jaar of twaalf op de kleurenfoto waarop hij zijn hoofd een beetje schuin hield en zijn blik neergeslagen, alsof hij zojuist een stuk speelgoed op de grond had bespeurd dat op hem wachtte. Hij glimlachte net niet. Hij leek niet van streek door het feit dat hij in bewaring was gesteld, eerder geamuseerd. Er liep een koude rilling over mijn rug toen ik naar de foto keek.

'Dus hij was helemaal niet zo'n doorsnee kind.' Ik pakte mijn kopje van Alans bureau en nam een slok van de hete koffie die hij voor ons had klaargezet toen we aankwamen. Hij had de chaotische kamer van het onderzoeksteam ingeruild voor zijn eigen werkruimte op de afdeling Recherche; hij had de anderen al op de hoogte gebracht, waarna zij met de informatie aan de slag waren gegaan. Je kon aan de sfeer voelen dat het moreel was opgekrikt door de nieuwe wegen die zich openden in de zoektocht naar Susanna.

'Hoe komt het dat dit me niet verbaast?' zei Mac.

Ik boog me naar de foto toe. Tuurde naar het gezicht. Zelfs op een politiefoto zag hij er griezelig onschuldig uit. Maar dat was hij niet, dat wist ik. Dit was JPP. En deze foto was gemaakt omdat hij al op jonge leeftijd gearresteerd was.

'Zeventien jaar geleden,' zei Alan, 'op zijn twaalfde, heeft hij zijn beide ouders afgeslacht.'

Ik staarde Alan aan: zijn pokdalige, ongeschoren gezicht, donkere korte haar, grijsblauwe kringen onder zijn ogen. 'Hoe bedoel je – afgeslacht?'

'Hij heeft vijfenveertig keer op ze ingestoken. Zijn vader tweeendertig keer, zijn moeder slechts dertien keer, maar bij haar raakte hij het hart.'

'Sléchts.' Ik stelde me een vrouw voor die ik niet kende en niet voor me kon zien, maar ik baseerde het beeld op de gedeelde onvoorwaardelijke liefde die iedere moeder voor haar kinderen koestert. Ik vermoedde dat ze hem zijn gruweldaad had vergeven, ondanks het feit dat hij haar vermoordde.

'Hij heeft het huis in brand gestoken en is ervandoor gegaan,' zei Alan.

'Waar woonden ze?' vroeg Mac.

'In Glen Ridge. In het dossier van Sociale Zaken staat dat Neil misbruikt was. Door wie? Zijn lieve vader. Maar hij is nooit uit huis geplaatst. Ik denk dat op een dag de stoppen bij hem zijn doorgeslagen.'

'Dus hij slachtte zijn ouders af, stak het huis in de fik, en heeft zichzelf vervolgens, gekweld door schuldgevoelens, aangegeven?'

Maar we wisten allemaal dat het niet zo was gegaan. JPP kende geen schuldgevoel, en hij gaf zichzelf niet aan.

'Hij werd opgepakt toen hij ergens in een garage in Hackettstown lag te slapen. Hij had kilometers gelopen. Volgens het politiedossier was hij er trots op.'

'Nu weet ik zeker dat hij het is,' zei Mac.

'En moet je dit horen: in het vijfde jaar werd hij geschorst omdat hij de leraar Engels uitschold van wie hij een proefwerk moest overdoen.'

'Nou en?' Mac keek even beduusd als ik door de opmerking die kant noch wal leek te raken.

'Het was Alderman. Je weet wel, Gary Alderman. Het eerste slachtoffer.'

Beelden van de laatste momenten van de familie Alderman schoten door mijn hoofd. Te bedenken dat de woede van een puberjongen zulke vormen had aangenomen... Maar psychopaten stonden erom bekend dat ze elke rationalisering aangrepen voor de verwoesting die ze hadden aangericht. De dominomoorden hadden niets te maken met het extra proefwerk in de vijfde.

Alan scrolde naar beneden totdat hij bij een scan van een slechte fotokopie kwam. 'Neil nam een nieuwe naam aan, Martin Price. Hij was toen achttien en net vrijgekomen uit de jeugdgevangenis, en dat klopt met wat Maher verteld heeft. Zie je?' Hij hield zijn vinger voor het scherm bij de regel waar Tanner zijn handtekening had gezet toen hij de jeugdgevangenis verliet. 'Daar staat Neil Tanner. En' – hij minimaliseerde het document en opende een nieuw, ook een scan van een oud formulier – 'hier hebben we een papier waarop hij met de naam Martin Price tekende toen hij, ook op zijn achttiende, het weeshuis verliet. Die jongen is nooit bij een pleeggezin geplaatst; hij heeft jaren in een van de laatste kinderhuizen van deze regio gezeten, voordat ze allemaal werden gesloten. Vrijwel niemand wil een ouder kind adopteren.'

Ik dacht aan Paul Maher, die opgevangen was en een nieuwe naam had gekregen, maar geen liefde had gehad. Misschien had hij zich, als er wel van hem was gehouden, door zijn ouders of zelfs door iemand in het kinderhuis, voldoende met anderen verbonden gevoeld om iets te geven om het algemeen welzijn. Dan zou hij misschien eerder hebben gemeld wat hij wist. Misschien. Had hij maar... Ik voelde Macs blik en keek hem even aan. Hij schudde bijna onmerkbaar zijn hoofd, maar ik begreep de boodschap: niet aan denken. Hij haalde me weer weg van die verleidelijke afgrond, en weer betreurde ik de emotionele beheersing die hij van me eiste, en tegelijk was ik hem er dankbaar voor.

'Oké,' zei Mac, 'dus op zijn achttiende houdt Neil Tanner op te bestaan en verandert Martin Price van een junk in een moordenaar. En Paul Maher wordt als een nieuwe man geboren.'

'Correct. Daarna zijn er geen gegevens meer over Neil, op één ding na.' Alan klikte een andere site aan en sloeg de eerste vijf pagina's over tot hij bij een volgende handtekening kwam. 'Zie je dit? Nancy Maxtor.'

Ik boog me naar voren en kneep mijn ogen halfdicht om de wazige handtekening te kunnen onderscheiden. Nancy had de datum en haar adres in Montclair erbij gezet. Mijn hart sloeg over toen ik zag dat ze in Harvard Street woonde. 'Dat is niet ver van mijn ouders vandaan.'

'Dat hebben we gezien,' zei Alan. 'Een paar man zijn al naar het huis van Maxtor gegaan, maar er was niemand thuis. De buren hebben niets verdachts gezien. Blijkbaar woont de dochter daar. We gaan straks terug.'

'Wat zien we daar?' Mac hief zijn kin in de richting van het computerscherm.

'Tanners vrijlatingsformulier. Elf jaar geleden werd Nancy Maxtor door de reclassering van Jeugdzaken benoemd om Tanner persoonlijk kost en inwoning en al die dingen te verschaffen toen hij uit Bordentown werd vrijgelaten.'

De jeugdgevangenis in Bordentown was voor jongens, de zwaarste gevallen, van wie de meeste rond de achttien waren. Op zijn twaalfde moest Neil Tanner daar naar verhouding een klein kind zijn geweest in een keiharde omgeving. Men zei dat de meeste jongens er als doorgewinterde criminelen uit kwamen.

Alan vervolgde: 'Al die zes jaar dat Tanner achter slot en grendel zat reed ze wekelijks ruim een uur naar Bordentown om de jongeren daar wiskunde te leren. Kennelijk heeft ze daar vrienden gemaakt, want ze laten een dergelijke opvang niet zomaar aan de eerste de beste over.'

'Maar waaróm?' Ik begreep totaal niet dat iemand het aandurfde om mensen onderdak te bieden die door de politie 'geboren moordenaars' werden genoemd.

Alan haalde zijn schouders op. 'Ze gaf hem al les vóór de moorden. Ze kende hem. Waarschijnlijk geloofde ze dat hij diep vanbinnen blablabla. Misschien geloofde ze niet dat hij zijn ouders had vermoord. Dat zie je vaak: zelfbenoemde heiligen – die ene persoon die besluit in de onschuld van de valselijk beschuldigde te blijven geloven. Ze weet hoe moeilijk het wordt als hij met die beruchte naam moet leven, dus zorgt ze ervoor dat hij een nieuwe krijgt.'

'En de echte Paul Maher?' vroeg Mac. 'De onechte zei dat hij dood was toen hij zijn identiteit kwijtraakte. Het lijkt me vreemd dat geen van zijn kennissen naar hem toe kwam.'

'Ik heb het nagezocht en ben erachter gekomen dat hij in Iowa is gestorven in 1990, zonder familie of vrienden, in een verpleegtehuis, op negennegentigjarige leeftijd. Boerenknecht, bezat geen cent, had zelfs geen creditcard. Geen strafblad. Een heel goed verkoopbare identiteit.'

'Is er bewijs dat Nancy nog meer identiteiten heeft gestolen?'

'Nog niet, maar ik ben nog op zoek. Kennelijk wist ze hoe het moest. Ik vraag me toch af of ze een prof is... of ze al vanaf het begin aan identiteitsdiefstal heeft gedaan.'

'Dat lijkt mij niet,' zei Mac. 'Het past helemaal niet bij de rest van haar profiel. Ik geloof wel dat ze iemand is die het ergste tuig in huis neemt. Maar identiteiten kopen? Mensen vermoorden? Kinderen ontvoeren? Dat zie ik haar gewoon niet doen.'

'Luister, áls ze met JPP samenwerkt, dan is ze net zo'n grote psychopaat als hij, dus bereid je maar op alles voor.' Alan minimaliseerde de pagina op het scherm en klikte een paar keer tot er een nieuw document verscheen: 'Hier is ze, negen jaar geleden, toen ze naam maakte vanwege haar medewerking bij een educatief waterprogramma van Unicef. Ze deed goed werk, net zoals haar dochter zei. Maar kijk eens naar haar, kijk eens echt goed. Lengte, bouw, leeftijd – ze zou kunnen doorgaan voor Lizzie Stoppard, snap je wat ik bedoel?'

Zodra hij dat zei zag ik het: ze had een gemiddelde lengte en een enigszins gedrongen bouw, net zoals de clown. Had haar dochter Christa gelogen dat haar moeder het land uit was ten tijde van Susanna's verjaardagsfeestje? Dat zou Christa medeplichtig maken. Het was een hoop gespeculeer, veel om in één keer te verwerken.

'Oké,' zei Mac. 'Ik zie wat je bedoelt. Maar even afgezien van wat ze wel en niet zou doen, met in het achterhoofd de gedachte dat het allemaal indirect bewijs is – laten we zeggen dat ze géén prof was – waar heeft ze dan die tienduizend dollar voor Neils nieuwe naam vandaan gehaald? Tienduizend dollar is een hoop geld.'

'Precies. Ik vroeg me hetzelfde af terwijl jullie lekker lagen te slapen.'

Alan keek niet op toen hij dat zei en ik vroeg me af of hij vermoedde dat er iets tussen Mac en mij was. Ik vroeg me af of het erg was als hij dat wist. Zoals Mac me graag voorhield, was ik geen agent meer, en als burger en alleenstaande vrouw was ik vrij om te houden van wie ik maar wilde. Het was een vreemde, schokkende gedachte.

'Kijk eens.' Alan klikte en we zagen het omslag van een pdf-bestand van een verslag van de fiscus over Nancy Maxtor, veertien jaar geleden gedateerd, maar hij scrolde te snel omlaag om iets van de gegevens te kunnen zien. 'Ik heb dit gelezen tot het me duizelde. Waar het om gaat: haar grootmoeder stierf en liet alles aan Nancy na. Grootmoeder was niet alleen gelovig, maar ook aanhanger van de evangelische kerk. Ze weet dat Nancy haar geld niet over de balk zal smijten, zoals de rest van de godvergeten familie. Na haar dood liet ze alle anderen twintigduizend dollar na. Maar Nancy? Die kreeg bijna twee miljoen. Volgende vraag: hoe kwam oma aan dat geld? Antwoord: terwijl oma elke dag naar de kerk ging, verkocht opa auto's. Hij bouwde een zeer succesvolle zaak op en stierf als een rijk man. Hij liet alles aan zijn vrouw na. En toen zíj stierf sloeg ze haar kinderen min of meer over en gaf het meeste aan haar favoriete kleinkind, Nancy, de enige van het stel die net zo dacht als zij.'

'Ik kan me de familievete voorstellen.' Mac pakte zijn beker en ademde de damp in voor hij een slok nam.

'Reken maar. Processen, enzovoort. Nancy won. Er viel niet te tornen aan het testament.'

'Dus ze had echt geld,' zei Mac.

'En ze gaf het verstandig uit. Geen dure kleren. Geen duur huis. Ze gaf het uit aan Gods werk.'

'Besef je wel dat haar erfenis je theorie van professionele identiteitsdief omverwerpt?' zei ik. 'Ze hoefde niet te werken voor haar geld.'

Alan trok ironisch een wenkbrauw op, waarmee hij me hielp herinneren aan iets wat iedere politieagent leerde als waarheid aan te nemen: een crimineel die niet genoot van de opwinding die gepaard ging met het overtreden van de wet, was een uitzondering op de regel.

'Het kan me niet schelen hoe Nancy Maxtor aan haar geld kwam,' zei hij. 'Vergeleken met de manier waarop ze het uitgaf lijkt een oude dame die haar fortuin naliet aan haar hond wel een soort genie. Een nieuwe identiteit aanschaffen voor een moordenaar? Wat was er in godsnaam met haar aan de hand, als ze er niet op een bepaalde manier aan meewerkte?' Hij leunde naar achteren en geeuwde als een nijlpaard.

'Ga naar huis,' zei Mac tegen hem.

'Neem je me in de maling?'

'Het is jouw beurt om een paar uur slaap te pakken. Geloof me, het doet wonderen.' Mac meed mijn blik toen hij dat zei; ik wist dat híj geen oog had dichtgedaan.

'Ik wil eerst naar Harvard Street.' Alan keek naar de wandklok. Het was vier uur in de ochtend.

'Als Christa thuis is en ze heeft de vorige keer niet opengedaan, zal ze dat nu ook niet doen. Misschien slaapt ze wel met oordoppen in. We zullen moeten wachten tot het ochtend is, en ik denk niet dat je nog veel langer rechtop kunt blijven zitten.'

'Het gaat prima.' Maar Alans ogen waren bloeddoorlopen. Hij zag bleek en hij geeuwde constant.

'Ik ga rond zeven uur naar het huis,' zei Mac. 'Ga jij maar naar Sandy.'

Ik veronderstelde dat Sandy Alans vrouw was, maar de waarheid was dat ik hem niet goed kende, dus het kon net zo goed zijn hond zijn.

Alan keek zijn collega even aan voor hij zich gewonnen gaf. 'Goed. Oké. Maar beloof me dat je me wakker maakt als je Christa Maxtor daar aantreft. Ik heb wel zin in een praatje met die vrouw.'

'Doe ik,' zei Mac. 'Maar dat duurt nog even, dus ga naar huis. En geef Sandy een kus van me.'

'Geen denken aan.'

Zijn vrouw.

Alan stond op en gaapte nogmaals.

'Voordat je gaat,' zei Mac, 'heeft het lab nog iets laten horen? Ik wil graag bevestigd hebben dat Susanna in dat busje heeft gezeten.'

'Niets. Maar ik voel aan mijn water dat ze wel iets van haar zullen vinden. En aangezien ze maar één injectienaald hebben gevonden en Stoppard de enige dode bleek te zijn, hoef je niet helderziend te zijn om te voorspellen dat zij degene was op wie de naald is gebruikt. Een giftig goedje, snel en gemeen, gezien de ongehavende aanblik die ze bood toen ze haar vonden, alleen maar wat blauwe plekken en schrammen.'

'Goed mogelijk,' zei Mac. En tegen mij: 'Dat past statistisch gezien helemaal bij de modus operandi van een vrouw, dat moet je toegeven.'

Dat kon ik niet ontkennen. Vrouwelijke criminelen stonden erom bekend openlijk geweld te mijden bij het vermoorden van hun slachtoffer; ze gebruiken methoden zoals gif of verstikking vaker dan een bloedbad aan te richten en daardoor waren ze moeilijker op te sporen. En ik kende ook afgrijselijke verhalen over mannen en vrouwen die samen seriemoorden pleegden. Het was een combinatie die zelden voorkwam, maar die berucht was.

'Dat klopt,' zei Alan. 'Weet je nog dat stel, een moeder en haar zoon, die mensen vermoordden om hun landgoed? En die man en zijn vrouw die kinderen levend begroeven en op hun graf gingen picknicken? En wat dacht je van die vrouw die haar zus ter beschikking stelde van haar vriend om haar te verkrachten en vermoorden – terwijl zij toekeek.'

'Alan, toe.' Mac wierp me steels een blik toe; mijn gezicht moet boekdelen hebben gesproken. 'Hou eens op.'

'Sorry, Karin, ik dacht er niet bij na. Ik geloof dat ik niet meer weet wat ik zeg.' Alan gaapte, trok een la open, haalde er een rugzak uit en gooide die over zijn schouder. 'Tot later.'

Hij liet zijn computer aanstaan en zette de verschillende sites onder in de taakbalk. We dronken nog een kop koffie terwijl we het onderzoek doorkeken. Na een poosje wierp Mac me een vermoeide, tedere blik toe. 'Ontbijtje?'

'Heb je echt trek?'

'Ja en nee. Maar we moeten wat eten.'

'Oké.'

'Ik moet heel even contact opnemen met het team.' Hij stond op. 'Ik ben zo terug.'

Hij verdween naar het onderzoeksteam en kwam tien minuten later zonder nieuws terug. 'Ze zijn ermee bezig.'

'De dominostenen…?'

'Nog niets. Maar er is nu veel nieuw materiaal om te onderzoeken, en dat is goed.'

De werkploeg van zes uur begon net binnen te druppelen toen we door de gang naar buiten liepen. De zonsondergang kleurde de ramen zachtroze, ambergeel en knaloranje. Ik was zo van slag door al die informatie over Nancy Maxtor dat ik licht in mijn hoofd werd bij het idee dat we haar misschien konden vinden, dat ze met JPP samenwerkte als zijn handlanger en medeplichtige, dat ze misschien Susanna had ontvoerd, dat haar menslievende kant misschien was aangesproken om het leven van mijn nichtje te sparen.

We liepen door de glazen deuren de frisse ochtendlucht in en werden onmiddellijk geconfronteerd met een grote groep verslaggevers die zich had verzameld op deze nieuwe werkdag.

'Is er nieuws over Susanna Castle?' vroeg een jonge vrouw voordat ze haar camera omhoog hield en een foto van ons nam.

Mac glimlachte en probeerde samen met mij een uitweg te zoeken, maar de vrouw versperde ons de weg.

'We hebben begrepen dat die tekening van Nancy Maxtor is,' zei ze, 'maar niemand heeft haar gezien. Kunt u dat bevestigen?'

'Het wordt onderzocht. Zodra we meer weten, komt er een persconferentie. De zoektocht naar Susanna heeft onze prioriteit. Pardon, we moeten nu weg.'

Ze weken uiteen zodat we door konden lopen naar Macs auto.

Na een snel ontbijt in een wegrestaurant in de buurt reden we naar het huis van Maxtor in Harvard Street in Montclair. We stopten voor een kleine woning met twee verdiepingen, waarvan de ramen beneden schuilgingen achter een lange hoge heg. Het gras in de voortuin leek pas gemaaid. Een krant, opgevouwen en in doorzichtig plastic verpakt, lag op het stoepje in het portaal. Ik liep achter Mac aan naar de voordeur en stond achter hem toen hij aanbelde. Ik keek op mijn horloge: vijf over zeven.

We wachtten. Er gebeurde niets.

'Misschien is ze al weg,' zei ik.

Mac schudde zijn hoofd. 'De krant ligt hier.'

'Misschien slaapt ze nog. Misschien woont ze hier niet. Misschien heeft ze een vriendje en slaapt ze bij hem.'

'Misschien, misschien, misschien.' Mac glimlachte naar me en bracht me terug in de realiteit. Hij stak net zijn hand uit om nogmaals aan te bellen toen de voordeur ineens openging.

18

'Ja?' De geïrriteerde toon van de vrouw werd gecompenseerd door een stralende glimlach: kersenrode lippen en parelwitte tanden. Een lerares, dat voelde ik gewoon. Dat lange zwarte haar, die bengelende roze oorhangers, het laag uitgesneden roze T-shirt op de eenvoudige bruine rok, de praktische sandalen, de canvastas over haar schouder. En die glimlach: geforceerd geduldig, met haar gedachten al bij het volgende, het vaste voornemen iedereen iets te leren. Ze leek achter in de twintig, misschien begin dertig – te jong om Nancy Maxtor te kunnen zijn, maar precies de juiste leeftijd voor haar dochter – en ze zag er gezond en sterk uit, alsof ze veel vrije tijd in de sportschool doorbracht. Ze was van gemiddelde lengte, maar straalde een zelfvertrouwen uit waardoor ze lang en indrukwekkend leek, terwijl Mac en ik minstens vijftien centimeter langer waren dan zij.

Mac haalde zijn pasje tevoorschijn en stelde zich op de gebruikelijke manier voor. Toen haar blik zich op mij richtte, liet ik wederom intuïtief mijn naam achterwege en stelde me eenvoudigweg voor als zijn 'vriendin'.

'Dat is niet zo professioneel, hè?' zei ze tegen Mac op een half kritische, half gekscherende toon.

'Daar zegt u wat.'

'Ik neem aan dat dit over mijn moeder gaat.'

'Dat klopt.'

'Ik wou dat jullie al die misvattingen naar aanleiding van die tekening wegnamen.'

'Daarvoor zijn we hier, om dat met u op te helderen.'

'Ik heb die inspecteur aan de telefoon al verteld...'

'Inspecteur Tavarese.'

'Ja, die was het. Ik heb hem verteld dat mijn moeder in Myanmar is voor de wederopbouw van scholen in de Irwadaddy-delta. Het is onmogelijk dat ze betrokken is geweest bij de verdwijning van dat meisje, of bij die moord.'

'Hoelang is ze al weg?'

'Bijna zeven maanden. Ik mis haar, maar ze doet goed werk. Ik ben trots op haar.' Christa keek op haar horloge. 'Ik ben al laat, over twintig minuten begint het kamp. Kunnen we op een later tijdstip verder praten?'

'Hoe kan ik haar bereiken, zodat we niet meer beslag op uw tijd hoeven te leggen? We zouden haar graag een paar vragen stellen over een van de leerlingen die vroeger bij haar in de wiskundeclub zat – Neil Tanner.'

'Mijn moeder heeft door de jaren heen zo veel leerlingen gehad.'

'Misschien herinnert ze zich hem nog. Ik zou graag met haar praten.'

'Nou, ze is heel moeilijk te bereiken, maar u kunt proberen het hoofdkwartier te bellen van World Mission, in D.C. Meestal wacht ik gewoon af tot ik iets van haar hoor als ze naar Yangon gaan, wat niet al te vaak is. Misschien kunnen ze een boodschap doorgeven met de wekelijkse post.'

'Wanneer is ze precies vertrokken?'

'Neemt u me niet kwalijk, maar ik ben lerares en ik kan niet te laat komen.'

'Ik dacht dat u het over een kamp had.'

'Ik geef toneelles op een zomerkamp voor kansarme kinderen.' Ze deed haar tas open, haalde er een stukje papier uit, krabbelde er wat op en gaf het aan Mac. 'Hier hebt u mijn mobiele nummer. Kunnen we eind van de middag verder praten? Ik moet nu echt gaan.' Haar glimlach verdween en daarmee alles wat haar knap maakte, waardoor ze ineens een van de lelijkste vrouwen werd die ik ooit had gezien.

'Natuurlijk,' zei Mac. 'Ik zal u niet langer ophouden.'

Ze trok de deur achter zich dicht, bukte zich om de krant op te rapen en stak hem onder haar arm voordat ze snel naar haar auto liep zonder ons nog een blik waardig te keuren. We liepen naar Macs auto terwijl zij in een oud model Nissan stapte, een blauwe, met twee bumperstickers die we lazen toen ze wegreed: IK REM ALLEEN VOOR EENHOORNS en IK BEN CHRISTEN-DEMOCRAAT, MET TROTS.

'Ze blikte of bloosde niet toen ik zijn naam zei.' Mac deed de deur voor me open, ik stapte in en hij liep naar de andere kant.

'Je zou verwachten dat ze hem kent, omdat haar moeder met hem te maken heeft gehad,' ze ik.

'Precies.' Mac startte de auto. 'En dat gedoe over Myanmar... Nou ja, we mogen er niet van uitgaan dat Nancy Maxtor zijn handlanger is, want dat is misschien niet zo.'

'Toch heb ik hier een raar gevoel over.'

'Ik ook. Maar ik ben zo afgepeigerd na vannacht dat ik niet

weet of ik mijn denkproces wel kan vertrouwen, snap je? Het was een lange nacht. Een mooie nacht' – hij draaide zich met een warme glimlach naar me toe en ik voelde dezelfde opluchting als wanneer je langzaam en diep inademt – 'maar wel lang.'

Ik legde een hand op zijn schouder terwijl hij reed. Toen hij aan het stuur draaide voelde ik de spanning van zijn spieren onder zijn overhemd; ik voelde hem met mijn vingertoppen, alsof hij een deel van mijn eigen lichaam was. Op dat moment schrok ik van het besef dat ik hem niet alleen aardig vond, van hem genoot, hem vertrouwde, om hem gaf, naar hem verlangde – maar ook dat ik van hem hield. Zo eenvoudig was het. Ik wist dat het samenzijn met Mac nooit hetzelfde zou zijn als met Jackson – maar Jackson was dood. Mac was een ander verhaal, een ander mens, wiens liefde weer nieuwe verrassingen inhield.

'Ik rij meteen terug naar het bureau,' zei hij. 'Ik zet je af bij je ouders.'

'Mac, toe...'

'Sorry, maar ze had gelijk toen ze zei dat het niet professioneel was om je mee te nemen.' Hij glimlachte flauwtjes naar me. 'Slaap jij maar voor ons samen.'

'Alsof ik zou kunnen slapen.'

'Ik bel je zodra ik iets weet.'

'Beloofd?'

'Beloofd.'

'Ik wil weten wat er gaande is.'

'Natuurlijk. Maar Karin, vergeet niet...'

'Hou daarover op.' Ik werkte niet meer bij de politie. Hoeveel keer had ik dat intussen gehoord?'

'Je kunt mee als het veilig en legitiem is, als toeschouwer.'

Wat ik niet echt was. 'Wat is het tegenovergestelde van onschuldige toeschouwer?' Ik vroeg me intussen af hoe je jezelf moest omschrijven als je in geen enkel vakje onder te brengen was.

'Schuldige partij,' probeerde hij. 'Slachtoffer.'

'Misschien bedoel ik niet het tegenovergestelde. Misschien bedoel ik...' Maar wat bedoelde ik eigenlijk? En waarom was het zo moeilijk om de categorieën te herdefiniëren die onze gedachten en verwachtingen typeerden? Om buiten de zogenaamde hokjes te denken?

'De benadeelde partij,' bleef Mac proberen. 'Gedupeerde.'

'Dat komt er al dichter bij.'

Hij stopte voor het huis van mijn ouders, zette de motor uit en keek me aan. 'Weet je, we hoeven hier niet het exacte antwoord op te hebben. Wat dacht je van "geen van de opties is correct" om vervolgens door te gaan met ons leven? En ophouden met ons hoofd tegen een muur aan te lopen?'

Daar kon ik niets tegen inbrengen. Ons doel was Susanna te vinden, en degene die met JPP samenwerkte te ontmaskeren, niet onze plaats in het universum te herdefiniëren. Ik wist nu wel dat mijn eigen spoken niet uit te bannen waren, dat ze me altijd zouden achtervolgen; dat ik zou moeten leren met hen te leven terwijl ik mijn leven opnieuw vormgaf.

Ik glimlachte naar Mac en hij naar mij, en daar zaten we als tieners in de auto ongemakkelijk te zwijgen voordat we naar elkaar toe schoven.

'Ze zullen ons zien,' zei ik met een blik op de eeuwige surveillancewagen. 'En mijn ouders zullen inmiddels wel op zijn.'

'Ik ben eenenveertig, Karin. Gescheiden van tafel en bed, binnenkort voor de wet. En jij bent...?'

'Drieëndertig. Weduwe.' De naakte waarheid.

'Dus waar zijn we bang voor?'

Hij had gelijk. Er was niets meer om bang voor te zijn als het op ons samenzijn aankwam. We kusten elkaar teder, langzaam, innig. Zijn mond voelde al vertrouwd aan, ik leerde zijn lippen en tong al kennen, mijn primitieve begeerte veranderde in een gestaag verlangen naar hem. Ik dronk de zachte soepelheid van zijn huid in, zijn geur: de dennenzeep, de geur van seks die we geen van beiden nog van ons af hadden kunnen douchen.

'Ik spreek je later,' fluisterde hij in mijn oor.

'Zorg dat je telefoon aan staat.'

Hij lachte. 'Karin, die staat aan, hij zit hier in mijn zak, zoals altijd. Je krijgt zelfs...' Hij leunde naar achteren om zijn telefoon uit zijn broekzak te halen, klapte hem open en wees mijn nummer een speciale beltoon toe, een ouderwetse telefoonrinkel. We kusten elkaar nog eens en ik stapte uit. Pas toen ik binnen was hoorde ik hem wegrijden.

Ik wist dat mijn ouders thuis waren, omdat mijn moeders auto op straat stond; het was nog vroeg, en waarschijnlijk lagen ze nog in bed. Ik liep naar mijn kamer en ging liggen, met nieuwe geesteskracht na de ontwikkelingen van die afgelopen nacht, maar fysiek volkomen uitgeput. Ook al had ik tegen Mac geprotesteerd dat ik geen oog dicht zou doen, na drie dagen heel weinig slaap liet mijn lichaam geen moment verloren gaan en ik was onmiddellijk vertrokken.

Ik werd wakker op mijn buik, helemaal aangekleed, en zo gedesoriënteerd dat ik niet meer wist wat voor dag het was en zelfs niet waar ik was. Daarna vormden de beelden van mijn oude kamer een geheel. Ik keek op de wekker: vier uur drieënvijftig. Het moest al middag zijn, want er viel fel licht door de jaloezieën. Ik herinnerde me weer dat ik ze omlaag had getrokken toen ik die ochtend naar boven was gegaan om even te gaan liggen, wat kennelijk had geresulteerd in een diepe slaap.

Mijn mobieltje lag op het nachtkastje, waar ik het had neergelegd. Er waren geen berichten. Na het douchen ging ik de trap af naar de keuken, waar me onmiddellijk twee dingen opvielen: een pakje kipfilet dat op het aanrecht lag te ontdooien en een envelop van mijn moeders briefpapier waarop in Macs handschrift mijn naam geschreven stond. Hij was waarschijnlijk langs geweest terwijl ik lag te slapen, en omdat hij me niet wakker had willen maken had hij een briefje in een envelop van mijn moeder gestopt – het was dus vast niet zo belangrijk geweest. Ik haalde er een wit velletje uit en vouwde het open. Er viel nog een papiertje uit dat op de grond fladderde. Ik bukte me om het op te rapen en zag dat het een kopie was van het oude krantenartikel over de Club van Bollebozen, de naschoolse wiskundeclub van Nancy Maxtor, met de foto die Mac en ik de vorige avond nadat we hadden gevreeën samen hadden bekeken.

Bekijk deze foto nog eens goed, had hij geschreven. *Zie je wat ik zie? Bel me als je wakker bent.*

Ik hield het artikel omhoog voor het raam, maar in de zon werd het papier doorschijnend en werden de beelden wazig. Ik streek het plat op de bar, uit de zon, en boog me eroverheen. Daar was Nancy Maxtor, glimlachend, met haar ovale brillenglazen en gouden kruisje. En daar op de tweede rij zat de jonge Neil Tanner. Ik bekeek vluchtig de andere gezichten, de achtergrond van de ruimte waar de foto was genomen – een klaslokaal, zo te zien, met aan de ene kant een schoolbord – en daarna bekeek ik de gezichten van de andere kinderen nogmaals stuk voor stuk aandachtig.

En toen zag ik haar, op de eerste rij, helemaal rechts: Christa Maxtor. Dat wil zeggen, ik zag haar glimlach. Maar die brede, overdreven glimlach lag op het gezicht van een andere persoon.

Ik keek nog eens heel goed, zoals Mac me had verzocht. Ik tuurde naar het ronde gezicht met de kleine ogen van het meisje met het korte zwarte haar dat ook een jongen had kunnen zijn als ze niet een jurkje met ruches had gedragen. Het was een slecht zittende, opgesmukte jurk die de illusie wekte dat ze dik was, maar bij nader inzien was ze gewoon een beetje mollig. Het was het soort jurk dat kinderen werd opgedrongen door ouders die hun kind op een wanhopige manier bij een groep willen laten horen maar daar door hun keuzen juist niet in slagen. Het meisje stond er in elkaar gedoken en verlegen bij... op die glimlach na. Het was zonder enige twijfel de glimlach van Christa.

Ik boog me nog dichter naar de piepkleine lettertjes eronder, en las de vierde naam van het rijtje: CHRISTA VIERA. Het was beslist Christa, met een andere achternaam.

Mijn blik gleed van de jonge Christa naar de jonge Neil. Er zaten maar elf kinderen in de groep. Ze hadden elkaar zeker gekend. Waarom had Christa dan geen krimp gegeven toen Mac gisteren naar Neil Tanner had gevraagd? Er was geen blijk van herkenning in haar ogen geweest, maar dan ook totaal niet. Was het mogelijk dat ze hem was vergeten?

Nee. De naam van de jongen die zijn ouders had vermoord vergat je niet. Je vergat hem vooral niet als je moeder hem een dak boven zijn hoofd had verschaft toen hij uit de jeugdgevangenis kwam. Christa zou zijn naam zeker hebben geweten – waarom had ze dan gedaan alsof dat niet zo was?

Vragen die me bezighielden toen ik de telefoon in de keuken pakte en Mac belde. Toen ik zijn voicemail hoorde sprak ik een boodschap in en probeerde daarna Alans vaste telefoon op het werk, die niet werd opgenomen. Ik liep naar boven om mijn mobiel te halen, vond Alans privénummer en probeerde dat te bellen. Toen ik zijn voicemail hoorde, liet ik ook daar een bericht achter. Het maakte me bijna niet meer uit wie er terugbelde. Ik wilde antwoorden hebben.

Hadden ze Nancy Maxtor in Myanmar kunnen bereiken, als ze daar werkelijk was?

Was er nog iemand teruggegaan naar Christa? Om haar te vragen waarom ze had gedaan alsof ze Neil niet kende? Om haar te vragen wat ze wist van de band die haar moeder had met Neil Tanner? Met Martin Price? JPP?

Hoe kwam het dat Christa vroeger Viera heette, en nu Maxtor?

'Je hebt de kip gezien,' zei mijn moeder die de keuken binnen kwam terwijl ik met mijn rug naar haar toe stond, waardoor ik schrok. 'O lieverd, ik wilde je niet laten schrikken!'

'Het geeft niet.' Ik vouwde de twee papieren van Mac op en stopte ze intuïtief weer in de envelop om mijn moeder niet ongerust te maken, maar haalde ze er bij nader inzien toch uit en streek ze glad. Ik gaf haar de kopie van het krantenartikel. 'Heb je deze vrouw wel eens gezien?'

Mam haalde haar leesbril uit de zak van haar rok, zette hem op en hield het papier vijf centimeter van haar gezicht. 'Dat is de vrouw die we gisterochtend op de tv hebben gezien.' Ze keek me verbaasd aan. 'Wat is dit?'

'Een oud artikel over haar. Heeft Mac iets gezegd toen hij langskwam?' Ik hoefde niet te vragen of ze hem had gezien, ik wist dat zij hem de envelop had gegeven.

'Alleen dat ze al het mogelijke deden om Susanna te vinden. Karin. Je lag vanochtend niet in bed toen ik wakker werd. Ik maakte me bijna zorgen, maar toen...' Ze zweeg. 'Was dat Macs auto die ik vanochtend vroeg hoorde wegrijden? Heeft hij je thuisgebracht?'

'Ja. Hoe laat was hij hier vanmiddag?'

'Rond één uur, toen we net terug waren van Jon. Ik moest pap naar huis brengen...'

'Hoe gaat het met Jon en Andrea?'

Ze zuchtte, maar gaf geen antwoord. 'Dus je was afgelopen nacht bij Mac.'

'Ja.'

'Ik weet dat het mij niets aangaat, maar ik wil dat je weet dat ik er blij om ben. En nee, hij heeft niets bijzonders gezegd. Hij was hier maar heel even. Ik mag hem, Karin. Het is een goed mens. Heel capabel.'

Door die woorden schoot ik vol, want het was waar: als Mac de zaak behartigde, of in je leven was, hoefde je je geen zorgen te maken. Op dat moment liet ik mijn vragen voor wat ze waren. Als ik die zo snel had kunnen bedenken, had Mac dat zeker gedaan, en was hij in actie gekomen. Ik had er het volste vertrouwen in dat hij inmiddels alle antwoorden had.

'Ik maak de salade, als jij de kip braadt,' zei ik.

'Afgesproken. En dan kook ik ook wat rijst.'

Ze was veel beter in de keuken dan ik, en aan een salade kon je niet veel verpesten. Ten slotte hadden we een eenvoudige maaltijd bereid toen mijn vader aan de keukentafel ging zitten. Ik bood aan af te wassen en later ging ik bij mijn ouders in de woonkamer zitten, waar ze televisie keken. Een sitcom over mensen in een stad... Ik merkte dat mijn moeder zich er niet op kon concentreren, en ik ook niet. Na het eten, toen ik fysiek was uitgerust, begonnen mijn hersens weer te malen.

Mac had nog steeds niet teruggebeld. Deze keer had ik er geen rationalisering voor; ik was er nu van overtuigd dat hij niet met opzet mijn telefoontjes negeerde. Alan had ook niet teruggebeld. Maar dat Mac niets liet horen, verontrustte me.

Ik liep naar boven, zette mijn laptop aan en stuurde mijn vragen een voor een het net op. De naam Neil Tanner leverde veel oude berichten op over de moord op zijn ouders, daarna niets meer. De naam Martin Price bood een groot aantal treffers over de dominomoorden. Veel zinloze tekst, maar geen nieuwe informatie, geen antwoorden. Het was te laat om de World Mission in Washington D.C. te bellen, dus ging ik naar hun site en neusde er rond. De naam van Nancy Maxtor stond op een ongedateerde lijst vrijwilligers die vluchtelingen in Kosovo hadden geholpen, wat tien jaar geleden gebeurd zou zijn, maar dit klopte in elk geval met Christa's bewering dat haar moeder voor die instelling werkte. Toen ik naar hun activiteiten in Myanmar zocht, zag ik dat de plaats waar ze het meest actief waren een halve dag reizen van Yangon lag, zoals Christa had gezegd.

Daarna googelde ik de naam Christa Viera, die in het krantenartikel stond. Het was een populaire naam, maar samen met Essex County leverde het slechts één link op, een artikel uit *The New York Times* van achttien jaar geleden.

In East Orange, New Jersey, heeft in een huis van twee verdiepingen een brand gewoed, die het leven heeft gekost aan vier leden van de familie Viera, die oorspronkelijk uit Galicië in Spanje afkomstig waren. De brand is volgens geruchten ontstaan door een fout in de bedrading in een kachel in de ouderslaapkamer. Er is één overlevende, de tienjarige Christa. Haar oudere broer

en jongere zusje kwamen samen met hun ouders om in de vlammen. Pogingen om familieleden in Galicië te vinden hebben niets opgeleverd.

Dat was de verklaring: Christa was plotseling wees geworden, en Nancy Maxtor had haar toen geadopteerd. Net zoals ze Neil Tanner min of meer had geadopteerd. Het klopte helemaal; Nancy Maxtor was echt iemand die zoiets ongevraagd zou doen. Op papier althans. In werkelijkheid was het opnemen van ontheemde kinderen een riskante onderneming, om niet te zeggen gekkenwerk. Ik kon begrip opbrengen voor de adoptie van het meisje. Maar de verantwoordelijkheid nemen voor een jongen die zijn ouders had omgebracht? Daar kon ik me niets bij voorstellen, en dat riep automatisch vragen op naar de motieven van Nancy Maxtor bij alle andere dingen die ze had ondernomen. Hoe langer ik erover nadacht, hoe gekker het me leek dat Christa en Neil elkaar niet zouden hebben gekend.

Wat wist Christa nog meer dat ze voor ons verzweeg?

Ik probeerde Mac nog eens te bellen om te horen of hij tot dezelfde conclusies was gekomen als ik en zich dezelfde dingen had afgevraagd, maar het lukte weer niet.

Mijn ouders zaten nog steeds tv te kijken toen ik naar beneden ging om thee te zetten. Ik stond bij het open raam in de keuken en ademde de zachte, koele avondlucht in. Het was buiten inmiddels donker en stil, op het getjirp van onzichtbare sprinkhanen na. Af en toe reed er een auto door de straat, waarvan het geluid wegstierf en alleen de stilte van de zomeravond achterbleef. De derde avond sinds Susanna's verdwijning: een eeuwigheid. Na een paar minuten nam ik mijn thee mee naar de veranda voor het huis, met mijn mobiel in mijn zak zodat ik hem kon horen als Mac of

Alan belde. Daar zat ik in mijn eentje na te denken. Ik was al zo gewend aan de surveillancewagen aan de overkant, dat hij me nauwelijks meer opviel. Daar stond hij: lichtblauw in het donkerblauwe avondlicht, doodstil, en de bestuurder zat met zijn hoofd naar achteren geleund te doezelen. Na een ogenblik hoorde ik de deur van het busje aan de andere kant open- en dichtgaan, en ik zag de andere agent weglopen. Een meter of vijftig verderop stonden wat bomen waar onze vrienden af en toe naartoe gingen om hun behoefte te doen – altijd een probleem bij een lange surveillance.

Ik dronk de thee op en dacht eraan om binnen nog een kopje te halen, maar ik bleef zitten. Ik begreep op dat moment dat ik op kon staan en weg kon lopen. Ik kon het doen zonder begeleiding of uitleg. Daar zat ik, met mijn lege kopje op mijn knie, en ik dacht aan kansen in je leven die je liet gebeuren en die je zelf benutte. Ik dacht aan Paul Maher, die altijd volkomen passief de keerpunten in zijn leven had ondergaan: de ontmoeting met Nancy Maxtor toen ze bij hem aanbelde om hem schone naalden te geven, en die hem daarna geld gaf in ruil voor zijn naam; hoe hij had gewacht tot wij voor de tweede keer bij hem aanklopten voordat hij ons vertelde wat hij wist over een politieonderzoek waar levens mee gemoeid waren. Steeds gewacht. Tot er iemand bij hem aanklopte. Net zoals ik hier op dit moment zat te wachten tot mijn telefoon ging.

Ik keek op mijn horloge: het was kwart voor tien. Bijna vijf uur geleden had ik mijn eerste berichtje ingesproken bij Mac en Alan. Ik zette mijn kopje neer en belde Mac, daarna Alan. Sprak weer twee berichtjes in. Ik ging naar binnen en wenste mijn ouders welterusten. Op weg naar buiten haalde ik stilletjes de autosleutel van mijn moeder van het haakje bij de deur, greep mijn tas en liep naar de auto, die op de gebruikelijke plek langs de stoeprand stond. Noch de slapende agent, noch zijn collega die een sanitaire stop maakte keek op bij het geluid van de startende motor of bij het wegrijden. Ik verwachtte steeds dat ik ze ineens in mijn achteruitkijkspiegeltje zou zien, maar dat gebeurde niet. En toen was ik alleen op de weg, in de auto.

Naar Mac. Daar zou ik eerst naartoe gaan. Hij had al drie nachten niet geslapen en de kans bestond dat hij midden op de dag naar huis was gegaan en dat hij diep lag te slapen, net zoals ik die ochtend. Als hij daar was, zou ik alle antwoorden horen en daarna naast hem kruipen. Als hij er niet was… Dan wist ik het niet.

19

'Bedankt,' zei ik tegen de conciërge – Mikhail, volgens het borduursel op zijn overhemd – die met zijn enorme sleutelbos bij de voordeur stond. Ik had hem al eerder ontmoet, samen met Mac, en hij wist nog wie ik was. Ik had tegen hem gezegd dat Mac vandaag jarig was, en dat ik hem wilde verrassen als hij thuiskwam. Het verbaasde me hoe gemakkelijk je sommige mensen om de tuin kon leiden.

'Geen probleem.' Mikhail glimlachte hierbij een gouden voortand bloot. 'Feliciteer hem maar van me.'

'Zal ik doen.'

Mikhail sloot de deur achter zich en ik stond in de kleine ruimte die moest doorgaan voor een entree die naar de woonkamer leidde, waar Macs keuken en slaapkamer op uitkwamen. Het was er zo stil dat je het zoemen van de koelkast kon horen.

'Mac?'

Ik liep de woonkamer in: gebroken witte muren, een breed, vuil raam dat uitkeek op het parkeerterrein van de flat. Hij wilde een tijdelijke, gemeubileerde woning na zijn scheiding van Val, en dit was de eerste die hij had bekeken. Tot dit moment had ik niet beseft hoe desolaat de sfeer er was.

De deur van de slaapkamer stond half open en bood uitzicht op duisternis. Ik liep zachtjes naar binnen, in de verwachting hem slapend aan te treffen. Maar zijn bed zag er nog precies zo uit als we het midden in de nacht hadden achtergelaten toen Alan belde: de dekens in een wanordelijke hoop op een verkreukeld laken, twee kussens die tegen elkaar aan lagen. Er hing een bedompte lucht die ik niet eerder had opgemerkt.

Ik keek in de badkamer, die al even verlaten aandeed. Evenals de keuken, waar ik naar bewijs zocht dat Mac er die avond had gegeten, zonder resultaat.

Toen ik daarna door de woonkamer terugliep zag ik iets waaruit ik opmaakte dat hij die dag wel binnen was geweest: het papiertje met het telefoonnummer van Christa Maxtor lag op een exemplaar van *Newsweek* op de salontafel, naast een kartonnen beker koffie. Toen ik hem optilde zag ik de vochtige kring op tafel. Hij kon er niet langer dan een halve dag hebben gestaan, anders zou de kring zijn opgedroogd. Toen ik de beker terugzette viel me iets op. Mac had nog iets op het papiertje geschreven: RIVER HTWN 62. Ik had geen idee wat het betekende.

Hij had zijn vaste telefoon op de salontafel gezet. Ik pakte hem op en drukte op 'laatst gekozen nummer'. Het nummer van Christa Maxtors mobiele telefoon verscheen in het schermpje, plus de tijd: 12.33 uur. Hij had haar gebeld vlak voor hij bij mijn ouderlijk huis langs was gegaan.

Ik liet hem vier, vijf, zes keer overgaan voor ik ophing. Het was na tienen en Christa lag misschien al in bed. Of misschien ook niet.

Op dit tijdstip was het rustig in Harvard Street. Auto's stonden op hun oprit, waar ze hoorden. Portieklichten brandden. Minstens de helft van de huizen was donker, de rest leek een schaakbord van verlichte ramen. Toen ik voor het huis van Maxtor stopte, dacht ik even dat ik beneden een lamp uit zag gaan, maar bij nader inzien meende ik van niet. De buurman rechts zette net de vuilnisbak aan de stoeprand en was in de lichtbundel van mijn koplampen gestapt vlak voordat ik ze uitzette, waardoor er waarschijnlijk een optische illusie was ontstaan, want in huize Maxtor bleef alles stil en donker.

Het huis naar bed brengen noemden we dat toen ik nog klein was. Waar we ook woonden – de vele huizen waar we in woonden vanwege mijn vaders carrière in het leger, of het grote huis aan Upper Mountain Avenue dat mijn moeder van haar ouders erfde en waar we ons ten slotte vestigden nadat pap zijn tweede loopbaan bij de politie was begonnen – Jon en ik moesten er altijd voor zorgen dat alle deuren en ramen dicht en op slot waren en dat alle lichten uit waren voordat we naar bed gingen. We renden dan door het huis, telden sloten en lampen, en vergeleken daarna het totaal. Degene die won, beleefde een moment van trots voordat we onder de dekens kropen in een huis dat veilig en vredig voelde. En daarna wachtten we tot de slaap kwam. Ondanks de gebruikelijke rivaliteit tussen broer en zus hadden Jon en ik het altijd heel goed met elkaar kunnen vinden; hij en ik tegen de rest van de wereld. Toen ik bedacht dat David misschien zou opgroeien zonder ooit zijn zusje te hebben gekend, voelde ik pijn in mijn hart.

Terwijl ik in de auto zat had ik een sterke behoefte om Jon te bellen om te vragen hoe het ging, hem te zeggen dat ik van hem hield en te vragen liefs over te brengen aan Andrea. Ik pakte mijn mobieltje uit mijn tas, klapte het open en toetste zijn nummer. En verbrak de verbinding voordat die tot stand kwam. Ik onderdrukte de golf van emotie die te melodramatisch voelde. Ik belde Mac en Alan allebei nog een keer – en toen ze niet opnamen herinnerde me dat aan de reden waarom ik hierheen was gekomen: om antwoorden te vinden.

Ik stopte mijn mobiel in mijn zak en liet mijn tas in de auto achter. Toen liep ik over het gras, belde aan, hoorde de zoemer in de verte en wachtte een minuut voordat ik nogmaals aanbelde. Uiteindelijk gaf ik het op en liep ik weg.

Christa's auto stond niet op de oprit en ook niet langs de stoep. Ik had gezien dat sommige huizen hier een aparte garage achter het huis hadden, dus liep ik naar achteren om te kijken of dat hier ook zo was. Als er een garage was waar geen auto in stond, zou ik er vrede mee hebben dat ze gewoon niet thuis was.

De buurman had zijn huis nu voor het grootste deel naar bed gebracht, er brandde nog maar één lamp boven. Die wierp licht op het stukje grond tussen de twee huizen, een gazon van ongeveer tien meter, halverwege gescheiden door een rij struiken. Toen ik zag dat er geen garage achter het huis stond draaide ik me om. Ik besloot terug te gaan naar Mapletrack, naar het bureau om Mac en Alan te zoeken. Als ze daar niet waren, zou ik contact opnemen met het onderzoeksteam om te zeggen dat ik ongerust was. Maar toen ging de laatste lamp bij de buren uit, zodat het gazon tussen de huizen in duisternis werd gehuld… en ineens drong er iets tot me door.

river htwn 62 was een adres, mogelijk in Hackettstown.

Neil Tanner was nadat hij zeventien jaar geleden zijn ouders had vermoord slapend aangetroffen in een garage in Hackettstown. Waarom was hij juist daarheen gegaan?

In de auto haalde ik mijn moeders GPS uit het dashboardkastje, schakelde het in, toetste *river 62* in en koos Hackettstown als stad.

Na een ogenblik verscheen er één adres: River Road 62, Hackettstown, New Jersey. Dat stelde ik in. Een tintelend gevoel trok door me heen toen ik een route op het scherm zag verschijnen met daaronder: *zestig kilometer, eenenvijftig minuten.*

Bijna een uur later was ik in Hackettstown, op River Road, een weg die slingerend door een bosrijke streek liep. Het was laat, bijna middernacht. Ik reed als enige over de landweg, waar hier en daar brievenbussen te zien waren voor huizen die schuilgingen achter bomen. Ik reed met groot licht, dat lange schaduwen voor mijn langzaam rijdende auto wierp.

In verschoten letters zag ik VIERA op een brievenbus vlak voor een afslag staan. Ik stopte en tuurde ernaar. Het tintelen van mijn lichaam ging nu over in een gloeiend gevoel.

Na nog een mislukte poging om Mac en Alan te bereiken, belde ik het nummer van de politie van Maplewood, waar ik werd doorverbonden met iemand van het onderzoeksteam.

'Ja,' zei iemand. Een man.

'Met Karin Schaeffer, vroeger inspecteur Karin Sch...'

'Yep. Hallo. Je spreekt met inspecteur Gerry Mober, we hebben elkaar ontmoet bij je broer.'

'Is Mac daar? Of Alan Tavarese?'

'Vanochtend waren ze hier. Het laatste wat ik heb gehoord is dat ze naar Hackettstown zijn gereden.'

'Naar River Road 62?'

Er viel een stilte – Mober controleerde de gegevens. 'Ja, dat klopt.'

'Daar ben ik nu ook. Op de brievenbus staat Viera.'

Voordat ik hem kon vragen of het onderzoeksteam wist dat dat de oorspronkelijke achternaam was van Christa, mompelde Mober: 'Shit.' Hij hield waarschijnlijk de hoorn weg van zijn oor om het aan de rest te vertellen, want ik hoorde geroezemoes op de achtergrond. Daarna weer tegen mij: 'Ben je het huis in gegaan?'

'Ik zit nog in mijn auto op River Road – vanaf hier kan ik helemaal geen huizen zien.'

'Mooi. Blijf daar. We sturen een eenheid uit Hackettstown om dit uit te zoeken.'

'Ik doe geen stap,' beloofde ik.

Maar zodra ik had opgehangen kon ik het niet laten om het donker in te rijden, aangezien ik geen moment te verliezen had. Terwijl ik langs de brievenbus reed, belichtten mijn koplampen de afgesleten cijfers – 62 – en in een impuls deelde ik het dreigement dat zich had verdubbeld toen JPP's partner op Susanna's feestje verscheen door twee. *Two for one* was slechts een deel van de boodschap geweest, een numeriek anagram, waarvan je 124 kon maken, en de helft ervan was 62.

Zodra we hadden beseft dat de dreiging twee keer zo groot was geworden, hadden we moeten beseffen dat hij ook door twee gedeeld kon worden.

Op dat moment wist ik dat ik bij de oplossing en de plek was aangekomen die was bedoeld.

Ik reed langzaam over het smalle, ongeplaveide pad, onder een bladerdak dat zo dichtbegroeid was dat het het maanlicht tegenhield. Na zo'n achthonderd meter liep het dood en kwam ik uit bij een klein, verwaarloosd huis. De bordeauxrode verf was bijna helemaal afgebladderd en toonde verweerde grijze planken. Boven de voordeur was een houten bordje gespijkerd dat eruitzag als iets wat een kind op school had gemaakt, waarop de naam prijkte: VILLA VIERA.

Het huis was donker en zou er verlaten uitgezien hebben als

Macs kleine auto er niet voor had gestaan, waarvan de witte blokjes bovenop oplichtten in het licht van mijn koplampen. Ik liet ze in de inktzwarte duisternis aan en stapte uit. Mijn bloed gonsde zo hard in mijn oren dat het even duurde voordat de heerlijke boslucht en het lawaai van krekels tot me doordrongen. Ik liep naar de zijkant van het huis om te zien wat daarachter was, en zag Christa's blauwe Nissan staan bij een bouwvallige schuur die kennelijk ook ooit bordeauxrood was geweest.

Ik liep terug naar de voorkant van het huis. Een deurklopper in de vorm van een hoefijzer piepte toen ik hem optilde en een, twee, drie keer liet vallen. Ik wachtte. Ik klopte nog drie keer. Nog steeds geen reactie. De deurknop bewoog, maar de deur ging niet open.

Droge bladeren kraakten onder mijn voeten toen ik naar achteren liep, buiten het licht van mijn koplampen de zware schaduw in die zich als een teerkleed uitspreidde over wat eruitzag als een groot stuk niets. En toen mijn ogen aan het maanlicht gewend waren, keek ik door een raam met een hor ervoor – en daar zag ik het.

Een silhouet, roerloos. Iemand zat daar in de keuken, in het huis, in het donker. Ik zag de logge vorm van een oud fornuis, en erboven drie planken vol potten met kruiden. Toen het zicht beter werd zag ik nog meer: een aanrecht met een leeg afdruiprek, een handdoek over de gebogen hals van een kraan, een oude koelkast, een deur die uitkwam op een overdekte veranda die achter het huis leek te zweven. Een man die doodstil aan een keukentafel zat. Mac? Als hij daarbinnen was, waarom reageerde hij dan niet?

Er leidden vier wankele treden naar de deur van de veranda. Ik probeerde de kruk: dicht. Maar ik hoorde aan het geluid dat het geen sterk slot was, en toen ik mijn creditcard ertussen liet glijden bleek dat ik gelijk had. De deur ging open en ik liep naar binnen.

Verrotte vloerdelen voelden sponzig onder mijn voeten, en hier en daar dreigden ze weg te zakken. Een picknicktafel was bespikkeld met zwarte schimmel. Een oude houten stoel stond tegen de muur en een lantaarn hing aan een haak, maar verder was er niets. De veranda wekte de indruk dat hij niet gebruikt werd, alsof Christa – want dit was duidelijk haar schuilplaats, vermoedelijk een vakantiehuis dat ze van haar biologische ouders had geërfd nadat die bij de brand in hun huis waren omgekomen – wachtte tot hij van het huis af zou vallen en er niet meer bij zou horen.

Er hing een gordijn voor de achterdeur, dus ik kon van daaraf niet in de keuken kijken. De deur zat op slot. Ik probeerde weer de truc met de creditcard, maar die werkte niet. Ik bibberde van de kou en pulkte aan de rottende deurlijst bij de kruk. Het zachte hout verbrokkelde in mijn handen en viel op de grond. Ik drukte een hoekje van mijn creditcard in het slotmechaniek totdat ik een zacht klikje hoorde. Ik haalde diep adem, blies lang uit en probeerde mijn hart tot bedaren te brengen. Toen duwde ik de deur open en betrad ik een donkere keuken waar de stilte te groot leek.

Degene die aan de tafel zat verroerde geen vin, zei niets, en ademde niet.

'Mac?'

Geen reactie, alleen een diepe stilte. Er hing een sterke notengeur in de lucht.

Ik zag een lichtschakelaar naast de deur en stak mijn hand ernaar uit. De armoedige keuken werd in een onwerkelijke sepiagloed gehuld.

Toen zag ik hem.

Zijn gezicht keek even verbaasd als het mijne eruit moet hebben gezien, maar dat van hem leek verstijfd, terwijl ik mijn aangezichtsspieren voelde bewegen als gevolg van allerlei gedachten en gevoelens van ongeloof. Zijn gezicht leek van klei, alsof iemand er een uitdrukking in had geboetseerd. Ik wist niet zeker of wat ik zag werkelijkheid was: Alan, zo onbewogen als een pop, met patiencekaarten voor zich uitgespreid op de keukentafel. Schoppenheer. Schoppenvrouw. Klavertwee. Net als het spel dat ik had gespeeld vlak voordat JPP me afgelopen voorjaar aan mijn eigen keukentafel in Brooklyn overviel. De kaarten en de dominostenen van die avond zouden voor altijd op mijn netvlies gebrand staan.

Ik merkte dat ik als in slow motion op hem toe liep; althans, ik dacht dat ik me voortbewoog. Het was ook mogelijk dat ik helemaal niet liep.

'Alan,' fluisterde ik, 'wat doe je hier?'

Het licht was uit zijn ogen verdwenen, witte vlekken kaatsten van zijn pupillen, die niet bewogen toen ik naar hem toe liep. Langzaam. Ik durfde niet sneller te gaan. Een onbepaald gevoel waarschuwde me dat er van alles kon gebeuren. Ik moest erop voorbereid zijn.

'Alan?'

Ik was nu dicht bij hem. De vloer kraakte onder mijn volgende stap. Hij verschoof een klein stukje, alsof hij eindelijk van plan was op te staan en me te begroeten. Opluchting golfde door me heen, maar slechts heel kort.

Er verscheen nu iets donkers in zijn rechtermondhoek, dat bewoog in de richting waarin zijn lichaam was verschoven. Het droop langs zijn kin omlaag.

Ik trok mijn voet weg van de oneffenheid in de vloer, maar zijn lichaam kwam niet terug op zijn plaats en het bloed stroomde niet terug in zijn lichaam.

Als hij zo stijf was, moest hij op zijn minst drie uur dood zijn en op zijn hoogst drie dagen. Ik had hem voor het laatst zestien uur geleden gezien, die ochtend rond zonsopgang, toen hij naar huis ging om te slapen. Mac was rond een uur bij mijn ouders langsgegaan. Was hij daarna naar Alans huis gegaan? Had hij hem wakker aangetroffen? Gevraagd of hij meeging?

Drie stappen naar links zag ik dat hij in een plas bloed zat. Er waren geen zichtbare verwondingen, geen scheuren in zijn kleren, geen plaats waar hij gewond leek; het was alsof hij uit zijn natuurlijke lichaamsopeningen bloedde.

Het bloed leek in mijn aderen te stollen toen ik naar Alans lichaam keek dat daar overeind werd gehouden, en mijn spieren voelden net zo verstijfd als hij eruitzag. Ik herkende het gevoel van verlamming dat we wekenlang op de politieacademie hadden leren overwinnen. We leerden onze hersenen ons lichaam op te dragen te functioneren ondanks de doodsangst die ons in zijn greep hield. Dit was de angst die je deed verstijven wanneer er een auto op je af kwam. Die je verlamde wanneer er midden in de nacht een onbekende in je huis verscheen. Die je beklemde wanneer je een kind midden op straat achter een bal aan zag rennen. Ik deed een stap naar voren, mijn angst tegemoet. Nog een stap, ondanks mijn instinct dat me iets anders ingaf. En nog een.

Ik hurkte neer naast Alans voeten: zwarte gympen, die er tamelijk nieuw uitzagen. We hadden geleerd je wapen op je rechterenkel te dragen als je rechtshandig was, en op de linkerenkel als je links was. Ik herinnerde me Alans handelingen met de computermuis toen hij ons de vorige avond allerlei informatie op verschillende sites liet zien. Trillend tilde ik zijn rechterbroekspijp op: zijn holster was leeg.

Ik stond op. Dwong mezelf adem te halen. Ik voelde zuurstof in mijn longen komen. Ik voelde mijn bloed weer stromen. Ik stapte naar achteren en keek naar het omhulsel dat Alan was geweest. Ik dacht aan Lizzie Stoppard, die op een soortgelijke onnaspeurbare manier was vermoord.

Ik dacht aan Mac.

En aan Susanna.

Als die hier ook waren, moest ik hen vinden. Ook als ze al dood waren. Ook al zou het me mijn leven kosten.

Door een open deur kon ik vanuit de keuken in een badkamer kijken. Ik vermande me en duwde de deur helemaal open. Een gehavende witte wastafel. Een oude wc-pot. Een roestige douchecabine, met druppels aan de binnenkant – onlangs gebruikt.

Tussen de keuken en een zitkamer was een halletje waar twee deuren op uitkwamen. De eerste stond op een kier en liet duisternis zien; toen ik hem verder openduwde kwam me een koude, onaangename luchtstroom tegemoet: een kelder. Achter de tweede deur bevond zich een proviandkast met planken vol blikken en dozen met houdbare producten, en op de vloer pakken toiletpapier, keukenpapier, tissues. Vanuit het halletje liep ik de zitkamer in en zag onmiddellijk dat daar niemand was: een kale ruimte, met nauwelijks meubelen en geen plek om je te verstoppen. Tegenover de voordeur, aan de andere kant van een kleine overloop, was een trap naar boven.

Ik stond onder aan de trap, haalde mijn mobieltje tevoorschijn en toetste de sneltoets voor Mac in, in de hoop dat zijn beltoon me zou vertellen welke kant ik op moest: naar boven of naar beneden, de kelder in. Na vijf keer overgaan ging het toestel automatisch over op de voicemail. Ik drukte op 'opnieuw kiezen' en liep terug door de woonkamer. Voor de deur van de kelder bleef ik staan. En daar hoorde ik het gedempte geluid van een ouderwetse telefoonrinkel. Nog vijf keer ging hij over en toen stopte het weer.

Ik stapte boven aan de keldertrap op een kleine overloop en keek beneden in de gapende donkerte, drukte nogmaals op 'opnieuw kiezen' en daar begon het gerinkel voor de derde keer... De ouderwetse bel klonk nu dichterbij, harder, dringender...

20

Ik liet de kelderdeur achter me open.

Ik liep de eerste tree af. De tweede. De derde. Ik bleef staan luisteren toen ik beneden iets hoorde.

'Mac!' Mijn stem klonk gedempt, alsof de kelder geïsoleerd was. Ik haalde diep adem en slikte. Weer zei ik: 'Mac, ben jij daarbeneden?'

Geen reactie.

Halverwege zag ik een aantal rode rubberballen, waar kinderen mee kaatsen, in de muur naast de trap geschroefd. Vijf ballen, afnemend in grootte. Als een gezin: van groot naar klein, op een rij. In het donker kon ik nog net zien dat op elke bal een gezichtje getekend was. Alleen was het op een na kleinste gezicht opvallend, met haren erop getekend, oorhangers, een glimlach. Ik herinnerde me dat Christa het middelste kind was geweest – van het gezin dat was omgekomen bij een brand – en toen ik die ballen zag, met al die uitdrukkingloze gezichtjes, behalve het ene dat haar moest voorstellen, toen ik dat bizarre beeld van het gezin zag, wist ik gewoon dat zij hen had vermoord.

Na de onderste tree stapte ik op een zachte vloerbedekking die naar schimmel rook. Het was hier stikdonker, en het enige beetje licht was afkomstig van de maan die langs de luiken voor een hoog raam aan de andere kant naar binnen scheen. Ik bleef staan en blies de ijskoude angst weg die het beetje vertrouwen waar ik me aan had vastgehouden bedreigde, terwijl ik hoopte dat mijn ogen snel aan het donker zouden wennen.

Weer een geluid: er schraapte heel even iets tegen een hard oppervlak, ergens in het midden van de kelder.

'Hallo?' zei ik. Zonder te weten tegen wie ik het had. Ik dacht niet dat het Mac was.

En toen ging er licht aan en daar stond Christa Maxtor, tegen de muur tegenover me, met haar vinger op de schakelaar. Een tl-buis verlichtte de kelder schaars, maar met een meedogenloze helderheid.

De vloer, de muren, het plafond – allemaal bedekt met lapjes tapijtresten. Tegen drie muren stonden boekenkasten vol speelgoed en spelletjes: alle denkbare soorten netjes opgestapeld op planken, voorzien van etiketten. In een kast stonden vrachtwagentjes, autootjes, treintjes en nog een stel andere voertuigen. In een andere stonden bordspellen. In weer een andere poppen. Er was er een met ingewikkelde bouwwerken van blokken. En een met actiefiguurtjes in strijdtaferelen. Op een klein bureau vol verfspatten stond een laptop met een screensaver in de vorm van een zwevende driedimensionale dubbelspiraal. Aan de enige lege muur was een flatscreen-tv gemonteerd; op lange planken eronder stonden stapels videogames. Tegenover de tv stonden twee oude fauteuils in een harmonieuze hoekopstelling die wellicht door een feng shui-expert zou worden voorgeschreven. Het was hier beneden een kinderparadijs. Maar vochtig. Hard. Griezelig.

Toen trok iets anders, rechts van de televisie, mijn aandacht: een zelfgemaakt affiche van een theaterproductie in de gevangenis van New Jersey, met een uitvergrote foto van een lachende Christa, omringd door gevangenisacteurs, van wie er een onze Martin, haar Neil, was. Zo te zien was zij de leider van de groep – lerares, regisseur – die drama in het leven van de gevangenen bracht, alsof dat nog niet dramatisch genoeg was. Had ze JPP misschien op die manier helpen ontsnappen? Had ze net als haar moeder een handig netwerk opgebouwd onder het mom van liefdadigheid?

'Welkom,' zei Christa zonder ironie. Als een gastvrouw die toekijkt hoe alles zich ontvouwt zoals zij heeft bedacht. Maar zonder de glimlach.

Ik had het gevoel dat ik zou stikken. Ik haalde adem. En nog eens. En nog eens. En opnieuw.

'Alsjeblieft.' Ze gebaarde naar een kaarttafeltje in het midden van de kelder. Twee stoelen stonden tegenover elkaar aan de tafel waarop Macs mobieltje nog lag te rinkelen, een stel dominostenen dat netjes opgestapeld was, Alans .40 Glock op een eetbord, een kaars die niet brandde, een doosje lucifers, en een injectiespuit, half gevuld met een lichtblauwe vloeistof.

Waterstofcyanide.

Dat zou de amandelgeur verklaren die ik had geroken toen ik de keuken binnen kwam; en het zou verklaren waarom Lizzie Stoppard – en Alan – er zo kalm uitzagen na hun overlijden. Maar er was niets kalms aan dood door cyanide; het werkte snel doordat het het hart verlamde. Als ik het me goed herinnerde, had je niet langer dan een halfuur de tijd om een antigif, dicobalt edetaat, toe te dienen voordat cyanide iemand noodlottig werd.

Toen ik naar Christa's omgeving keek, wist ik het. Het gezin van vijf mensen. Omgekomen door een brand. Een verweesd kind. Een mentor. Er waren geen toevalligheden in dit spel. Had Nancy Maxtor deze kinderen opgeleid om te moorden? Een rilling ging door me heen, en er was nog iets wat ik zeker wist: zij was hier ook. Misschien boven op de tweede verdieping – de enige plek waar ik niet had gekeken. Iemand met zo'n verborgen agenda bleef in de buurt voor de finale.

'Waar is Susanna?' vroeg ik, tegen beter weten in hopend dat Christa zo gek zou zijn om dat te vertellen.

'Ach ja, Susanna – een schatje.' Maar meer zei ze niet.

Ze liep de kelder door, ging zitten en wachtte tot ik ook plaatsnam. In de gloed van het licht leek haar huid grauw en de schaduwen vormden donkere plekken op haar gezicht. Haar onbewogenheid maakte me bang voor wat daaronder verscholen lag: onberekenbaarheid. Ze had een plan. Er dreigde iets.

Elke stap die ik in haar richting zette, kwam voort uit een heldhaftige zelfovertuiging waarbij mijn hersenen de signalen van mijn lichaam negeerden. *Pak dat pistool*, zeiden mijn armen. *Grijp het. Richt. Schiet. Nu.* Maar mijn brein gaf geen gehoor aan die impuls en zei: *Denk als zij.* Alles wat op de tafel lag, bevatte een boodschap. De moord op Alan was een boodschap. En nu nodigde ze mij uit om samen te spelen. Er waren twee dingen waarvan ik niet zeker was: in hoeverre mijn bereidheid mee te spelen eventueel het resultaat zou beïnvloeden; en of er snel genoeg hulp zou komen voordat ik de kans kreeg om erachter te komen.

Ik kwam bij de tafel. Ik deed mijn best niet al te erg te trillen terwijl ik tegenover haar ging zitten. Macs telefoon hield op met bellen en ik keek er iets te snel naar, alsof die me iets belangrijks kon vertellen. Maar het feit dat Mac hem niet bij zich droeg zei genoeg.

'Hou je van hem?' vroeg ze.

Haar ogen waren turkooisblauw. Dat had ik gisteren niet gezien. Ze waren bijna even donker als marineblauw, maar met meer groen erin. Ze bleef me aankijken terwijl ik nadacht over mijn antwoord. Wat zou in haar verwrongen geest het best passen?

'Ja.' *En de waarheid zal je bevrijden*; maar toen ik in haar ogen keek, kon ik niet zien of dat aforisme in dit geval werkte. Dus nam ik een risico: 'Jij?'

Haar mondhoeken gingen omhoog, als vleugels die opstegen, en daar was die verblindende glimlach. 'Je bedoelt niet hém.' Ze keek naar Macs telefoon.

Ik schudde mijn hoofd. 'Neil.'

'Toen we klein waren was hij wel een beetje verliefd op me. Ik zag hem niet echt staan totdat… Nou, laten we gewoon zeggen dat hij wilde bewijzen dat hij net zo kon zijn als ik. Een goede indruk maken, weet je wel, zoals ze dan proberen.' Ze haalde haar schouders op en schudde de herinnering aan haar gretige jonge vrijer van zich af.

'Lukte hem dat?'

'Wat denk je?' Ze glimlachte, alsof Neils wrede misdaden hun bedoeling duidelijk maakten. Ik werd licht in mijn hoofd. Vertelde ze me nu dat hij haar voorbeeld had gevolgd? Door zijn ouders te vermoorden, zoals zij de hare? Door te blijven moorden?

Een huivering trok over haar gezicht toen ze zei: 'Wie noemde liefde ook weer de onbekende wateren?'

Ik schudde mijn hoofd, ik had geen idee waar ze het over had.

'Het idee was het spel uit te spelen, aangezien hij dat niet kan doen.' Haar trekken verhardden, het maakte haar kennelijk kwaad dat hij nu door zijn opsluiting buiten haar bereik was.

'Maar ik merkte dat ik het niet leuk vond om het alleen te spelen. Eenzaamheid is... nou ja, mijn moeder hield van me, daaraan heb ik nooit getwijfeld.'

In een poging haar dwaalwegen te volgen en me afvragend welke moeder ze bedoelde vroeg ik: 'Doet ze dat nu dan niet?'

'Nancy? Ik bedoelde mijn eerste moeder.'

Het was moeilijk om niet de voor de hand liggende vraag te stellen: *Waarom heb je haar en de rest van je eigen familie dan vermoord, idioot?* Maar ik moest dit zien te overleven, dus hield ik me in.

'Is je tweede moeder, Nancy, hier?' vroeg ik. 'Is Susanna hier? En Mac?'

'Als je antwoorden wilt, moet je die verdienen. Je weet waarschijnlijk wel hoe je domino moet spelen. Het is een van de simpelste spelletjes.'

'Ik kan het leren.'

Haar hand ging ineens naar de dominostenen, zodat het keurige rijtje met veel lawaai omkletterde. Met beide handen schoof ze de stenen door elkaar heen.

'Pak zeven stenen,' zei ze.

Dat deed ik.

Ze pakte er zelf ook zeven. 'De rest blijft op het knekelveld.'

Ik wierp haar een snelle blik toe toen ze dat zei. *Knekelveld.*

'Heb je dit nog nóóit gespeeld?' zei ze.

'Niet deze versie.'

Ze keek me even aan. Ze wist welke versie ik bedoelde. Maar ze liet het passeren.

'We beginnen.'

Ik volgde haar voorbeeld en legde gelijke cijfers aan. Intussen luisterde ik of ik boven iets hoorde. Ik wist niet meer hoeveel tijd er was verstreken sinds Gerry Mober had gezegd dat hij de politie van Hackettstown zou waarschuwen. Vijf minuten. Tien minuten. Een halfuur. Een uur. Mijn maag kneep van paniek samen, waarschuwde dat de mogelijkheden afnamen. Ik dwong mezelf rustig te blijven. Concentratie. Spelen.

'Degene met de lichtste hand wint.' Ze legde een dominosteen horizontaal tegen mijn laatste steen, twee maal vier tegen mijn vier. 'Dit is een kinderspelletje, om op te warmen. Hierna spelen we Blind Hughie, ook een gemakkelijk spel. Daarna zien we of je klaar bent voor Sniff – ons favoriete spel.'

Ik aarzelde, maar haar opmerking lokte een vraag uit. 'Wiens favoriet?'

'Van Neil en mij, als je het wilt weten. Maar aangezien hij hier niet is...' Een glimlach gleed over haar gezicht en toonde een wraakzucht die ik niet voor mogelijk had gehouden. Pure kwaadaardigheid. Alsof ze niets menselijks had.

Ze had nog twee stenen over. Ik had er zes, doordat ik vaak van het knekelveld had moeten pakken. Ik nam aan dat ze met 'lichtste hand' bedoelde dat de winnaar degene was met de laagste totaalscore van de stenen die hij overhad. Wat inhield dat Christa de winnaar was als ze nu geen stenen meer hoefde te pakken. Het leek me een risico dat ik niet kon nemen.

Boven: blijvende stilte.

En Macs telefoon bracht geen redding meer.

Ik mocht haar niet laten winnen. Op dat moment was dat het enige wat ik zeker wist. Mijn intuïtie gaf me ineens moed.

Ik greep naar het pistool.

Ik greep ernaar, zonder te weten of het was geladen en of het niet zo was gesaboteerd dat het in mijn hand zou exploderen. Zonder iets te weten. Ik greep er gewoon naar. En tijdens die greep stootte ik de injectienaald van de tafel en zag hem op de grond rollen, waar hij blauwige rook lekte.

Ik pakte Alans pistool, zwaar als een baksteen, en tartte de zwaartekracht.

Ik schopte mijn stoel omver toen ik me omdraaide om mijn evenwicht te hervinden.

Met een been iets naar achteren zette ik me schrap. Armen kruiselings voor me. Mijn linkerhand ondersteunde de rechter – mijn schiethand. Mijn blik op het doelwit.

'Ik maak je dood,' zei ik. 'Ik maak je dood.' Iets in mijn hersenen haperde, zoals een naald blijft steken op een plaat. 'Als je een vin verroert, maak ik je dood.'

'Ik doe niets.' Ze bleef stil zitten en staarde me aan. Schijnbaar onbevreesd voor mij of het pistool of het vooruitzicht van haar eigen dood. En ondanks mijn aankondiging deed ik niets.

'Leg het uit,' zei ik, toegevend aan de pijn die me het afgelopen jaar had beheerst. 'Leg me precies uit waaróm.'

'Dat zal ik doen.' Haar stem, bedaard. 'Ik zal het je uitleggen.'

En toen stootte ze de tafel met een klap tegen mijn arm, waardoor het pistool uit mijn hand viel. Ik hoorde het tegen iets hards aan komen.

Ik duwde de tafel weg en zag dat ze naar het pistool kroop. Ik sprong overeind en dook op haar af. Ik sprong op haar rug toen haar hand de zijkant van de hoge boekenkast vol actiefiguurtjes greep, die wankelde maar niet omviel toen we ertegenaan vielen. Het pistool was met de kolf omhoog tegen de muur gevallen, vlak naast de boekenkast.

Ik zag haar hand naar de zwarte greep van de Glock gaan. Ik zag dat haar vingers eromheen gleden. Hoe ze het vastgrepen. Allemaal in een vreemde, vertraagde beweging… alsof de laatste ogenblikken van mijn leven me stuk voor stuk werden aangereikt, zodat ik mijn einde tot in detail zou meemaken. Ik zag mijn hand omlaag gaan en op de hare terechtkomen. Ik voelde dat ik haar vingers in het metaal drukte. Ik voelde de trekker bewegen. Ik zette me alvast schrap voor de luchtdruk waardoor stukjes tapijt van het plafond op ons zouden vallen.

Op het moment dat ze ineenkromp, overmande ik haar. Ik trok met mijn ene hand het pistool los en greep het vast in de andere. Mijn vingers groeven zo diep in een stukje oranje tapijt dat de rand ervan losliet en omklapte, waarna twee lange rails in het beton zichtbaar werden.

Kronkelend onder me wist ze me met verbazingwekkende kracht van zich af te stoten, en ze dook zo snel op me af dat ik geen tijd had om het pistool te richten. Ik trok mijn rechterbeen in, haalde uit en schopte recht in haar gezicht. Ik voelde de pleisters die Mac zo liefdevol op de zool van mijn voet had geplakt losgaan; ik voelde mijn wond openscheuren.

Ze viel op haar rug en de wond op haar jukbeen leek haar even uit te schakelen... waardoor ik de kans kreeg om dichterbij te komen, met mijn bonzende voet uit te halen boven haar gezicht en haar met mijn hak een flinke trap op haar neus te geven.

Ik sprong op. Stond boven haar. Richtte het pistool op haar hart. 'Wil je nog meer? Want dat doe ik. Ik dóé het.'

'Nee!' Het bloed stroomde uit haar neus, en haar stem beefde. 'Niet doen! Ze heeft me nodig.'

'Ik denk dat Nancy wel zonder jou kan.'

'Susanna.'

Ze keek steels naar de boekenkast met de opgeplakte figuurtjes, en toen wist ik het. De rails. De stukken tapijt die gemakkelijk weg te halen waren.

Susanna zat achter die boekenkast.

'Ik zal hem meteen openmaken, als je niet schiet,' smeekte ze, 'Alsjeblieft. Je hebt de combinatie nodig.'

'De combinatie.' Ik moest blijven ademen. Mezelf dwingen om langzaam na te denken. 'Welke combinatie?'

'Als je mij vermoordt, zal Neil je die nooit vertellen.'

'Dan hoor ik het wel van Nancy. Ik zal haar vinden...'

'Ga het haar dan maar vragen.' Die griezelige, zelfverzekerde glimlach verscheen weer op haar bebloede gezicht: pure dreiging.

'Waar is ze? Waar is Nancy?'

'Blauw. Eén opzij. Nul omhoog.'

Mijn blik volgde de hare naar een rechthoekig stuk tapijt, bijna onder mijn voeten. Met zwoegende adem deed ik een stap opzij, hurkte neer en hield het pistool op haar gericht. Ik trok het blauwe stuk tapijt weg en zag een valse vloer: lange planken, aan elkaar gebonden, en een leren lus als greep. Ik trok eraan. Het houten luik was zwaar. Ik trok harder tot het eindelijk meegaf en met stroeve scharnieren openzwaaide. Mijn ogen gingen snel van links naar rechts, van het graf in de vloer naar Christa, terwijl ze naar me keek met de bizarre voldoening van een voyeur.

'Ga verder,' zei ze. 'Het bijt niet.'

Na nog een blik zag ik het: een knekelveld. Nancy's gouden kruisje aan een ketting rond de wervels die ooit haar nek vormden. Een streng bruin-grijs haar als uitgespreid hooi onder haar schedel. Rottende kledingresten. De uit elkaar gevallen puzzel van wat duidelijk haar skelet was.

Misselijkheid overviel me. Misselijkheid en ongeloof toen tot me doordrong wat ik zag. Hier was ze, Nancy Maxtor, de vrouw naar wie Mac en Alan en ik op zoek waren geweest. Dood en begraven, al jaren, zo te zien. Hoelang hadden ze gewacht nadat ze een nieuwe identiteit had betaald voor Neil Tanner, zijn tweede kans, voordat ze haar ombrachten om achter hun eigen plannen aan te gaan – en haar geld? Hoe hadden ze haar verdwijning zo lang verborgen weten te houden? Vragen schoten door mijn hoofd, zonder resultaat; antwoorden deden er op dit moment niet toe.

Ik knielde neer en greep Christa's arm. Ik hees haar overeind. Tranen stroomden over haar gewonde gezicht, maar ik wist zeker dat die niet van de pijn waren. Van frustratie misschien. Vernedering. Woede. Maar geen pijn... Want ze was niet menselijk genoeg om een hulpeloos gevoel als pijn te ervaren. Haar lichaam werkte anders. Ze had de geest van een onmens.

'Geen spelletjes meer.' Ik richtte het wapen op haar.

Ze staarde me aan. Voor haar was het een spel, met deelnemers, winnaars, verliezers, statistieken. Lijken in knekelvelden, als onderpand voor wat er in de toekomst kon gebeuren.

'Laat me gaan zitten,' zei ze.

'Is Susanna achter die boekenkast?'

Ze knikte.

'Leeft ze nog?'

Ze sloeg haar blauwgroene ogen smekend naar me op. 'Alsjeblieft,' zei ze, 'ik ben duizelig, ik moet zitten.'

Ik deed een stap naar haar toe en vroeg dreigend: 'Leeft ze nog?'

'Dat weet ik niet.'

'Doe open.' Ik drukte de loop van het pistool tegen haar slaap. 'Doe open. Doe open. Doe open.'

Ik hield het pistool tegen haar hoofd terwijl ze drie stukken tapijt naast de boekenkast lostrok, waarna een dubbele rail van een meter lengte in de betonnen vloer zichtbaar werd. Ik hield het pistool tegen haar hoofd toen ze beide handen tegen de rechterbinnenkant van de boekenkast zette en duwde. Hij schoof over de rail tot een valse wand zichtbaar werd – en een deur. Vijftien centimeter boven de knop zat een toetsenpaneel: vijf rijen van elk vijf cijfers. Het combinatieslot waarvan alleen JPP – Christa en Neil – de code kende.

'Doe open,' zei ik. 'Nú. Anders begraaf ik je hier levend, bij haar.'

'Ik wil een ruil met je doen.'

'Niks ruil. Toets de code in.'

'Ik wilde niemand pijn doen. Het was zijn idee.'

De vlakke toon waarop ze sprak, de manier waarop haar woorden naar buiten kwamen maakte me duidelijk dat ze er niets van meende. Het kon haar niets schelen of er iemand had geleden. Het kon haar niets schelen dat mijn eigen kind, mijn eigen man omgekomen waren door toedoen van haar medeplichtige. Vanwege een of ander spel. En ik geloofde niet dat Neil dit allemaal in zijn eentje had bekokstoofd.

'Toets de code in.' Ik drukte het pistool nog harder tegen haar slaap.

Haar nagels waren onberispelijk verzorgd, zag ik toen ze een hand naar het toetsenpaneel bracht. Korte, rond gevijlde nagels met een perfect half maantje op elke vinger. Haar nagelriemen, keurig bijgehouden. Dit waren handen die zich niet vuilmaakten. Toen ik ernaar keek wíst ik wie het initiatief had genomen voor elke genadeloze dood. Om te beginnen die van haar familie. En ten slotte die van mij.

Vijf toetsen. Vijf rijen.

Drie.

Zeven.

Nul.

Zes.

Acht.

De magische cijfers.

Het paneel liet drie piepjes horen. En toen een klik.

'Goed,' zei ze. 'Hij is open, dus...'

Probeerde ze het nu echt weer op een akkoordje te gooien?

Vanuit mijn binnenste brak een onhoudbare woede los. Blinde woede, die door zijn bescherming heen brak. Die elke emotionele blokkade die ik de afgelopen paar maanden zo zorgvuldig had opgebouwd omverwierp. Zo'n enorme woede dat ik de woorden van Joyce in mijn hoofd hoorde, opgeroepen door mijn wankele bewustzijn om mijn vinger van de trekker te halen.

Niet doen, de prijs is te hoog.

Met wraak krijg je je gezin niet terug.

Geweld kan verdriet niet opheffen.

Argumenten om me op de toekomst te richten terwijl ik me aan mijn verleden wilde blijven vasthouden.

In gedachten hoorde ik Mac smeken: 'Karin, niet doen,' toen ik de eerste keer de kans kreeg om Martin Price te vermoorden in het herentoilet van het congrescentrum.

Ik hoorde Price smeken: 'Niet doen, alsjeblieft.' Omdat hij aan het leven vast wilde houden.

Op dat moment had ik zijn menselijkheid erkend. Ik was van gedachten veranderd en liet hem leven. En wat had dat ons gebracht? Dat het gezin van mijn broer geterroriseerd werd, Alan dood, en Susanna... en Mac...

Ik moest uit alle macht de neiging tot wraakneming bedwingen. Dat was niet de reden waarom ik hierheen was gekomen. En het was waar: het zou niets oplossen.

Ik trok de deur open en zag een smalle, donkere kamer, met een onevenredig hoog plafond. Er stond een ledikant met een verschoven laken dat een dun, gevlekt matras onthulde. Een toilet dat een doordringende stank verspreidde. Een metalen plank met een rommelig arsenaal van seksspeeltjes, handboeien, ketenen. En een muur die volgeplakt was met allerlei foto's: documentatie van plaatsen delict; gezichten die ik herkende, mensen van wie ik hield.

Ik keek meteen of ik Susanna zag. Iets van haar. Zelfs in deze afschuwelijke, nachtmerrieachtige ruimte... *Laat me haar alsjeblieft vinden.*

In de hoek van de kamer: touwen. De dubbele koorden van een katrol.

Hoog tegen het plafond was een hangmat die in het midden doorzakte. Er glom iets in het donker.

Onder de hangmat leek zich een plas te verspreiden.

Een druppel viel in de plas. En nog een. En weer een.

Ik tastte naar een lichtknop en vond er een naast de deur.

Ik was bang voor wat ik te zien zou krijgen bij lamplicht.

Languit in de hangmat – die, zo zag ik nu, vol metalen pinnen zat, als scherpe tanden – lag Mac, met zijn ogen wijd open, zijn armen gestrekt, doodstil, en hij bloedde. Zijn kleren waren te doorweekt om vanaf de plek waar ik stond te kunnen zien waar hij precies gewond was.

Er was geen tijd om te begrijpen wat hem was overkomen voordat het donker ons beiden begon op te slokken, toen de deur tegen mijn rug aan viel – en dreigde me in te sluiten.

'Nee!'

Met alle kracht die ik in me had duwde ik een elleboog in de smalle opening. Ik zou dit niet laten gebeuren. Het gezicht, dat steeds kleiner werd, drukte grote onrust uit toen ik haar furieuze vastberadenheid evenaarde. Op een of andere manier wist ik het pistool voor me te richten. En op de een of andere manier…

Ik hoorde mijn eigen gebrul niet. Ik voelde niet dat ik de trekker overhaalde. Het geluid van het schot drong niet tot me door. Ik hoorde haar niet schreeuwen. Ik zag haar niet vallen, begreep niet dat het bloed dat uit haar hoofd stroomde bewees dat ik haar zojuist had vermoord.

Het enige waar ik me van bewust was, was Macs aanwezigheid – daarboven, alsof hij vloog, bloedend, nog steeds een schim en, daarvan was ik overtuigd: dood – en de brandende noodzaak om Susanna te vinden.

21

Ik vloog de twee trappen op naar boven.

Buiten hoorde ik auto's aankomen. Parkeren. Portieren die dichtgeslagen werden. Stemmen.

De tweede verdieping van het huis bestond uit een overloop in de vorm van een halve ruit en twee deuren, allebei dicht. Ik deed de linkerdeur open, tastte naar een schakelaar, en in het plotselinge licht danste het stof voor mijn ogen. Een tweepersoonsbed met een patchwork sprei die netjes tot aan de twee kussens was opgetrokken, waarvan een eruitzag alsof het pas nog was beslapen. Een blauwe damesochtendjas lag op het voeteneind. Een haarborstel, een mobieltje en een zwart adresboekje lagen op een toiletkast met een verweerde spiegel. De ouderslaapkamer.

Ik liep terug de gang in en opende de deur van de andere slaapkamer. Op het verschoten gele behang na zag de kamer eruit alsof hij pas was ingericht. Een boekenkast vol prentenboeken. Kleurige knuffelbeesten in een mand in de hoek. Een poppenwagen met daarin een meisjespop in een roze jurk met kantjes. Een kast zonder deur met een hoge stang waar jurkjes aan hingen – Susanna's groen met paarse feestjurk hing ertussen. Op de bodem van de kast stonden een paar kleine gympen en schoentjes. Een stapelbed tegen de ene muur en een tweepersoonsbed tegen de andere… en in het eenpersoonsbed zag ik, onder een gebloemde sprei, een kleine, bewegingloze gestalte.

Beneden waren mannen. Ze praatten op indringende toon.

Kleine vingers lagen over de rand van de sprei. Met trillende handen trok ik die weg, en daar lag ze.

Susanna. Doodstil. Met haar ogen wijd open.

Voetstappen klonken overal: ze renden de kelder in, ze renden de trap op.

Ik probeerde haar gezicht zachtjes aan te raken om te zien hoe ze eraan toe was. Maar mijn handen trilden onbedwingbaar en ik durfde het niet. Ik was zo bang, zo van streek, ik wist niet of ze leefde of…

Toen gleed er een handje op mijn arm en doorstraalde me met warmte, kalmeerde me met het besef dat ik haar had gevonden, dat ze leefde.

'Tante Karin,' fluisterde ze, 'ik ben het, SusieQ.'

22

Twee jaar later

Ze zeiden dat ik in shock was toen ze me in de kinderkamer van Villa Viera aantroffen, trillend, met Susanna stevig in mijn armen. Beneden lagen mensen dood in wat volgens het politierapport 'de gruwelkamer' werd genoemd, en er lag een pistool op de grond. Het tafereel sprak voor zich.

Ik klapte het boek dicht dat ik tegen mijn dikke buik had gezet en legde het op de handdoek op het strand naast mijn stoel. Ik draaide de verlovingsring om, waarvan de briljant steeds naar binnen gleed waardoor hij, samen met mijn trouwring, op een dubbele gouden ring leek. Ik bracht een hand naar mijn ogen om ze te beschermen tegen de felle zon. Ik wist niet hoelang ik hier al op het strand zat en probeerde steeds weer dezelfde bladzijde te lezen, terwijl ik me overgaf aan herinneringen aan een gebeurtenis van lang geleden, of van gisteren, al naar gelang mijn zenuwgestel eraan toe was wanneer de beelden me voor de geest kwamen.

Het probleem bij de studie forensische psychologie was dat je, wanneer je over psychopathische criminelen las, je eigen referentiekader erop toepaste. Ik had er legio. Het dubbele gezicht van

JPP maakte me niet meer bang – Christa Maxtor was door mijn eigen hand gedood, en Neil Tanner, oftewel Martin Price, was door een medegevangene vermoord om een half stokbrood – en toch bleven ze in mijn fantasie aanwezig, vlak naast Jackson en Cece. Toen ik uiteindelijk het besluit had genomen om weer te gaan studeren, waren zij mijn natuurlijke gidsen die me naar een onderwerp loodsten waarvan ik vond dat ik het moest begrijpen, maar wat me waarschijnlijk nooit zou lukken.

Het onderzoeksteam had de details van de misdaden verzameld en het dossier gesloten. Dat bevatte nu volop documentatie die een licht wierp op de vraag hoe JPP en zijn partner, en ook hoelang – acht jaar – vragen over Nancy Maxtors verdwijning hadden weten te ontwijken. Uiteindelijk hadden ze de moord op haar slim verborgen weten te houden door net te doen alsof ze steeds op reis was voor haar liefdadige werk. Christa had zich soms zelfs voorgedaan als haar adoptiemoeder door een overzeese vliegreis te maken, een tijdje weg te blijven en weer terug te komen. Net als Nancy werkte ze met tussenpozen als lerares – hoewel Christa's specialiteit toneel was, niet wiskunde – met een rooster dat haar genoeg ruimte liet voor andere bezigheden. Ze gaf naschoolse lessen, werkte in zomerkampen, als vrijwillig docent in een gevangenis. Christa's andere expertise bleek moorden te zijn – en ze had een heel goede protegé in Neil.

Maar de ultieme vraag bleef onbeantwoord: waarom hadden ze het gedaan? Er waren duizend redenen aan te voeren, en niet één. Dit soort gestoord gedrag was van mensen uit een andere wereld.

Tijdens de vier dagen van onze huwelijksreis had ik vele stranden leren kennen hier op Sifnos, het Griekse eiland dat volgens Jon en Andrea 'de hemel' moest zijn – en het ook was. De reis was kostbaar, maar we hadden besloten die te maken voordat de baby kwam. Vlak voordat we onze woning in New York verlieten waren we te weten gekomen dat het een jongetje zou worden. Ik had mijn besluit nog niet meegedeeld, maar ik zou hem Seamus Cian Benjamin noemen, naar een geweldige man.

Ik stond op en stak mijn armen omhoog naar de verblindende zon. Ondanks al het insmeren was mijn huid rood geworden. De droge lucht was aangenaam, maar we hadden gemerkt dat hij de extreem hoge temperaturen kon maskeren. Rond het middaguur spraken we dan ook af op een schaduwrijk terras voor de lunch, voordat we weer naar onze kamer gingen voor een middagslaapje.

Waar was hij? Ik hunkerde ernaar mijn badpak uit te kunnen trekken en mijn huid koelte te verschaffen in zee. Ik wilde liever niet dat hij mijn stoel leeg zou aantreffen, maar ik was het wachten zat.

Ik liet mijn spullen liggen en liep naar het andere eind van het strand, waar een stel rotsen natuurlijke bescherming bood. Aan de andere kant was een klein strand, omringd door de rotsen aan de ene kant en door bomen aan de andere. Ik was hier alleen, maar ook al was dat niet het geval geweest, het deed er niet toe: het was een van de naaktstrandjes van het eiland. Ik schoof de bandjes van mijn badpak omlaag, stak mijn ene arm eruit, toen de andere, en stroopte het zwarte spandex omlaag over mijn verhitte huid. Ik liet het badpak op het strand liggen en liep snel naar het natte zand, waar mijn voetzolen onmiddellijk verkoeling vonden. Daar bleef ik even staan om naar de horizon te kijken: een flintertje land, als een penseelstreek, dat overging in de wolkeloze blauwe hemel.

Ik schrok op toen ik een hand op mijn schouder voelde.

'Stil maar, ik ben het.'

Natuurlijk. Ik legde mijn hand op de zijne en onze splinternieuwe trouwringen tinkelden tegen elkaar aan. 'Is het niet prachtig?'

'Schitterend.'

Hij kuste me in mijn nek en ik draaide me om. Zijn huid was diepbruin gebronsd; donkerbruine ogen in een roodbruin gezicht. Ik kuste hem.

'Kleed je uit,' zei ik.

Hij glimlachte. 'Ik ben geen exhibitionist.'

'We zijn nu getrouwd. Ik wil je zien.'

Al meer dan een jaar hield hij zijn wonden voor me verborgen, bang dat ik hem niet begerenswaardig zou vinden als ik het gaatjesbord zou zien dat Christa Maxtor van hem had gemaakt met haar hangmat met pinnen. Sindsdien had hij nooit zijn onderhemd uitgetrokken waar ik bij was, zelfs niet als we vreeën; maar mijn vingertoppen hadden de kaart van zijn lichaam gelezen. Ik wist dat zijn littekens talrijk waren, dat zijn ooit zo gladde huid veranderd was in een constellatie van blijvende herinneringen.

'Het zal niet makkelijk voor je zijn,' zei hij.

'Het hoeft ook niet makkelijk te zijn.'

Hij keek me aan en zag dat ik het meende. Toen trok hij zijn hemd uit en gooide het op het strand naast ons. Hij schopte zijn sandalen uit. Knoopte zijn spijkerbroek los, liet hem zakken en stapte eruit. Daarna volgde zijn ondergoed.

Daar stond hij, naakt in de zon. Ik zag dat zijn bleke, verwoeste huid overdekt was met kippenvel voordat hij zich ontspande in de genadeloze hitte.

Zijn borst was een schildersdoek van witte littekens, kleine en grote wonden die duidelijk gehecht waren. Sommige waren mooi genezen, andere lelijk. Gek genoeg was de kleine getatoeëerde dahlia onder zijn sleutelbeen onaangetast; wat duidelijk maakte dat onschuld nooit volledig verwoest kan worden. Hij draaide zich om zodat ik zijn rug kon zien, die er ongeveer hetzelfde uitzag. Daarna keek hij me aan.

'Je hebt gelijk,' zei ik. 'Het is moeilijk om naar te kijken.'

'Dat zei ik.' Hij bukte zich en greep zo veel mogelijk kleren.

Ik hield hem tegen. 'Leg neer.'

'Karin...'

'Nee, Mac, het is oké. Ik hou van je.' Ik bracht mijn hand naar zijn gezicht.

'Ik heb nagedacht,' zei hij. 'Hoe moet ik straks dit afschuwelijke beeld voor hem verborgen houden?' Hij tikte op mijn buik. Onze zoon.

'Daar vinden we wel iets op. Misschien bewaren we de waarheid voor later.'

'Of we vertellen hem nooit. Ze zal hem doodsbang maken.'

'Hij krijgt een eigen persoonlijkheid. Uiteindelijk zal hij het moeten weten.'

'Karin,' – Mac liep naar me toe, sloeg zijn armen om me heen en trok me dicht tegen zich aan – 'denk je niet dat we hem sommige details kunnen besparen?'

'Misschien,' zei ik. 'We kunnen het waarschijnlijk wel proberen.'

'Laten we dat doen.'

Woord van dank

Ondanks de vele eenzame uren die je doorbrengt met het schrijven van een boek, sta je er nooit helemaal alleen voor. Er zijn altijd mensen die je aan alle kanten steunen... In dit geval mijn redactrice Lucia Macro, die me de juiste feedback wist te geven bij het bepalen van de definitieve vorm van het verhaal; mijn agent Matt Bialer, die me met het lezen van het ene concept na het andere onafgebroken heeft gestimuleerd; zijn assistente Lindsay Ribar, die met haar redactionele vaardigheden als lezeres heel veel heeft bijgedragen; en last but not least mijn echtgenoot Oliver Lief, begenadigd filmeditor, die met zijn talent voor verhalen vertellen en montage steeds een lichtend voorbeeld is geweest.

Join the CRAMMERS CLUB

Books ...

Get exclusive discount offers on books, practice exams, test vouchers, and other exam prep materials by joining The Crammers Club.

It's easy!

Go to **www.examcram2.com/crammersclub**, answer a few short questions, and you will become eligible for several exciting benefits, including:

- Free books and test vouchers
- Exclusive content
- Free Exam Cram 2 merchandise
- Special prizes and offers

The first 500 readers who register at www.examcram2.com/crammersclub receive a free book of their choice!

Also, don't forget to check out examcram2.com, which features:

- The latest certification news
- Author interviews and articles
- Free practice exams
- Newsletters

and much more!

EXAM CRAM 2